L'ADMINISTRATION PUBLIQUE QUÉBÉCOISE: évolutions sectorielles

1960-1985

L'ADMINISTRATION PUBLIQUE QUÉBÉCOISE: évolutions sectorielles

1960-1985

Sous la direction de
Yves BÉLANGER
et Laurent LEPAGE

1989
Presses de l'Université du Québec
Case postale 250, Sillery, Québec G1T 2R1

ISBN 2-7605-0493-X

Dépôt légal — 4e trimestre 1989
Bibliothèque nationale du Québec
Bibliothèque nationale du Canada
Imprimé au Canada

TABLE DES MATIÈRES

REMERCIEMENTS

La publication de cet ouvrage a été rendue possible grâce au soutien financier du PAFAC (UQAM). Les collaborateurs tiennent en outre à remercier Colette Désilets et le secrétariat du département de science politique de l'Université du Québec à Montréal pour leur collaboration technique à la réalisation de l'ouvrage.

INTRODUCTION

ANALYSER LE PASSÉ POUR MIEUX ÉVALUER LE PRÉSENT

Jacques Léveillée

Logique administrative et logique politique. Logique de centralisation et logique de décentralisation. Logique de normalisation et logique de spontanéité. Autant de modes de pensée et de modèles d'action qui ont animé les débats sur les projets de réforme et sur le fonctionnement quotidien de l'administration publique québécoise au cours des vingt-cinq dernières années.

Des solutions originales ont parfois émergé du choc de ces logiques. Dans d'autres cas, les options retenues ont oscillé entre l'une et l'autre logique parce que les évaluations des premières étapes de mise en oeuvre révélaient une réticence trop grande de la part des groupes ou individus concernés. Mouvement de balancier qui prévaut encore dans certains secteurs de l'activité gouvernementale québécoise. Il tendrait même à imprimer son rythme à des domaines pour lesquels des aménagements politiques et organisationnels semblaient avoir été trouvés.

Aussi, le temps d'arrêt que propose le présent recueil, pour essentiel qu'il soit, ne pourra être que temporaire. Il répond en effet à des impératifs d'analyse qui ne sauraient résister longtemps à la mouvance perpétuelle de l'administration publique québécoise. Par bonheur pour les auteurs, et les lecteurs, la réalité d'aujourd'hui n'est pas fondamentalement différente de celle d'hier. Nous croyons même que pour porter un regard éclairé sur la situation actuelle de l'administration publique québécoise, il apparaît plus utile que jamais de connaître ce qui l'a mise au monde et ce qui l'a nourrie au cours de ces années que la mémoire collective persiste à nommer «sa» Révolution tranquille.

Dans cette démarche d'introspection, toutes les approches disciplinaires peuvent apporter une contribution essentielle à la synthèse que l'on écrira un jour sur ces années stratégiques de rupture au cours desquelles les enjeux contemporains de la société québécoise ont été ensemencés. Ainsi, les historiens, les sociologues, les économistes et les politicologues, qui ont cherché à retracer les causes et les conséquences de certaines tendances lourdes ou de certaines conjonctures, ont souvent permis de mieux cerner les potentialités et les limites de l'appareil étatique dans ses efforts d'adaptation aux transformations de la société québécoise. Plus récemment, des analystes et des praticiens de l'administration publique québécoise ont diffusé les résultats de leurs recherches ou de leurs réflexions sur l'évolution de l'État québécois telle que saisie à travers l'étude de son système d'administration publique.

Le présent recueil de travaux s'inscrit d'emblée dans cette démarche de connaissance des fondements et des principales coordonnées de l'administration publique québécoise. Stimulé par une interrogation initiale apparemment fort simple sur l'influence des variables administratives dans la construction du Québec contemporain, le groupe de professeurs du département de science politique de l'Université du Québec qui participe à cet ouvrage a décidé de réaliser des synthèses monographiques sur quelques-uns des principaux secteurs d'intervention de l'appareil étatique québécois depuis le début des années soixante. Il en résulte un ensemble très riche d'informations sur le sens des bouleversements apportés par la Révolution tranquille dans la façon traditionnelle, pour le Québec, de s'administrer. Il en résulte également une vision fort nuancée des avancées et des reculs de certaines idées et de certaines pratiques dans l'administration publique et dans les relations entre les forces administratives et les forces politiques.

Le premier groupe de contributions amorce l'analyse du choc des logiques d'aménagement de l'administration publique québécoise en traitant de ceux, et très rarement de celles, qui ont occupé la première place dans l'imaginaire sociologique et dans la diffusion médiatique, soit les hauts fonctionnaires, les techno-bureaucrates, et les argentiers publics. Le second groupe de synthèses monographiques retrace les cheminements bureaucratiques et délimite les principaux enjeux politico-administratifs dans cinq secteurs très importants de l'intervention du gouvernement québécois au cours de ces années, soit l'éducation, la santé et le bien-être, la main-d'oeuvre, la culture et les affaires municipales.

Après la lecture de ces textes, il est difficile de ne pas être d'accord avec ceux et celles qui ont perçu une tendance profonde à la centralisation de l'administration publique québécoise depuis une trentaine d'années. Les corps intermédiaires ont été les premiers à céder leur place dans les secteurs de l'éducation, de la santé, du bien-être et de la culture. Pour leur part, les corporations municipales résistent toujours aussi mal au régime de «décentralisation d'encadrement» que les fonctionnaires du centre s'acharnent à concevoir pour elles. Le mouvement syndical lui-même ne parvient plus à contenir les mesures législatives d'encerclement concoctées à son intention.

Et pourtant, cette normalisation centralisée de l'administration publique québécoise ne recouvre pas toutes les situations. Selon les périodes, et selon les secteurs d'intervention, la logique politique et les aspirations à une forme plus spontanée et plus décentralisée de l'administration des êtres et des choses refont surface.

Certes, les corps intermédiaires d'antan, les associations régionales nouvelles, les commissions scolaires, les corporations municipales, les partis politiques et les caucus parlementaires ne semblent pas encore sur le point de renverser la vapeur qui a gonflé les réservoirs bureaucratiques de l'État québécois depuis vingt-cinq ans. Par contre, à lire les dernières pages de chacune des contributions de ce recueil, nous sommes autorisés à croire que l'administration publique québécoise est actuellement engagée dans un processus sérieux de réorganisation de ses modes d'action afin de trouver un équilibre entre les logiques organisationnelles qui l'ont secouée au cours des trois dernières décennies.

Par essence, cette recherche d'équilibre ne répondra pas à des secousses brusques comme au temps fort de la Révolution tranquille. Elle sera, en contrepartie, plus respectueuse de l'ensemble des forces qui traversent la société civile et la société politique québécoise, au centre comme à la périphérie de l'administration publique québécoise.

ÉVOLUTION DE LA HAUTE FONCTION PUBLIQUE DES MINISTÈRES DU GOUVERNEMENT DU QUÉBEC

Jacques Bourgault

LES HAUTS FONCTIONNAIRES COMME DIRIGEANTS PERMANENTS DES SOCIÉTÉS POLITIQUES*

Au sommet des ministères, les hauts fonctionnaires jouent un rôle d'une importance stratégique et nous avons voulu observer l'évolution de leurs caractéristiques et de leurs rapports au personnel politique depuis 1960.

À mesure que s'est développée une authentique haute fonction publique de carrière, s'est posé au personnel politique le problème d'assurer dans les faits et par les moyens appropriés la suprématie de ses points de vue. Les réponses à ces questions ont servi de cadre pour gérer la haute fonction publique, son recrutement, sa carrière, son statut et de balises aux grands commis pour estimer la marge de manoeuvre technique, administrative et politique qui leur revient.

Malgré tous les changements survenus depuis vingt-cinq ans aux lois de la fonction publique, malgré les changements de partis politiques au pouvoir et malgré l'évolution de la culture politique dans la société québécoise, la carrière des hauts fonctionnaires nous semble reposer sur un statut qui fait encore plus de place à l'arbitraire politique qu'en 1960. Par ailleurs, le développement des carrières individuelles témoigne aujourd'hui largement de la sensibilité politique des affectations et, à notre avis, on ne se trouve pas encore en présence d'un plan de gestion des carrières des grands commis[1].

---

* L'auteur remercie ses collègues Julien Bauer, Yves Bélanger, Kenneth Cabatoff, Laurent Lepage et Carolle Simard de leurs commentaires et suggestions. Il remercie en outre l'E.N.A.P. ainsi que le service de la Recherche de l'UQAM pour leur appui à cette recherche.

1. Ces observations se trouvent amplifiées du fait de l'accentuation de la pratique de la contractualisation depuis 1986.

Toutes ces propriétés n'ont cependant pas empêché une certaine transformation du profil des recrues: hausse de la scolarisation, profils de généralistes, importance des profils de gestionnaires, rajeunissement du recrutement, diminution de la durée des affectations, diversification des milieux sociaux et géographiques de provenance et des lieux de formation.

INTRODUCTION

L'évolution vers la «modernisation» de la haute fonction publique québécoise peut s'observer à partir de trois indicateurs, soit l'évolution du statut de la haute fonction publique, celle des caractéristiques socioprofessionnelles des titulaires et l'évolution de la nature des rapports entretenus avec les autres composantes du système politico-administratif.

Le statut de la haute fonction publique québécoise évoluera peu et bien après 1960, pour ne devenir en 1984, qu'un cadre minimaliste de référence ne reflétant pas la politique de gestion de la haute fonction publique; cette politique ne sera d'ailleurs jamais énoncée publiquement.

Pourtant, on observera une mutation certaine des pratiques de recrutement, des profils des titulaires, des étapes de la carrière, de la durée en fonction et même de la nature du lien d'emploi de plusieurs hauts fonctionnaires.

Ce paradoxe s'explique par l'évolution des rapports des hauts fonctionnaires au système politique. La programmation politique de l'action administrative a progressivement réclamé un engagement plus intense des grands commis par rapport aux orientations gouvernementales, ce qui a rapproché ceux-ci des agents de pression politique et a rendu leur durée en fonction, de même que leur profil, plus sensible aux changements de personnel politique et même aux courants d'idées politiques.

La période 1960-1985

Choisir l'année 1960 comme borne de la période «moderne» de l'administration québécoise fera à juste titre sourciller plusieurs observateurs. La complexité et les lenteurs des processus administratifs et en particulier des processus de réforme, risquent de faire apparaître après 1960 les effets des projets entrepris depuis 1957.

Celui qui veut absolument dater les étapes d'une modernisation, comprendra que l'arrivée du gouvernement libéral ait été proposée comme année charnière, surtout dans la mesure où cette équipe s'est présentée comme en étant une de changement et de novation.

Il reste cependant qu'en matière de fonction publique, on doit se souvenir que la classification[2] qui vaudra jusqu'en 1967 avait été élaborée dès 1958 sous l'impulsion de Paul Sauvé et adoptée en octobre 1959.

L'année 1960 ne provoque pas non plus un changement radical des éléments de la haute fonction publique. Par exemple plusieurs sous-ministres qui avaient été nommés par Maurice Duplessis ou même Adélard Godbout vivront au moins cinq années de la Révolution tranquille; c'est le cas des Doucet aux Affaires municipales, Douville au Secrétariat, Labrie aux Pêcheries maritimes, Cantin à la Justice, Désilets au Conseil exécutif, Bieler aux Finances, Shink au Revenu, Tremblay au Travail et Verreault aux Transports. Plusieurs des sous-ministres adjoints furent recrutés et acculturés à l'administration gouvernementale québécoise avant 1960; c'est aussi le cas de sous-chefs nommés dès après 1960 tels les Mercier à l'Agriculture, Guay aux Terres et Forêts et Stanton au Revenu.

Quant au style de direction monocratique des affaires gouvernementales, il commença à évoluer lors de la succession de Duplessis, donc avant l'arrivée des libéraux.

Les postes faisant l'objet de l'étude

Cette brève présentation trace l'évolution du statut et des effectifs de la haute fonction publique des ministères du gouvernement du Québec de 1960 à 1985; elle met en relief les grands moments de cette évolution, propose quelques facteurs d'explication et identifie quelques grands problèmes que pose la rencontre de la légitimité politique des ministres et des connaissances techniques des hauts fonctionnaires.

Cette présentation ne concerne que les nominations discrétionnaires dans les ministères aux postes de sous-chefs et sous-chefs adjoints; ainsi ne sont pas pris en compte les postes de cadres supérieurs, recrutés par concours, non plus que les postes de présidents, de vice-présidents, de membres de conseils d'administration, de commissions et d'organes de direction des sociétés d'État, de régies, d'offices et d'autres dénominations des quelque 250 organismes publics relevant du gouvernement du Québec.

---

2. Cette classification (A.C. 1199 de 1959) rangeait les types de fonction et y faisait correspondre un rangement des salaires.

La haute fonction publique québécoise en 1960

Quel portrait pouvons-nous tracer de la haute fonction publique québécoise en 1960?

La loi principale qui la régit fut adoptée dix-huit ans auparavant[3] et n'a subi depuis que des amendements mineurs pour accommoder des cas particuliers[4]. En matière de haute fonction publique, cette loi de 1943 ne diffère que peu de celle de 1876[5], mise à part l'importante question de l'octroi de la permanence. Celle-ci est rigoureusement protégée chez les mandarins, au point qu'un sous-chef, devenu invalide, conservera son poste et son salaire pendant les cinq années où il demeurera chez lui avant son décès.

Aucune autre loi générale ne traite des sous-chefs si bien que les pouvoirs et devoirs de ceux-ci apparaissent dans chacune des lois constituant les ministères. La réglementation générale n'existe pas non plus, mis à part le décret de 1959[6] fixant les catégories de classement et de rémunération des sous-ministres adjoints et du personnel de rang inférieur.

De 1958 à 1959, les rémunérations sont haussées de 9 000 à 10 000 dollars en moyenne, mais demeurent nettement inférieures à celles des homologues ontariens et fédéraux.

Lorsque les libéraux arrivent au pouvoir, quelques grands commis viennent de quitter leur poste pour des raisons d'âge ou de maladie mais, demeurent en poste des dirigeants âgés qui occupent depuis longtemps les mêmes fonctions. Ils sont majoritairement formés et expérimentés dans le seul champ d'action de leur ministère.

Les nouvelles figures de la haute fonction publique arriveront avec les nouvelles politiques et institutions. Ce sera le cas aux Affaires culturelles (Frégault), à l'Éducation (Tremblay), aux Relations fédérales-provinciales (Morin), à la Santé (Gélinas), etc.; lorsque les changements de politiques sont moins considérables ou radicaux, les personnels entrés dans la fonction publique du Québec avant 1960 sont maintenus en poste ou même accèdent à des postes de sous-ministres. En ce sens, on peut affirmer que les ruptures de lignes politiques de cette période se traduisent par le changement des hauts fonctionnaires. Cela s'explique d'autant mieux que ces grands commis ont pour la plupart contribué de façon très importante à concevoir la politique qu'ils allaient devoir gérer.

---

3. *L.Q.* 1943, c. 9.
4 . *L.Q.* 1957 accorde rétroactivement le statut de sous-chef au greffier du Conseil des ministres.
5. *L.Q.* 1826, c. 9.
6. A. C. 7777 du 26 octobre 1959.

Les processus de décision apparaissent[7] unisectoriels et autoritaires et attribuent au sous-chef un rôle en général primordial dans leur initiative, leur préparation et dans la formulation de recommandations «fortes». Duplessis aurait d'ailleurs dit à ses ministres lors d'une cérémonie de présentation de ceux-ci «que le vrai dirigeant du ministère, c'est le sous-ministre»[8].

Les sous-chefs dirigent en 1960 une structure organisationnelle pyramidale d'où les sous-ministres adjoints sont en général absents lorsqu'ils ne sont pas confinés à des tâches spéciales ou de conseil.

Les effectifs de la haute fonction publique des ministères

L'évolution numérique des effectifs de la haute fonction publique du Québec nous donne une mesure de l'évolution de la dimension de l'État pendant ces années et nous éclaire sur le type d'encadrement fourni au plus haut niveau de la structure administrative et ce, quelquefois aux dépens tant des cabinets politiques que des cadres supérieurs.

Enfin, la taille des effectifs peut contribuer à justifier la proposition d'une politique particulière aux hauts fonctionnaires, d'une structure d'encadrement et de regroupement d'appellations déterminées qui auraient pu devenir l'embryon d'un lieu formel de contre-pouvoir technocratique.

Les effectifs des sous-ministres des ministères passent de 22 en 1960 à 27 en 1986 croissant avec le nombre des ministères, et organismes (Ex.: le secrétaire du Conseil du Trésor); s'y ajoutent les quelques associés qui, dans leur décret de nomination, ont obtenu rang et privilèges de sous-chefs.

La croissance du nombre des sous-ministres s'avère beaucoup plus faible que celle des adjoints et associés, lesquels passent de 18 en 1960 à 37 en 1966 puis à 44 en 1969, à 56 en 1970 puis à 70 en 1972, à 80 en 1976, à 102 entre 1981 et 1983 et 106 au printemps 1986.

En somme, de 1960 à 1980, les effectifs des adjoints doublent presque à tous les dix ans. Cela témoigne de quatre phénomènes: il y a d'abord une difficulté réelle des sous-chefs à coordonner l'action de directions générales devenues trop nombreuses; on observe un besoin de développer une administration de mission pour gérer des dossiers très particuliers ou temporaires; on utilise cette appellation pour gratifier des fonctionnaires de carrière qui ne deviendront pas sous-chefs ou des amis politiques qui n'ont pas fait carrière; mais surtout, la croissance de ces nominations gouvernementales témoigne de la méfiance du personnel politique, de la lenteur des

---

7. Entrevues réalisées.

8. R. RUMILLY, *Maurice Duplessis et son temps*, t. I, Montréal, Fidès, 1978, p. 348.

fonctionnaires ainsi que de la crainte des politiciens que les fonctionnaires ne résistent à leurs projets.

Ce phénomène est remis en cause aujourd'hui tant par le gouvernement qui souhaite réduire ses dépenses que par l'Association des cadres supérieurs du gouvernement du Québec qui déplore que la croissance de ces postes réduise les occasions de carrière de ses membres, ainsi privés d'accès aux postes de direction générale occupés de plus en plus par les sous-ministres adjoints; l'Association constate aussi une dilution de l'importance des mandats professionnels attribués aux cadres de carrière au profit des postes pourvus de façon discrétionnaire[9].

Pourtant l'évolution du cadre juridique depuis vingt-cinq ans tend à reconnaître un «certain» statut d'ensemble aux hauts fonctionnaires.

ÉVOLUTION DU CADRE JURIDIQUE S'APPLIQUANT À LA HAUTE FONCTION PUBLIQUE

De 1960 à 1985, quatre lois d'importance touchent la fonction publique, mais il faut attendre 1984 pour qu'une loi prévoit un ensemble de dispositions concernant la haute fonction publique alors qu'elle crée le corps des administrateurs d'État qui n'apparaît encore que comme catégorie générale de classement des hauts fonctionnaires.

Une absence de textes généraux pendant une si longue période traduit l'ampleur de l'arbitraire qui gouverne la création des postes, le recrutement, l'affectation et la promotion des titulaires de même que la durée en poste, la fixation des salaires, leur augmentation et la détermination de la poursuite de carrière.

Politiciens et grands commis bénéficient de cet arbitraire. D'une part, ils ne sont pas limités dans leur action sur les affectations par des dispositions statutaires trop contraignantes; d'autre part, les plus écoutés des grands commis chez le personnel politique jouissent, de par cet arbitraire, d'une ressource politique non négligeable auprès de leurs confrères et consoeurs dont le dossier est à l'étude ou sur le point de le devenir.

La loi créant en 1965[10] la Commission de la fonction publique reprend le texte de 1943 quant aux rares conditions de statut général des hauts fonctionnaires tandis que la loi de chaque ministère définit le statut particulier de chacun des sous-chefs.

---

9. J. BOURGAULT, *Le phénomène de substitution*, étude préparée pour l'Association des cadres supérieurs du Québec en mai 1986.

10. *L.Q.* 1965, c. 14.

En 1969, la loi qui crée[11] le ministère de la Fonction publique prévoit[12] que dorénavant les sous-ministres adjoints seront nommés par le lieutenant-gouverneur en conseil sur proposition du premier ministre.

Il faut voir dans cette modification la consécration de l'autorité du premier ministre en matière de personnel de haute direction; cette clarification fut rendue nécessaire par le conflit larvé opposant au premier ministre Jean-Jacques Bertrand, son concurrent lors d'une récente course à la chefferie de l'Union nationale, Jean-Guy Cardinal[13]. On peut y voir aussi la victoire du grand fonctionnaire Arthur Tremblay, conseiller spécial du premier ministre sur des sous-chefs sectoriels à qui le premier ministre peut maintenant imposer des adjoints sans même consulter la Commission, dans un processus qui était pourtant jusqu'alors largement symbolique[14].

Ce changement soustrait ainsi de l'autorité des organismes de gestion budgétaire le contrôle du nombre des postes d'adjoints; c'est ainsi que l'on passe de 44 postes lors de l'adoption de la loi à 56 un an plus tard (hausse de 22 %) et à 66, trois ans plus tard, soit une hausse de 50 %.

Ce faisant, on augmente à la fois l'ampleur des ressources politiques du premier ministre par rapport à ses ministres et les moyens de ceux-ci par rapport aux structures permanentes de direction des ministères; cette capacité des membres du personnel politique de combler les postes de direction supérieure des ministères par des gens de confiance, a aussi diminué momentanément le besoin des politiciens de rendre les cabinets ministériels trop puissants. Enfin, les cadres supérieurs voient ainsi réduites leurs chances d'accéder, dans le cadre du cours normal de la carrière, aux plus hautes fonctions de direction des ministères.

Après 1978, une pratique laxiste de ces nominations permettra l'occupation par un grand nombre de sous-ministres adjoints de fonctions de directeurs généraux. On jette ainsi les germes d'un système d'«emploi» dans la haute fonction publique du Québec[15], car l'adhésion aux orientations du

---

11. *L.Q.* 1969, c. 14.
12. *L.Q.* 1969, c. 14, art. 33.
13. Nots d'entrevues.
14. Témoignage de M. Fournier à la Commission parlementaire de la fonction publique le 20 juin 1970 et notes d'entrevue auprès d'un autre commissaire: «Les papiers on arrangeait ça après!»
15. J. BOURGAULT, A.C.S.Q., *op.cit.*, p. 50; on oppose «système de dépouilles» à «système de carrière»: dans le premier cas, le recrutement peut s'effectuer sans contrainte à l'extérieur de la fonction publique et les titulaires n'ont pas de lien d'emploi permanent. Jusqu'à la création du Senior Executive Service (SES) en 1978, on prétendait qu'un tel système prévalait trop largement dans la haute fonction publique américaine; en fait, plusieurs des titulaires venaient de l'administration tandis que de nombreux autres y accédaient après quelques années d'exercice de fonctions.

gouvernement jouera un rôle important dans la sélection des titulaires aux dépens de la sélection au mérite et de la continuité de la carrière.

En 1979, la loi[16] modifiant les pouvoirs du ministère de la Fonction publique, prévoit la possibilité pour le gouvernement de modifier le classement d'un sous-ministre[17]. On revient donc sur la loi de 1943 et on accroît la marge de pouvoir discrétionnaire du pouvoir politique. Aussi, entre 1979 et 1985, une dizaine des quelque 400 personnes concernées se voient-elles rétrogradées par l'attribution d'un classement d'administrateur I (catégorie des cadres supérieurs)[18].

La loi de 1983[19] modifie, pour la première fois depuis 1868, la description des fonctions, pouvoirs et devoirs des sous-ministres pour en faire des «managers» plutôt que des «contrôleurs de ressources»[20]. De plus, comme elle ne fait plus de mention précise de la permanence du lien d'emploi des sous-ministres, certains ont interprété ce changement comme une disparition de la permanence et ce, malgré le fait que l'économie générale du texte semble pourtant, à notre avis, la maintenir.

La création du corps des administrateurs d'État en 1983 allait-elle favoriser l'exercice d'un pouvoir technocratique distant du pouvoir politique légitime? Cela semble peu probable dans la mesure où ce corps n'apparaît que comme une catégorie de classement et ne compte pas sur des dispositifs de régie interne qui lui soient propres et qui lui permettent d'exercer quelque autonomie par rapport aux ministres et ministères. De plus, la pratique des appellations et affectations de 1984 à 1986 témoigne du caractère hétéroclite et non contraignant du statut: plusieurs sont devenus sous-ministres ou sous-ministres adjoints sans être administrateurs d'État et, par ailleurs, certains administrateurs d'État ont eu des affectations de rang inférieur au leur[21].

On constate donc que les dirigeants politiques se sont réservé en permanence une marge d'arbitraire très importante pour gérer la haute fonction publique québécoise: peu de textes ont circonscrit cette marge tandis que certains l'ont étendue; en revanche, les textes qui ont tenté de définir une appellation statutaire semblent loin de connaître une cohérence parfaite d'application.

Les rapports entre administration et politique nécessitent une souplesse de gestion telle qu'ils nient à la haute fonction publique québécoise la capacité d'exister comme groupe et de développer une carrière reconnue par les statuts.

---

16. *L.Q.* 1978, c. 15.
17. *Ibid*, art. 72.
18. J. BOURGAULT, «Le phénomène de la substitution», ACSQ, *op.cit.*.
19. *L.Q.* 1983, c. 55, art. 55.
20. *Ibid*, art. 37-41.
21. J. BOURGAULT, *Les administrateurs d'État des ministères du gouvernement du Québec 1867-1985*, thèse de doctorat d'État, Paris, Institut d'études politiques de Paris, 1986.

CARACTÉRISTIQUES SOCIOPROFESSIONNELLES: PROFILS HOMOGÈNES ET RECRUTEMENT «MODERNISÉ»

L'idée d'une bureaucratie représentative a longtemps suscité l'intérêt des auteurs[22] qui y voyaient les avantages d'une plus large intégration des classes sociales à la structure étatique, d'une meilleure prise en charge des intérêts de la diversité des groupes et d'une plus grande identification des citoyens à leur administration. Il sera donc intéressant de voir comment l'évolution des caractéristiques sociologiques ont pu rendre la haute fonction publique plus ou moins représentative de la population qu'elle entend servir.

Pour ce faire, nous utilisons des extraits de séries statistiques présentées dans une thèse de doctorat d'État soutenue en 1986 à l'Institut d'études politiques de Paris[23]. Ces séries compilées jusqu'en 1982 ne peuvent comprendre les plus récentes observations en raison de la lourdeur du traitement statistique requis; cet écart se compare cependant avantageusement aux autres études du même type[24].

Les données présentées portent sur l'ensemble de la population étudiée et ne constituent pas un échantillon de celle-ci. Par ailleurs, pour certaines variables le nombre d'informations disponibles peut faire varier marginalement le nombre des observations analysées par période décennale.

Caractéristiques sociologiques

Les femmes sont symboliquement présentes dans la haute fonction publique depuis 1967[25], année où une première sous-ministre associée fut nommée; la première sous-ministre en titre accéda à ses fonctions en 1978. Entre 1867 et 1977, des 348 nominations, trois seulement étaient des femmes. Entre 1977 et 1982, six femmes furent nommées sur les 197 nominations effectuées dans cette période. En 1986, les deux seules femmes sous-ministres en titre figurent parmi les sept premiers déplacements qu'impose le gouvernement libéral.

---

22. D.SAVOIE, et R. TANGUAY, *Les intérêts régionaux et la haute fonction publique fédérale*, Moncton, I.C.D.R., 1986.

23 . J. BOURGAULT, «Les administrateurs d'État», *op.cit.*

24. Voir notamment D. OLSEN, *The State Elite*, Toronto, McLelland, 1980; P. SHERIFF, *Career Patterns*, London, Civil Service, 1976; S. ABERBACH, R. PUTNAM et B. ROCKMAN, *Bureaucrats and Politicians in Western Democracies*, Cambridge, Harvard University Press, 1981.

25. J. BOURGAULT, «Les administrateurs d'État», *op.cit.*, pp. 584 et suiv.

Les Néo-Québécois sont presque totalement absents de la haute fonction publique du Québec puisque seulement 23 des 355 personnes nommées depuis 1957 appartiennent à ce groupe et seulement trois de celles-ci devinrent sous-ministres. Par période décennale, la faible proportion oscille[26] de façon stable entre 6 et 7 %.

Si la plupart des hauts fonctionnaires disent avoir été éduqués selon les préceptes de la religion catholique, notre questionnaire ne visait cependant pas à approfondir cette dimension, notamment par l'étude du niveau de pratique et de la conformité d'opinions avec la direction de l'Église.

Un poste de sous-ministre associé, succédant au secrétaire protestant du Département de l'instruction publique, fut toujours réservé pour un protestant au ministère de l'Éducation. Ce poste destiné surtout à des fonctions de représentation n'est pas réputé lourd d'influence auprès des décideurs et s'avéra même difficile à combler après 1976. Ailleurs, les non-catholiques nommés depuis 1957 se comptent sur les doigts d'une seule main!

Le recrutement a toujours donné la part du lion aux candidats nés à Québec et à Montréal qui comptaient 270 des 452 recrutés[27]. Notons cependant que de 1957 à 1982, les hauts fonctionnaires nés à Québec diminuent proportionnellement, puisqu'ils passent de 28 des 78 recrutés à 22 des 107 recrutés, alors que ceux qui sont nés à Montréal augmentent leur présence de 22 des 78 nominations à 41 des 107 candidats. Les titulaires nés dans les autres régions du Québec tirent avantage de cette mutation, car dès 1967 ils passent de 23 des 78 candidats à 59 candidats sur 170. Remarquons au passage l'important recrutement libéral entre 1960 et 1966, de personnes nées à Québec avec 23 de ses 51 nominations caractérisant par là la société d'interconnaissances que représente le «milieu» québécois.

La comparaison[28] des périodes 1957-67 (78 titulaires recrutés), 1967-77 (170 recrues) et 1977-82 (107 nouveaux venus) montre une chute de la représentation des milieux urbains (de 54 % à 48 %) au profit de celle des régions semi-rurales (de 19 % à 25 %) tandis que la proportion des titulaires originant de milieux ruraux reste stable à 27 %. Les mouvements migratoires de la population ne se sont pourtant pas produits dans cette direction pendant cette même période.

La représentativité socioprofessionnelle tient une place importante dans les études sur la représentativité de la bureaucratie; aussi doit-on donner un relief particulier aux observations qu'elle permet dans le cas du Québec. On peut regrouper les pères des titulaires en quatre catégories, soit d'abord les cultivateurs et exploitants agricoles, puis deuxièmement, les ouvriers et cols blancs, troisièmement les commerçants, les professionnels, professeurs et

26. *Idem*, p. 559.
27. *Idem*, p. 559.
28. *Idem*, p. 569.

dirigeants propriétaires de petites et moyennes entreprises et quatrièmement, les cadres supérieurs du privé et du public, les industriels et les financiers.

De 1957 à 1967[29], 8 des 76 nominations étaient à l'origine des enfants de cultivateurs, et ce nombre augmentait à 13 des 107 candidats entre 1977 et 1982. Pour les mêmes périodes, les enfants d'ouvriers représentaient respectivement 10 des 76 candidats et 35 des 107 nominations. Cependant, les nominations d'enfants de commerçants et de professionnels chutaient de 35 des 76 nominations en 1957 à 31 des 107 nominations pour la période 1977-1982, tandis que celles des enfants de cadres supérieurs, d'industriels et de cols blancs passaient de 23 des 76 nominations en 1957 à 28 des 107 nominations en 1977.

On remarque donc l'accès beaucoup plus large des catégories plus pauvres à l'élite administrative, résultant de la chute radicale de la reproduction des élites par le canal de la haute fonction publique. En effet, de 1957 à 1967, on observait une reproduction d'élites puisque 52 des 76 recrutés venaient des classes moyennes et supérieures, tandis que de 1977 à 1982, 74 des 107 individus nommés étaient issus des milieux ouvriers, cols blancs et des cultivateurs.

Cette diversification du recrutement s'observe aussi par l'étude des collèges et universités fréquentés. En effet, alors que le collège du Séminaire de Québec formait 25 des 76 titulaires recrutés entre 1957 et 1967[30], ce nombre diminue à 27 des 170 titulaires pour la décennie suivante et à 14 des 107 titulaires pour la période 1977-1982. Pour une même période, seuls trois autres collèges ont formé plus de 5 % des titulaires, soit le collège de Montréal (1967-1977), le collège de La Pocatière (1957-1967) et le collège de Rimouski (1977-1982).

On observe aussi une chute régulière et importante des recrues formées à Laval, McGill et Polytechnique au profit de l'Université de Montréal, et des H.E.C.[31]. En effet, en 1957, parmi les 76 recrues, 39 proviennent de Laval, 6 de McGill, 6 de Polytechnique, 9 de l'Université de Montréal et 4 de l'école des H.E.C. Cependant, parmi les 107 titulaires recrutés entre 1977-1982, 43 viennent de Laval, 3 de McGill et un seul de Polytechnique. Bénéficiant de ce transfert, l'Université de Montréal a formé 25 des 107 recrues et l'école des H.E.C., 7. De plus en plus de personnes ont étudié dans plus d'une université québécoise. Ce type de cas passe de une recrue sur 76 en 1957 à 13 des 107 recrues de la période 1977-1982; pour ces mêmes périodes, le nombre de ceux qui n'ont pas fréquenté l'université passe de 11 sur 76 à 9 sur 107.

L'étude des caractéristiques sociologiques nous permet de formuler quatre observations principales. Premièrement, la haute fonction publique

29. *Idem*, p. 597.
30. *Idem*, p. 611.
31. *Idem*, p. 615.

québécoise apparaît très homogène dans ses caractéristiques de sexe, d'ethnie, de religion et de pays d'origine; la ville de naissance devient progressivement plus diversifiée. Cette homogénéité extrêmement forte ne porte pas toutefois les gages d'ouverture d'esprit, d'ouverture à l'innovation et aux valeurs différentes qui peuvent être nécessaires aux élites dirigeantes de l'administration.

Deuxièmement, les caractéristiques de sexe, d'ethnie, de religion, de pays d'origine et de ville de naissance montrent une absence de représentativité de la haute fonction publique québécoise, laissant peu d'occasions de prise en charge d'intérêts diversifiés, d'identification à l'État et d'intégration des minorités: ici comme le démontre la totalité des études de ce type dans le monde occidental[32], les minorités dans la population sont encore plus «minorisées» dans la haute administration.

En revanche, la représentativité socioprofessionnelle devient beaucoup plus forte depuis 1967 et surtout depuis 1977. On y voit une démocratisation du recrutement attribuable à la plus grande accessibilité aux études «classiques» en 1962, puis aux études universitaires en 1968. On observe au Québec, contrairement aux autres hautes fonctions publiques occidentales, un accès très important des milieux populaires (ouvriers, travailleurs agricoles, cols blancs) à la haute fonction publique, ce qui diminue d'autant le rôle de la haute administration comme lieu de reproduction des milieux élitaires à l'occasion de la reproduction des élites.

Finalement, les caractéristiques de société d'interconnaissances s'amenuisent sensiblement: on l'a vu par le recrutement moins québécois et plus régional et montréalais, et on l'a remarqué par la diversification des provenances collégiales et universitaires. Certes, le taux d'interconnaissances reste élevé mais il diminue sans cesse, accroissant ainsi le réseau des relations sociales de l'élite administrative, sa pénétration dans des milieux diversifiés et l'indépendance de ses éléments par rapport à son noyau central.

Les tendances à la diversification s'observent dans les hautes fonctions publiques dites d'emploi alors que l'homogénéité des caractéristiques sociologiques est plus présente dans les hautes fonctions publiques dites de carrière.

À la modernisation du recrutement correspondra celle de la pratique des affectations comme nous le verrons dans la section qui suit.

Caractéristiques de carrière

De 1957 à 1967, il y eut 117 affectations aux fonctions de sous-ministre, sous-ministre associé et sous-ministre adjoint, soit très peu comparativement

32. *Idem*, pp. 916 et suiv.

aux 292 de la décennie suivante et aux quelque 450 qui auront été faites entre 1977 et 1986. Une même personne pouvait espérer faire l'objet d'une ou de deux nominations entre 1957 et 1967 tandis qu'après 1967, et surtout après 1977, on rencontre fréquemment des titulaires qui en sont à leur quatrième ou cinquième affectation à ces niveaux[33].

Faisant l'objet de plus d'affectations, on demeure moins longtemps à un même poste. Les grands commis font maintenant une carrière plus courte au sein de la haute fonction publique: 52 % de ceux qui démissionnent entre 1960 et 1966 le font en effet avant d'avoir travaillé six ans dans la haute fonction publique comparativement à 60 % de ceux qui quittent entre 1977 et 1982; seulement 10 % de ceux-ci y ont vécu plus de dix années et demie alors que c'était le cas pour 42 % des départs survenus entre 1960 et 1966.

La carrière apparaît donc comme beaucoup moins linéaire et rigide qu'en 1957, puisque les affectations sont plus nombreuses et plus courtes comme le sera la durée totale de la carrière: cela ne sera pas sans diminuer l'attachement organisationnel des individus.

On arrive aux niveaux élevés de la carrière plus jeune qu'en 1957 puisqu'alors 41 des 78 premières affectations avaient lieu[34] après 46 ans contre 55 des 172 affectations de la période 1967-1977, et seulement 27 des 107 affectations entre 1977 et 1981. Lors de cette première nomination, on est promu de moins en moins au même ministère[35] puisque c'est le cas de 42 des 78 nominations entre 1957 et 1967 et de 45 des 107 nominations après 1977.

De plus en plus, on provient d'un autre ministère ou organisme du gouvernement du Québec: il y a dans cette situation 40 des 172 personnes qui reçoivent leur première affectation entre 1967 et 1977 et 47 des 107 titulaires arrivés après 1977.

Si la provenance immédiate du secteur privé n'a jamais été très forte, culminant à 11 des 78 nominations de la période 1957-1967, elle chute continuellement pour atteindre 9 des 107 nominations de la période 1977-1982. Pendant ce temps, la proportion de ceux qui ont fait plus de la moitié de leur carrière dans le secteur public du Québec[36] augmente; il en est ainsi de 30 des recrues de 1957 à 1967 et de 49 des nouveaux arrivés entre 1977 et 1982.

De tout temps, le recrutement depuis la ville de Québec touche près des deux tiers des effectifs; cette proportion semble due à la localisation des centres d'influence où les candidats doivent «se mettre en marché» pour être vus, remarqués puis évalués.

Les hauts fonctionnaires du Québec sont évidemment de plus en plus scolarisés: ceux qui ne détiennent pas de diplôme universitaire ne sont plus

---

33. *Idem*, pp. 380 et suiv.
34. *Idem*, p. 649.
35. *Idem*, p. 658.
36. *Idem*, p. 671.

que 5 après 1977, alors qu'ils étaient 9 des 76 arrivés entre 1957 et 1967. Ceux qui ne détiennent qu'un diplôme de premier cycle ont aussi vu leur proportion régresser en 20 ans, passant de 35 sur 76 recrues à 34 sur 107 recrues; les détenteurs d'un diplôme de deuxième cycle ou de deux diplômes de premier cycle passent de 19 sur 76 pour la période 1967-1977 à 45 sur 107 nouveaux arrivés entre 1977 et 1982. En profitent aussi les détenteurs de deux maîtrises ou d'un doctorat qui sont passés de 13 à 23 pendant ces mêmes périodes[37].

Les formations traditionnelles régressent aussi fortement puisque les médecins, ingénieurs et avocats représentaient[38] 41 des 76 arrivés entre 1957 et 1967 contre 34 des 107 recrues d'après 1977; ce glissement de 22 % en 20 ans profite surtout aux diplômés en administration, en arts et en sciences sociales. Cependant, on a beaucoup exagéré le nombre des diplômés en gestion des affaires à ces niveaux de fonctions.

Enfin, parmi les 264 employés supérieurs qui quittent pendant la période 1957-1982, 39 passent au secteur privé (15 % des cas)[39] alors que 142 acceptent des postes équivalents ou inférieurs dans les ministères et organismes (53 % des cas). Seuls 2 % d'entre eux jouissent de promotions, 8 % deviennent juges ou politiciens alors que 19 % deviennent inactifs.

Cinq remarques découlent des observations précédentes: tout d'abord, la carrière devient beaucoup plus fractionnée dans le temps et mise sur une plus forte mobilité tant interne qu'externe au sein du réseau des ministères québécois. Ce phénomène, avant d'être plus ou moins planifié ou organisé, s'est imposé comme un fait, résultant des pressions tant des fonctionnaires que des politiciens, fait avec lequel les gestionnaires des carrières ont dû composer.

Cette forme de carrière diminue l'attachement micro-organisationnel des individus au profit du développement d'un sentiment d'appartenance à un système plus vaste dont les contours épousent ceux de l'ensemble du secteur parapublic québécois.

Le domaine d'études et le type de carrière pratiqué, particulièrement la croissance de la proportion de ceux qui ont fait plus de la moitié de leur carrière dans les secteurs public et parapublic, témoignent du développement d'une «culture» du secteur public, d'un langage commun et d'une plus grande homogénéité de perspectives dont prend peut-être acte le nouveau corps des administrateurs d'État.

Les domaines de formation plus orientés vers le management privé et public que vers les domaines traditionnels de formation spécialisée, le cumul de plusieurs domaines de formation et de plusieurs diplômes universitaires et le fait d'avoir étudié dans plus d'une institution, accroissent la polyvalence des

---

37. *Idem*, p. 690.
38. *Idem*, p. 698.
39. *Idem*, p. 716.

individus et en font plutôt des managers-généralistes que des spécialistes sectoriels observés avant 1967.

Bodiguel et Quermonne, à la suite de nombreux auteurs dont Suleiman[40], donnent aux hautes fonctions publiques occidentales le rôle de relais d'élites entre les milieux de l'administration, du privé et de la politique. Les faibles passages entre ces milieux au Québec dépendent de l'éloignement entre la capitale politique et la métropole économique, du faible rôle économique que joue la capitale provinciale par rapport à Ottawa et surtout, de la déconsidération persistante et injustifiée des dirigeants du secteur public aux yeux de leurs homologues du privé. Pour ces raisons, et à cause de la faiblesse des salaires des gestionnaires du secteur public, on n'assiste jusqu'en 1986, d'aucune manière à la constitution d'un relais d'élites entre les secteurs public et privé. Nous verrons plus loin si ce relais d'élites s'observe mieux sur le plan politique.

LA HAUTE FONCTION PUBLIQUE DANS LE SYSTÈME POLITIQUE

Nous avons déjà traité de façon générale des rapports à la politique qu'entretiennent les hauts fonctionnaires du Canada et du Québec[41] ainsi que de l'influence des grands commis dans la prise de décision politique[42].

Il s'agit ici de montrer l'évolution des rapports au politique qu'ont entretenus les hauts fonctionnaires. Ces rapports sont de deux ordres: d'une part, l'interpénétration des deux univers qui se caractérise par ce que Timsitt et Weiner[43] appellent la politisation de la fonction publique et la fonctionnarisation de la politique et, d'autre part, le rôle politique des hauts fonctionnaires dans les actes de gouverne de la société, c'est-à-dire la capacité de distance par rapport au rôle et le rapport fonctionnel aux actions du gouvernement. Dans le présent texte, nous ne comptons qu'effleurer ces concepts.

---

40. J.L. BODIGUEL, et J.L. QUERMONNE, *La haute fonction publique sous la Ve République*, Paris, P.U.F., 1983; E. SULEIMAN, *Les hauts fonctionnaires et la politique*, Paris, Seuil, 1976.

41. J. BOURGAULT, dans F. MEYERS (dir.), *La politisation de l'administration*, Bruxelles, IIAS, 1985, pp. 66-85.

42. J. BOURGAULT, «Paramètres synergiques de pouvoir et de servitude», *Revue canadienne de science politique*, vol. 6, n° 2, juin 1982, pp. 227-256.

43. G. TIMSITT et C. WEINER, «Administration et politique», *Revue canadienne de science politique*, vol. 30, n° 3, juin 1980, pp. 506-532.

Interpénétration des deux élites

La provenance[44] des grands commis depuis les cercles politiques n'est en soi aucunement un gage d'incompétence. Cette provenance comporte néanmoins son lourd fardeau d'inconvénients: frustration et démobilisation des fonctionnaires de carrière, réalignements des loyautés et déstabilisation paralysante de l'appareil ministériel. Cependant, les rapports entre ministres et hauts fonctionnaires doivent reposer sur une relation de confiance à la fois technique, politique et personnelle. C'est ainsi que les nominations des sous-ministres (et des sous-ministres adjoints depuis 1969) sont la décision discrétionnaire du Conseil des ministres.

La politisation institutionnelle de la fonction publique se remarque au nombre d'individus provenant des milieux politiques et de fonctionnaires politisés nommés hauts fonctionnaires (candidature aux élections, direction de campagnes, élection dans les instances d'un parti, participation à un cabinet ministériel, sollicitation de fonds, de candidatures, rédaction de discours, etc.).

Dans le cas du Québec, ce processus est facilité par la capacité du gouvernement de créer des postes supplémentaires de sous-ministres adjoints ou associés. Ces créations de postes peuvent survenir immédiatement avant ou après une élection selon que l'on veut «pensionner un ami» ou «mettre en selle» une valeur sûre. L'étude de la période 1960-1985 révèle qu'avant les élections, seuls les unionistes en 1969-1970 ont créé beaucoup de postes faisant passer le contingent des adjoints de 44 à 55[45] en 4 mois!

Après les élections, les créations immédiates de postes sont moins nombreuses à court terme qu'à moyen terme; seuls les unionistes de 1966 créent 6 postes en 6 mois tandis que les libéraux de 1960 et de 1970 et les péquistes de 1976 créent respectivement 11, 12 et 11 postes en 18, 20 et 13 mois[46]. Or les créations de postes à moyen terme ne peuvent être uniquement imputables à des mobiles partisans puisque la politique fonctionnelle, celle qui oriente, gère et contrôle l'administration et ses programmes, réclame ses droits et ses moyens.

Par ailleurs, la politisation de l'administration s'observe au curriculum politique du personnel recruté. L'étude menée[47] montre que 16 des 50 recrues des libéraux entre 1960 et 1966 avaient des relations politiques reconnues, contre 18 des 64 recrues arrivées entre 1966 et 1970, pour 11 des 119 recrues de la période 1970-1976 et pour 15 des 123 nouveaux arrivés entre 1976 et 1982. Il y a donc une baisse sensible de la politisation partisane de la haute fonction publique du Québec. Les viviers de recrutement partisan les plus

---

44. *Idem*, pp. 325 et suiv.
45. *Idem*, p. 124.
46. *Idem*, p. 126.
47. *Idem*, p. 358.

importants sont les cabinets ministériels d'où proviennent 27 des 356 recrues de la période 1960-1982, les listes de candidats aux élections qui fournissent 7 recrues, l'appareil du parti et les familles politiques qui en produisent 26.

En somme, le nombre d'effectifs produits par les milieux politiques reste stable à 2,5 par année en moyenne alors que le nombre de postes de grands commis à pourvoir augmente sensiblement, ce qui réduit la proportion des premiers dans les seconds: la pression partisane reste stable, mais comme le nombre de postes augmente, la proportion de politisation partisane diminue.

Tant la création des postes que le curriculum politique nous amènent à dire que la politisation partisane demeure un phénomène très marginal.

La fonctionnarisation du politique s'observe soit par le curriculum de fonctionnaire du personnel politique, soit par la substitution de fonctions politiques par des organes administratifs.

On relève très peu de cas de hauts fonctionnaires devenus candidats à des élections, mais il y a néanmoins une augmentation en chiffres absolus du phénomène pourtant inexistant aux élections de 1960, marginal en 1966, comprenant trois cas en 1970, six en 1976, 1981 et 1985[48]. Par ailleurs, certains candidats vedettes attirent l'attention des médias qui donnent au phénomène une ampleur qu'il n'a pas puisqu'on se trouve bien loin du type de situation observée en France[49].

Les hauts fonctionnaires et les composantes du système politique

D'après les entrevues que nous avons menées, les hauts fonctionnaires québécois tiennent toujours, malgré quelques voix discordantes[50], le discours par lequel ils se présentent comme des agents neutres d'une administration qui, au service du gouvernement du jour, sert ainsi l'État dont elle est l'agent d'exécution et de continuité. À cet égard, les entrevues de sous-ministres en poste en 1958, 1965, 1981 ou 1985 diffèrent très peu.

Ce discours de neutralité légitimise ex-ante le rôle politique fonctionnel que jouent les hauts et surtout les grands fonctionnaires.

---

48. J. BOURGAULT, «Les administrateurs d'État», *op.cit.*, pp. 358 et 716.

49. Voir P. BIRNBAUM, *Les sommets de l'État*, Paris, Points, 1977; J. L. BODIGUEL et J.L. QUERMONNE, *La haute fonction publique sous la Ve République*, Paris, PUF, 1983.

50. L. BERNARD, «Pouvoir politique et fonction publique», *Le Devoir*, 27 juin 1979, p. 5.

D'autres reconnaissent plutôt[51] qu'ils occupent la place que leur laissent les ministres de passage tenant aujourd'hui le rôle de gérant, pour devenir demain architecte, et plus tard se contenter d'être un conseiller parmi d'autres[52].

La majorité d'entre eux se prétendent capables de demeurer indifférents par rapport aux contenus que décident les personnes «politiques». Nous croyons qu'une étude plus approfondie des processus de préparation des décisions permettrait de nuancer cette tranquille certitude.

Il demeure que l'objectif de réélection d'un parti politique au pouvoir colore le comportement et les attentes d'un ministre et que son sous-chef, tant pour survivre que pour assurer le développement des politiques et projets de son secteur, doit miser sur la pleine confiance du ministre. En conséquence, le sous-chef doit jouer quotidiennement un rôle politique fonctionnel, distinct du rôle politique partisan que le plus souvent il ne joue pas.

Le sous-ministre et le Conseil des ministres

La participation à la gouverne politique engage différemment le haut fonctionnaire d'aujourd'hui. Alors qu'entre 1960 et 1972, il arrivait que celui-ci assiste à des réunions du Conseil des ministres et rédige l'intervention d'un ministre, il n'est plus aujourd'hui qu'un observateur déférent à certaines parties de réunions de comités ministériels et qu'un des commentateurs des projets de discours rédigés par le cabinet ministériel. Le développement des organes d'état-major et des administrations de mission a singulièrement modifié son rôle.

Le sous-ministre, le premier ministre et le ministre

Les relations directes et presque quotidiennes des sous-ministres avec Maurice Duplessis furent espacées sous Jean Lesage et Daniel Johnson pour faire une plus juste place au rôle que doit tenir le ministre.

Après 1970, malgré quelques rares exceptions dues à de très graves crises, il semble que le rôle du «ministre-patron-immédiat» du sous-ministre n'ait plus jamais été mis en cause.

Cependant, l'envergure intellectuelle des ministres, leur intérêt pour la gestion des affaires ministérielles et la nature des projets politiques du parti gouvernemental ont fait varier l'importance de leur rôle; ainsi, par rapport aux

---

51. Les anciens sous-ministres Claude Morin et Robert Normand ont reconnu ce fait publiquement à plusieurs reprises.

52. G. ROCHER, «Le sociologue et la sociologie dans l'administration publique et l'exercice du pouvoir politique», *Sociologie et société*, vol. 12, n° 2, octobre 1980, pp. 45-64.

sous-ministres, les ministres apparaissent moins importants entre 1966 et 1970 qu'après 1976.

Le sous-ministre et les relations publiques

Avant 1960, il aurait été très mal vu qu'un sous-chef donne des entrevues à des journalistes, participe à des conférences de presse, témoigne à une commission parlementaire ou prononce un discours d'orientation des politiques sectorielles.

Une telle chose fut quelquefois observée entre 1960 et 1970 pour quelques grands fonctionnaires personnellement associés à certaines réformes.

Après 1970, le rôle du sous-chef devient de plus en plus public: il ne se contente plus de rédiger des discours prononcés par son ministre ou de souffler à celui-ci les réponses aux questions des membres des commissions parlementaires; c'est autant vers lui que vers le ministre que certains groupes tentent de diriger leurs pressions.

Cabinets et bureaux de sous-ministres

L'émergence des cabinets ministériels s'observe dès 1965. Leur rôle aurait pu diminuer très sensiblement l'influence du sous-ministre auprès du ministre.

On a vu précédemment que la croissance des bureaux de sous-ministres et la nomination discrétionnaire des sous-ministres adjoints ont contribué à éviter que les cabinets ministériels jouent un rôle d'importance de façon permanente[53]. De fait, les entrevues ont révélé que lors des changements de gouvernement en 1966, en 1970, en 1976 et en 1985, les cabinets ministériels ont, pendant une courte période variant de quatre à seize mois, joui d'une influence considérable auprès de certains ministres et ce, aux dépens du sous-chef et de ses adjoints. Ces phénomènes s'estompent à mesure que certains sous-chefs sont remplacés, que d'autres gagnent la confiance du ministre, que des chefs de cabinet commettent certaines erreurs d'appréciation... et que certains membres des cabinets (ou ex-membres) et du parti deviennent hauts fonctionnaires!

La création et le développement de fonctions administratives d'état-major au ministère du Conseil exécutif et au Conseil du Trésor leur confèrent un rôle de programmation politique, participant à la politisation fonctionnelle

---

53. Nous excluons d'office la période de quatre à seize mois suivant un changement de gouvernement où, avant que s'opère un ajustement mutuel entre le personnel politique et administratif, les cabinets jouent quelquefois un rôle de premier plan.

de l'administration[54] du fait de la nomination discrétionnaire de leurs dirigeants.

De fait, dès 1970 les sous-ministres observaient que les chefs de cabinet étaient très influents immédiatement après la prise de pouvoir et que leur influence décroissait très rapidement; la stratégie du sous-chef était de laisser le chef de cabinet inexpérimenté se commettre et faire quelques erreurs pour ainsi prouver au ministre l'utilité du sous-ministre.

Cette chute cyclique de l'influence des cabinets vient aussi de la confiance qu'acquiert progressivement le ministre dans un système administratif qu'il a d'ailleurs investi de certains de ses hommes et femmes de confiance; elle vient encore du départ des chefs de cabinets les plus ambitieux pour des postes de la haute fonction publique et par leur remplacement par des éléments au profil moins «relevé».

La sensibilité politique du rôle des grands commis tend alors à rendre aléatoire toute volonté de planifier la gestion des carrières à ce niveau de fonctions.

LA GESTION DE LA CARRIÈRE ET LE SYSTÈME POLITIQUE

De 1960 à 1985, l'âge d'accès à ce niveau de fonctions baisse radicalement comme on l'a vu précédemment, de même que se modifie du tout au tout le concept de la carrière. En 1960, l'obtention d'un poste de sous-ministre adjoint ou de sous-ministre devenait le couronnement d'une carrière uniministérielle d'au moins une quinzaine d'années et son bénéficiaire, âgé le plus souvent de plus de 50 ans, occupait ce poste jusqu'à son départ pour une retraite qui le verra inactif ou employé à temps partiel dans un cabinet professionnel.

Progressivement, la durée dans la haute fonction publique a baissé comme celle de chacune des affectations de plus en plus nombreuses et diversifiées, confiées aux hauts fonctionnaires; ceux-ci ont accepté une plus grande mobilité horizontale qui a permis la réalisation de carrières plus dynamiques et stimulantes[55] .

---

54. Voir entre autres les publications de Timsitt, Bodiguel, Jiain, etc. G. TIMSITT et C. WEINER, «Administration et politique en Grande-Bretagne, Italie et République fédérale d'Allemagne», dans *Revue française de science politique*, Vol. 30, n° 3, juin, 1980. R.B. JAIN, «Politicization of Bureaucracy: a Framework for Measurement», dans *ResPublica*, 16(2), 1974. S. DION, «Les partis politiques et les gouvernements: un champ d'interactions mal connu», *Administration publique du Canada*, Vol. 23, n° 3, 1980.

55. J. BOURGAULT, «Les administrateurs d'État», *op.cit.*, p. 432. Le nombre de cas de promotions, de mutations et de démotions commence à atteindre 5 par année en 1964, oscille de 6 à 12 entre 1969 et 1976, puis se chiffre à 18 par la suite.

L'âge de sortie de la haute fonction publique passe ainsi de plus de 60 ans en 1960 à moins de 55 ans en 1982. Cela pose les problèmes du débouché de la carrière des employés supérieurs, celui de la compétence qui échappe à l'État et celui de l'indépendance des agents de l'État en fin de carrière, lorsqu'ils transigent avec des agents privés en situation de devenir leur prochain employeur.

Les mutations déjà évoquées ne sont le fruit ni d'une planification ni d'une politique le moindrement débattue: il ne s'agit que du résultat d'une adaptation graduelle du système politico-administratif aux pressions des agents politiques et administratifs et aux nécessités de l'administration contemporaine.

De fait, on n'observe que quatre actions d'organisation de la carrière pendant ces quelque 25 ans. En 1967, on entreprend de permettre le recyclage d'un grand commis par année au collège militaire de Kingston; au début de 1976 est créé au Conseil des ministres un secrétariat aux emplois supérieurs qui ne dispose pas à cette époque de réels pouvoirs de gestion. À la même époque, Florian Rompré rédige un rapport sur cette question pour le secrétariat et, en 1983, est constitué le corps des administrateurs d'État qui devient beaucoup plus une catégorie de classement, d'ailleurs de plus en plus éclatée, qu'un authentique «corps» de hauts fonctionnaires.

L'absence d'une authentique politique de gestion de la carrière des hauts fonctionnaires découle de l'inconfort des membres du personnel politique à admettre ce besoin de gestion et à envisager que la haute fonction publique puisse en tirer quelque indépendance administrative et politique.

Se pose ainsi le problème du recrutement et de la sélection des nouveaux venus qui fait s'affronter la légitimité politique et les nécessaires critères de qualification et de crédibilité; un recrutement de qualité suppose aussi la capacité de l'employeur éventuel d'intéresser le candidat convoité, tant par le défi proposé que par les gratifications offertes. Or, les conditions salariales ne permettent aucunement une similiconcurrence avec le secteur privé et les conditions de gestion encadrées par un processus de contrôle politique aussi rituel et archaïque qu'inefficace et inopportun, ne favorisent pas un recrutement extérieur de qualité.

La rémunération et l'imputabilité posent encore le problème de l'évaluation des hauts fonctionnaires, processus à peine ébauché et à demi-implanté chez les adjoints et dont l'implantation chez les sous-chefs rencontre des résistances politiques et administratives aux mobiles souvent obscurs.

Le caractère imprécis de la durée des affectations, joint à l'incapacité qu'éprouve le milieu à considérer une nouvelle affectation autrement que comme une démotion, et le caractère aléatoire de la détermination des affectations subséquentes mettent en relief ce besoin d'une politique de gestion; ils rendent l'exercice des fonctions périlleux et la carrière moins attrayante.

Sont aussi mis en relief les besoins de recyclage, de perfectionnement et de «dépressurisation positive» des 15 à 20 hauts fonctionnaires qui, chaque année, changent d'affectation. Le forum des sous-ministres ne touche qu'une partie de cette clientèle et ne peut satisfaire à de tels besoins.

L'absence d'une telle politique repose principalement sur la peur qu'entretient le personnel politique québécois de la voir muter soit en un club de mandarins, comme il en existerait à Ottawa[56], qui pourrait faire contrepoids au personnel politique ou encore en un authentique «grand corps» de type français qui deviendrait un lieu et une source de pouvoir d'infiltration des milieux politiques, fonctionnarisant la vie politique.

Quelques mandarins redoutent aussi l'émergence d'un cadre de gestion trop développé qui réduirait les marges de manoeuvre des acteurs, augmentant leur prévisibilité non seulement aux yeux des acteurs politiques institutionnels, mais aussi à ceux des autres acteurs bureaucratiques, des médias et des groupes de pression avec qui ils négocient.

La source de ces craintes vient aussi de la diminution potentielle du pouvoir des quelques grands fonctionnaires sur le sort de leurs confrères et consoeurs, comme conséquence d'une normalisation plus grande des règles de gestion et d'une meilleure transparence des processus de gestion de la carrière.

La création d'un réservoir permanent de personnes compétentes, pose aussi le problème des conditions et des processus d'accès à ce réservoir puisqu'il faudrait déterminer le nombre de ses effectifs et le rôle des instances politiques et administratives pour doter ces postes.

À ce niveau de fonctions, à ce point sensible des rapports entre administration et politique, l'arbitraire, la marge de manoeuvre, la souplesse de gestion et la capacité de discrétion semblent la ressource brute la plus convoitée des acteurs du système: le corps d'administrateurs d'État présenté comme un cadre minimaliste d'identification du personnel voyait déjà, un an après sa création, certains de ses éléments occuper des postes très inférieurs sans quitter le corps, qui perd alors ses propriétés de catégorie de classement; il voit aussi des fonctions de sous-ministre être occupées par des personnes qui ne font pas partie du corps.

C'est ainsi que l'«adhocratie» oriente encore le développement de la haute fonction publique du Québec, laquelle s'est modernisée depuis 1960 plus par tâtonnements que guidée par un plan de développement inspiré d'une conception du service de l'État.

---

56. Jean Chrétien cité par Mitchel Sharp dans T. HOCKIN, *The Apex of Power*, Scarborough, Prentice-Hall, 1977, pp. 185-186.

LA SYNDICALISATION DANS LE SECTEUR PUBLIC QUÉBÉCOIS OU LA LONGUE MARCHE VERS LA CENTRALISATION

Julien Bauer

INTRODUCTION

Pour beaucoup de personnes, la notion même de changement est aux antipodes de l'administration publique. L'administration publique, routinière, massive, lente serait le champion du statu quo. Cette vision de l'administration publique est influencée par l'idée que nous nous faisons du changement. Certains voient dans le changement un éloignement déplorable d'une situation idéale qui se situait dans le passé. D'autres, plus nombreux, perçoivent le changement comme synonyme de progrès, le futur ne pouvant être que meilleur que le passé et le présent.

À certaines époques privilégiées, la société en général, et l'administration publique en fait partie, a l'impression que tout est possible, que le changement est non seulement possible, mais qu'il est urgent. Cette impression, considérée par Sfez comme étant «linéaire, rationnelle et libre»[1], n'aboutit pas automatiquement aux résultats désirés. Les lendemains de la Révolution, même de la Révolution tranquille, ne chantent pas toujours. Fréquemment, les conséquences non planifiées du changement sont telles qu'elles limitent ou même annulent les avantages obtenus.

Un exemple de changement produisant des effets contraires à ceux qui sont attendus est la syndicalisation du secteur public québécois. On aurait pu s'attendre à une décentralisation du système, la toute-puissance étatique faisant place à un système bicéphale, État et syndicats. La nouvelle répartition du pouvoir entre deux pôles aurait dû logiquement conduire à une décentralisation du pouvoir. Or l'analyse nous montre, qu'au contraire, après une période de

---

1. L. SFEZ, *Critique de la décision*, Paris, Armand Colin, 1973, pp. 14-35.

décentralisation, les difficultés d'application du nouveau système ont été d'une telle ampleur qu'elles ont entraîné un phénomène de re-centralisation. Est-ce dû à l'action de quelques responsables, politiques ou administratifs, qui ont décidé de détourner le changement de son but ou à une logique politique et administrative qui ne pouvait aller que dans le sens de la centralisation? Nous nous proposons de démontrer que la centralisation n'est pas le fruit d'un quelconque complot mais le résultat d'une logique politique et administrative qui s'impose aux intervenants.

LA SYNDICALISATION DU SECTEUR PUBLIC, PHÉNOMÈNE DE DÉCENTRALISATION

Par centralisation, on entend la réunion des moyens d'action et de contrôle en un centre unique de pouvoir. Plusieurs définitions existent de la décentralisation: une d'entre elles, plus politique, y voit plusieurs centres de décision en situation de complémentarité ou de concurrence dans un cadre politique donné, l'autre, plus administrative, y voit la délégation de compétence à l'intérieur d'un système, délégation de compétence qui aboutit à une délégation de pouvoir et à une certaine autonomie pour les échelons inférieurs du système. Par rapport à la dichotomie centralisation-décentralisation, quelles étaient les caractéristiques du système de relations de travail dans le secteur public québécois avant la Révolution tranquille?

Le système sous Maurice Duplessis était un mélange d'arbitraire et de pagaille, l'arbitraire provenant d'une centralisation des décisions entre les mains du premier ministre sans cadre légal clairement défini, la pagaille de l'extraordinaire diversité des conditions à l'intérieur des secteurs public et parapublic.

Au cours de la période précédant la Révolution tranquille, on ne peut pas parler de politique générale, cohérente du secteur public. La fonction publique, soit environ quinze mille personnes, était assujettie à la *Loi du service civil* (1941). Les fonctionnaires appartenaient au Conseil général des employés de la province de Québec, organisme décentralisé qui ressemblait plus à une association récréative qu'à un syndicat. La juridiction quasi exclusive de la Commission du service civil sur la réglementation des conditions de travail empêchait, de fait, toute négociation sérieuse avec les fonctionnaires[2]. Les employés des secteurs hospitalier et scolaire, à l'époque institutions locales, étaient syndiqués, sans droit de grève, et obtenaient des conditions de travail très différentes d'une région à l'autre.

---

2. R. BOLDUC, «Le régime québécois de négociation des secteurs public et para-public», *Relations industrielles*, vol. 37, n° 2, 1982, pp. 403-411.

Bref, plutôt que centralisation ou décentralisation, les mots d'ordre des relations de travail des années 1950 et du début des années 1960 semblent avoir été improvisation et confusion. D'un côté, le secteur parapublic, en particulier les services de santé et l'éducation, était décentralisé; de l'autre, la fonction publique était centralisée. Nous pouvons parler de décentralisation car les hôpitaux et les commissions scolaires n'étaient pas des créatures de l'État, supervisées par des ministères (il n'existait pas de ministère de l'Éducation) mais des organismes existant indépendamment des structures étatiques. Le système scolaire était un modèle de décentralisation. Les commissions scolaires étaient des organismes élus — ayant donc une source de légitimité autre que l'État —, ayant un pouvoir de taxation — ce qui leur donnait la maîtrise du budget —, n'ayant pas un pendant au niveau étatique qui aurait pu, par son pouvoir de dépenser et sa légitimité provinciale plutôt que locale, imposer une impulsion du centre à la périphérie[3]. D'une commission à l'autre, les politiques, y compris les politiques du personnel, variaient. Ce sont principalement les syndicats d'enseignants qui visaient à l'uniformisation du système en éliminant les pratiques les plus défavorables au personnel enseignant et en assurant des conditions de travail jugées décentes à travers l'ensemble des commissions.

En ce qui concerne la fonction publique, les conditions de travail oscillaient entre la toute-puissance du premier ministre, Duplessis, et une grande latitude laissée aux gestionnaires dans les ministères. La toute-puissance consistait surtout en interventions directes du premier ministre; la latitude était symbolisée par la «cérémonie» du vendredi où le «chef» dans un ministère distribuait les enveloppes de paie à ses fonctionnaires.

Parmi les éléments les plus importants de la Révolution tranquille figurent la syndicalisation des fonctionnaires et la reconnaissance du droit de grève aux fonctionnaires et aux employés du secteur parapublic. Dans une atmosphère de libéralisation, le nouveau Code du travail[4] «assimilait aux salariés du secteur privé les employés des services publics, à l'exception des instituteurs, des pompiers, des policiers, des agents de la Sûreté provinciale et des fonctionnaires»[5], leur donnant ainsi non seulement le droit de se syndiquer, qu'ils avaient déjà, mais également le droit de grève. Seuls les fonctionnaires continuaient à connaître un régime d'exception au nom de l'expression célèbre: «la Reine ne négocie pas avec ses sujets». Après un an de débats, la *Loi de la fonction publique*[6] désignait le Syndicat des fonctionnaires provinciaux du

---

3. Voir l'article de Laurent Lepage

4. La *Loi 45*, du 31 juillet 1964, intitulée *Code du Travail. Titre 1: des relations de travail* n'a pas été complétée par un titre 2 en raison de la complexité de la matière couverte.

5. J. I. GOW, «La loi de la fonction publique de 1965», *Administration publique québécoise, textes et documents*, Montréal, Beauchemin, 1970, p. 148.

6. Statuts du Québec, 1965, c. 14, 6 août 1965.

Québec (SFPQ) comme représentant de tous les employés de la fonction civile, salariés au sens du Code du travail, sauf quelques exceptions (article 69) et donnait aux fonctionnaires le droit de grève. Quel type de relations de travail était-il prévu?

Selon Chamberlain et Kuhn[7], le concept de négociations collectives a connu trois étapes. La première est celle de la négociation collective comme instrument contractuel de vente du travail par l'intermédiaire d'un agent commun, le syndicat[8]. La seconde est celle du «gouvernement industriel» où la convention collective est un «accord qui, par suite du pouvoir mutuel de veto, doit nécessairement être un compromis»[9]. Pour éviter les coups de force nuisibles à la stabilité du système, le syndicat obtient la représentation exclusive des travailleurs. Enfin, la dernière est une «méthode de gestion des relations» où le syndicat joue un rôle décisionnel, la convention collective devenant «un ensemble de directives, un guide pour l'action administrative à l'intérieur de l'entreprise»[10].

La loi de 1965 établissait un régime qui s'apparentait à la seconde étape, soit celle du compromis nécessaire entre deux partenaires, en l'occurrence l'État employeur et le syndicat. La reconnaissance même du fait syndical implique une décentralisation: les conditions de travail qui étaient déterminées unilatéralement par l'État, sujet à quelques demandes des fonctionnaires, deviennent l'objet d'une négociation. La reconnaissance d'un droit de veto au syndicat, la légitimité d'une source de pouvoir autre que l'État, le syndicat, issu du suffrage des fonctionnaires, doté d'un budget car à même d'assurer ses besoins financiers par une fiscalité propre (formule Rand appliquée par l'État employeur), possédant un moyen de pression d'une force exceptionnelle (la grève) conduisent à l'existence de deux centres de pouvoir en situation de complémentarité, une des définitions de la décentralisation.

Certains auteurs ont préféré voir dans la syndicalisation de la fonction publique une preuve de centralisation. Ils citent l'uniformisation des traitements des fonctionnaires faisant suite à des traitements qui variaient d'un ministère à l'autre (Bolduc)[11], l'exclusivité de la représentation syndicale des fonctionnaires donnée au Syndicat des fonctionnaires provinciaux du Québec (Hébert)[12] faisant suite au Conseil général des employés de la province de

---

7. N. W. CHAMBERLAIN et J. W. KUHN, *Collective Bargaining*, New York, McGraw-Hill, 1965.

8. *Op. cit.*, p. 114.

9. William M. Leiserson, cité dans N. W. CHAMBERLAIN et J. W. KUHN, *op. cit.*, p. 121.

10. *Op. cit.*, p. 131.

11. R. BOLDUC, *op. cit.*, p. 406.

12. G. HÉBERT, «Le régime québécois de négociation des secteurs public et para-public, Réflexions», *Relations industrielles*, vol. 37, n° 2, 1982, p. 422.

Québec, confédération décentralisée d'associations récréatives de fonctionnaires (Gow)[13]. Passer de fonctionnaires atomisés ou vaguement défendus par le Conseil à un syndicat reconnu par l'État est certes un phénomène de centralisation pour les fonctionnaires mais sans ce phénomène, aucun groupe n'aurait eu la force nécessaire pour négocier avec l'État. Cette centralisation ne doit pas cacher ce que nous tenons pour essentiel, soit la perte du pouvoir exclusif de l'État dans l'établissement des conditions de travail des fonctionnaires et le partage de ce pouvoir avec le SFPQ. Si une des composantes du nouveau système, le syndicat, n'a pu naître qu'à travers la centralisation, le nouveau système, de par sa nature même, est un cas de décentralisation.

Les employés du secteur public virent également l'établissement de leurs conditions de travail changer de façon radicale. Ils avaient déjà le droit de se syndiquer, droit plus ou moins utilisé, mais n'avaient pas le droit de grève. Hébert fait remonter à la *Loi sur l'assurance hospitalisation* de 1961, la vague de syndicalisation dans les hôpitaux[14]. Il voit également dans cette loi le déclenchement du processus de centralisation du secteur hospitalier, les hôpitaux se regroupant pour négocier avec les syndicats. Les conventions collectives signées en 1964 avaient pour échéance le 31 décembre 1965, ce qui provoqua une série de grèves en 1966 pour leur renouvellement. Dans le domaine de l'éducation, la Corporation des instituteurs et institutrices catholiques négociait de façon éparpillée avec les commissions scolaires. L'arbitrage fut remplacé en 1965 par le droit de grève, en vertu du Code du travail, droit de grève utilisé en 1965 et en 1966. Selon Hébert, le militantisme syndical, encouragé par les nouvelles dispositions législatives, a conduit à une intervention croissante de l'État et à un regroupement du côté patronal. La même idée est défendue par Boivin[15]. Encore une fois il s'agit, selon nous, de centralisation des parties en présence, les syndicats d'un côté, les hôpitaux et les commissions scolaires de l'autre, centralisation indispensable pour la constitution d'une des parties, le syndicat, comme interlocuteur valable. La centralisation du pouvoir de chaque côté des tables de négociations est la condition nécessaire à une négociation systématique des conditions de travail, négociation entre deux centres de pouvoir, les employeurs (hôpitaux et commissions scolaires) et les syndicats, négociation qui ne peut se dérouler que dans un système décentralisé.

À partir d'un éparpillement des relations de travail, avec ou sans syndicat, la Révolution tranquille introduisait la notion du mouvement

---

13. J. I. GOW, *op. cit.*, p. 149. Il est à noter que si Gow parle de la décentralisation du Conseil, il n'en conclut pas que la loi soit centralisatrice.

14. G. HÉBERT, *op. cit.*, p. 420.

15. J. BOIVIN, «La négociation collective dans le secteur public québécois; une évaluation des trois premières rondes (1964-1972)», *Relations industrielles*, vol. 27, n° 4, 1972, pp. 679-708.

syndical public et parapublic comme partenaire de l'État, comme coresponsable des décisions.

Les changements apportés au système de relations de travail ne pouvaient qu'entraîner une mise à jour des organes chargés de la gestion du personnel. Il ne saurait être question de présenter les nouveaux organes de gestion du personnel créés à la suite de la syndicalisation du secteur public sans parler des autres changements intervenus en ce qui concerne la gestion tout simplement.

Le premier signe de changement fut la transformation de l'ancien Conseil de la trésorerie qui devint un comité formel du Conseil des ministres et le conseiller du gouvernement pour «la nomination, la rémunération, la permutation et la retraite des fonctionnaires et employés du gouvernement, sauf les sous-ministres». Pour la première fois, un organisme central recevait le mandat de gérer la fonction publique.

Ce mandat était en concurrence avec celui de la Commission de la fonction publique qui, par la *Loi de la fonction publique* de 1965, voyait une transformation de son rôle par rapport à celui de l'ancienne Commission du service civil. La *Loi de la fonction publique* donnait à la Commission de la fonction publique des pouvoirs concernant l'admission, la mutation et l'avancement dans la fonction publique, la direction des programmes de perfectionnement, la classification du personnel. Et ce qui est plus important encore pour notre sujet, elle établissait, à la section 15, un régime syndical dans la fonction publique, alors qu'à la section 10, elle prévoyait déjà la possibilité que les heures de travail et la durée des congés soient fixées par règlement de la Commission ou par convention collective! La Commission gagnait donc des pouvoirs du côté de la classification, des examens et des concours mais en perdait, au profit du Conseil de la trésorerie, en ce qui concerne les dépenses de personnel et l'organisation des ministères.

La division du travail était relativement claire: le Conseil de la trésorerie gérerait la fonction publique et la Commission de la fonction publique serait en charge de l'équité du système. Dans la mesure où la Commission était responsable des conditions de travail des fonctionnaires non syndiqués, «on pourrait croire que la Commission serait appelée à travailler en liaison étroite avec la nouvelle direction générale de l'analyse des effectifs et des conditions de travail au Conseil de la trésorerie»[16]. Très vite les choses se compliquèrent avec la création d'un troisième organisme directement lié à la syndicalisation du secteur public, soit le ministère de la Fonction publique. Ce ministère avait un triple objectif: accroître l'efficacité du personnel, accroître l'efficacité de l'organisation et voir à la consultation, à la négociation et à la coordination dans le domaine des relations de travail[17]. La Direction

16. J.I. GOW, *op. cit.*, p. 159.
17. Cf. *Annuaire du Québec 1972*, p. 101.

générale des relations de travail et la Direction générale de la rémunération semblaient devenir les vrais «patrons» de la fonction publique syndiquée.

Cette impression ne dura guère. La *Loi de l'administration financière* de décembre 1970 créait le Conseil du trésor et lui donnait la haute main sur la gestion du personnel. L'article 22 stipulait que le nouveau Conseil «exerce les pouvoirs du lieutenant-gouverneur en conseil en tout ce qui concerne l'approbation des plans d'organisation des ministères et organismes du gouvernement, les effectifs requis pour la gestion de ces ministères et organismes, les conditions de travail de leur personnel ainsi que l'élaboration et l'application de la politique administrative générale suivie dans la fonction publique». Et comme si le nouveau rapport de force n'était pas suffisamment clair, l'article continuait en donnant au Conseil du trésor «les pouvoirs qui sont conférés au lieutenant-gouverneur en conseil en vertu de la *Loi du ministère de la Fonction publique*, de la *Loi de la fonction publique*»... Le ministère de la Fonction publique dont on aurait pu croire qu'il était le patron de la fonction publique devenait conseiller du Conseil du trésor, le nouveau «patron».

Cinq années de changement rapide dans de nombreux domaines dont celui des relations de travail des secteurs public et parapublic aboutirent à une nouvelle configuration politico-administrative:

a) l'État législateur et réglementateur cédait le pas à un État-employeur négociant avec ses employés;
b) brusquement, les fonctionnaires qui n'avaient pas de tradition syndicale, se retrouvaient en bloc syndiqués;
c) l'État qui s'en était remis à d'autres instances, comme l'Église, pour l'éducation et les affaires sociales, prenait en charge ces secteurs, ce qui ne pouvait qu'entraîner une intervention croissante de l'État dans les instances décentralisées qu'étaient les hôpitaux et les commissions scolaires;
d) le droit à la syndicalisation dans le secteur parapublic, déjà acquis mais pas toujours utilisé, et le droit de grève créaient un mouvement syndical massif (formule Rand) et disposant d'une arme massue (la grève);
e) les négociations couvraient un champ de questions très vaste;
f) les syndicats se faisaient les muscles et les dirigeants des centrales, surtout la Confédération des syndicats nationaux, jouaient un rôle majeur;
g) le Conseil du trésor, nouvellement créé, avait la responsabilité des aspects monétaires de la gestion du personnel alors que le ministère de la Fonction publique s'occupait principalement de relations de travail et la Commission de la Fonction publique de l'équité du système.

Les parties respectives, État, hôpitaux et commissions scolaires d'un côté, syndicats et leurs centrales de l'autre, centralisaient leurs ressources pour assurer l'équilibre d'un système décentralisé.

LES DIFFICULTÉS D'APPLICATION

La quête d'un véritable «patron» des secteurs public et parapublic était rendue d'autant plus urgente que la syndicalisation des employés de l'État avait entraîné des conséquences majeures pour le gouvernement. D'une part, il se voyait confronté à des problèmes d'une ampleur insoupçonnée; d'autre part, les syndicats rendaient la tâche du gouvernement de plus en plus difficile.

La Révolution tranquille entraînait un bouleversement à la fois quantitatif et qualitatif des employés de l'État. Pour ne prendre que ceux de la fonction publique[18], leur nombre passait d'environ 20 000 aux débuts des années 1960 à 40 000 aux débuts des années 1970, le pourcentage de diplômés universitaires était en progression constante — Roch Bolduc parle d'une «invasion» des diplômés en sciences humaines[19] —, de paisibles bureaucrates ils devenaient des fonctionnaires dynamiques, militants, choisissant de se syndiquer à la Confédération des syndicats nationaux, ayant recours aux grèves dès que le droit de grève leur fut reconnu. Ce bouleversement suivait l'intervention massive de l'État dans les domaines de l'éducation, de la santé et des affaires sociales, intervention entraînant une uniformisation des services rendus dans la province. Il suffit de rappeler la création du ministère de l'Éducation qui deviendra vite une des plus grandes dépenses de l'État, du

---

18. Les données sont souvent contradictoires car, dans certains cas, elles ne comprennent que les employés régis par la *Loi du service civil* dans les administrations et les régies (sans compter les entreprises publiques) — 1959 à 1963 —, dans d'autres cas, les employés de la fonction publique, les fonctionnaires provinciaux au sens large, y compris ceux des entreprises publiques; maintenant on parle d'«inscrits au système de paie centralisée de l'administration publique provinciale».

Ainsi, en 1960 on a 20 554 employés de l'État, lors du vote de syndicalisation en 1964, 26 000 ont le droit de vote (cf. J.I. GOW, *op. cit.*, p. 150). En 1972, on trouve 43 247 fonctionnaires, en 1982, 65 971 inscrits au système de paie centralisée.

19. «Pendant que le gouvernement prenait charge de fonctions jusque-là exercées par d'autres, il attirait dans la fonction publique de nouvelles personnes venues des universités, du monde des affaires et du service fédéral. Ces nouveaux administrateurs recherchèrent à leur tour des diplômés, particulièrement du groupe des sciences de l'homme. Après une telle invasion, la fonction publique ne pouvait plus être la même.» R. Bolduc dans J. BAUER et K. CABATOFF (édit.), *Bilan de la loi 50: dynamique du changement de la fonction publique québécoise*, Montréal, Université du Québec à Montréal-Institut d'Administration Publique du Canada, 1980, pp. 32-33.

remplacement de l'Église par l'État dans la santé et les services sociaux. Rappelons que la *Loi de l'assurance hospitalisation* (janvier 1961), adoptée à la suite d'une entente fédérale-provinciale qui prévoyait un rôle majeur pour le gouvernement provincial, faisait perdre aux hôpitaux le contrôle unilatéral qu'ils exerçaient jusqu'alors sur les conditions de travail[20]. Bref, les transformations du rôle de l'État et des caractéristiques de ses employés ne pouvaient pas ne pas avoir d'impact sur les coûts. La croissance des interventions, l'augmentation du nombre d'employés, l'élévation de leur niveau de scolarité, l'amélioration de leurs conditions de travail se traduisirent par un gonflement du budget de l'État. De 1959 à 1969, le budget du gouvernement québécois passa de six cents millions à trois milliards de dollars, la moitié servant à payer les employés de l'État.

Déjà l'uniformisation des services rendus à la population, la prise en charge par l'État des coûts des services sociaux, de santé et d'éducation, les répercussions de toute convention publique sur l'équilibre budgétaire général conduisaient à une forme de centralisation des négociations collectives. Il fallut moins de dix ans, entrecoupés de quelques expériences de décentralisation, pour que la centralisation l'emporte.

La première étape fut la création d'un syndicat unique pour les fonctionnaires et les ouvriers du gouvernement (le Syndicat des fonctionnaires de la province de Québec) et d'un syndicat unique des professionnels, malgré les réticences initiales de certaines professions[21] (Syndicat des professionnels du gouvernement du Québec). La seconde fut l'importance de plus en plus grande prise par les centrales syndicales par rapport aux syndicats locaux, importance attribuable à des causes politiques et techniques: syndiquer tous les employés des hôpitaux — ce qui n'était pas le cas au début de la Révolution tranquille —, créer un rapport de force favorable, profiter de la largesse des négociateurs gouvernementaux par rapport aux négociateurs locaux - les négociateurs gouvernementaux avaient une vision plus positive des syndicats, n'étaient pas aux prises avec les problèmes concrets d'application des conventions collectives et, pour cause, manquaient d'expérience en négociation collective —, fournir une aide technique pour des conventions de plus en plus touffues[22], le tout accentué par la *Loi 25* (1967) où, pour la première fois, l'État intervenait directement dans les négociations, retirant des avantages obtenus par certains syndiqués et en offrant à d'autres.

---

20. Sur le rôle capital de cette loi, voir J. BOIVIN, *op. cit.*, pp. 680-681.

21. Parmi les opposants à la syndicalisation des professionnels figure le Barreau du Québec qui jugeait incompatible la liberté de ses membres et le collectivisme syndical.

22. Seuls des spécialistes étaient en mesure de comprendre les tenants et les aboutissants de chaque clause.

À l'origine, il semble que le gouvernement envisageait une négociation centralisée pour la fonction publique et décentralisée pour le secteur parapublic. Le militantisme des syndiqués, les nombreuses grèves en 1966 (enseignants, professionnels du gouvernement, Hydro-Québec, etc.), la surenchère syndicale — tout gain obtenu à l'échelle locale devenant un minimum pour tous les autres syndiqués — poussèrent le gouvernement vers un début de centralisation dans le secteur de l'éducation. La *Loi 25* de 1967, au titre évocateur: *Loi assurant le droit de l'enfant à l'éducation et instituant un nouveau régime de convention collective dans le secteur scolaire*[23], instituait un régime de convention collective à l'échelle provinciale tout en maintenant une ratification à l'échelle locale. La première ronde de négociations (1964-1968) voyait un mouvement syndical jouant la carte de la décentralisation de plusieurs centres de pouvoir, les centrales syndicales et l'État et un gouvernement se réfugiant dans la centralisation, avec un centre dominant, l'État.

Lors de la deuxième ronde de négociations (1968-1971), le gouvernement se donna une politique salariale pour les secteurs public et parapublic (une augmentation de 15 % répartie sur trois ans), l'imposa aux employeurs *de jure* décentralisés — ils devaient suivre une politique salariale imposée d'en haut et, en cas de difficultés, devaient recourir à l'aide de l'État — et la négocia de façon décentralisée. Cette ronde fut marquée par la grève perdue de la Régie des alcools du Québec (RAQ) (1968) malgré sa position que l'on croyait stratégique[24], par une signature de convention avec les fonctionnaires pendant la grève à la RAQ, par une politique de signature au coup par coup.

Dans les secteurs de l'éducation et des hôpitaux, les négociations furent extrêmement dures, le gouvernement dictant aux employeurs officiels (commissions scolaires et hôpitaux) la politique à suivre et n'hésitant pas à utiliser les grands moyens (injonctions) contre les grévistes.

Les négociations étaient centralisées dans la fonction publique, mais il ne pouvait en être autrement lorsqu'un seul employeur négocie avec un seul syndicat, et décentralisées dans le secteur parapublic (commissions scolaires, hôpitaux, trois syndicats d'enseignants, plusieurs syndicats d'employés des commissions scolaires et des services de santé). Au départ, les syndicats avaient joué la carte de la décentralisation en faisant porter leur effort sur ce qu'ils percevaient comme le maillon faible de la partie patronale (ex.: la RAQ) pour créer un précédent favorable à l'ensemble des syndiqués publics. La

---

23. *S. Q.*, 1966-1967, c. 63.

24. La grève de la Régie des alcools occasionna moins de manque à gagner à l'État que ne le croyaient les grévistes, le mouvement syndical et l'opinion publique en raison du système de péréquation fédéral-provincial qui entraîna un transfert de fonds d'Ottawa à Québec pour compenser partiellement les pertes encourues.

médiocrité des résultats obtenus, la provincialisation des négociations imposée par la *Loi 25* aux enseignants, les difficultés rencontrées lors de la deuxième ronde après l'euphorie de la première contribuèrent à pousser les syndicats à établir un «front commun» pour obtenir un rapport de force qui leur soit, à nouveau, favorable.

C'est avec la troisième ronde (1971-1975) que les syndicats optèrent pour une centralisation des forces syndicales face à l'État. Le ministère de la Fonction publique ayant été créé en 1969, les présidents des trois centrales syndicales Confédération des syndicats nationaux (CSN), Fédération des travailleurs du Québec (FTQ) et Centrale de l'enseignement du Québec (CEQ) rencontrèrent le ministre et entendirent négocier, au sommet, avec lui. Le ministre refusa mais officialisa cependant un début de centralisation en réduisant à une vingtaine les tables de négociations dans les secteurs public et parapublic (*Loi 46* de juin 1971). Les syndiqués votèrent en faveur de la grève; ils obtinrent une table centrale de négociations, sans toutefois que le ministre n'y participât. Après deux semaines de grève générale, les trois présidents de centrales syndicales rencontrèrent les quatre ministres responsables (Fonction publique, Finances-Conseil du trésor[25], Éducation et Affaires sociales) mais sans résultat. La *Loi 19* du 21 avril 1972 imposa un retour au travail, menaça les syndicats, si aucune entente n'était signée, de fixer les conditions de travail par décrets.

Les péripéties de cette ronde — menaces, contre-menaces, grève générale, loi d'exception, grèves illégales, emprisonnement des leaders syndicaux, scission à la CSN[26], etc. — ne doivent pas cacher le résultat de la stratégie syndicale: une provincialisation de tout le secteur public et parapublic.

Cette provincialisation fut officialisée par la *Loi 95* de 1974 qui centralisait les négociations en désignant les centrales syndicales comme agent négociateur des syndicats et en imposant un regroupement des employeurs dans les domaines des affaires sociales et de l'éducation (ministère de l'Éducation et Fédération des commissions scolaires catholiques du Québec (FCSCQ))[27]. La centralisation fut telle que lorsque la FCSCQ exprima des réticences à l'égard de certaines clauses de la convention collective, réticences d'autant plus importantes que la Fédération devait signer la convention, elle se

---

25. Jusqu'en 1982, les postes de président du Conseil du trésor et de ministre des Finances étaient occupés par un seul et même ministre.

26. Le départ de plusieurs syndicats affiliés à la CSN pour former une nouvelle centrale syndicale, la Confédération des syndicats démocratiques (CSD), fut un choc pour la CSN. Il poussa les trois centrales syndicales, CSN, FTQ et CEQ, à se serrer les coudes, donc à s'assurer un plus grand contrôle sur leurs syndicats membres, pour éviter tout effet de contagion.

27. Ainsi que la Fédération des commissions scolaires protestantes du Québec.

fit rappeler à l'ordre par le ministre. Il n'était pas question de laisser l'employeur légal gêner l'État.

La quatrième ronde (1975-1976) mettait aux prises une partie patronale centralisée, mais où l'État avait du mal à convaincre ses «partenaires» patronaux et un front commun syndical pour le moins fissuré, le Syndicat des Fonctionnaires, qui avait quitté la CSN, décidant de négocier seul.

En dix ans, on était passé d'un système décentralisé (État et employeurs publics face aux syndicats), système qui avait fonctionné au bénéfice des employés syndiqués, à un système où l'État encourageait la centralisation de chaque partie (les employeurs cédant leurs pouvoirs à l'État et les syndicats à leurs centrales) pour renforcer son pouvoir de négociation.

La tendance à la centralisation n'a pas poursuivi un développement linéaire mais a connu des hauts et des bas. De la naïveté des débuts, on passa à un désir de mener une politique claire et ferme de relations avec les syndicats des secteurs public et parapublic. On assista alors, à la fin des années 1970, à une véritable valse des organismes responsables: le ministère de la Fonction publique tâcha d'augmenter ses pouvoirs, la Commission de la fonction publique vit ses attributions changer, un nouvel organisme, l'Office de recrutement et de sélection du personnel de la fonction publique apparut, le Conseil du trésor continua son ascension.

Dès sa création, le ministère de la Fonction publique avait obtenu des pouvoirs et un budget relativement limités. On avait pu croire lors de la ronde de négociations de 1971-1975, et encore plus en 1975-1976, que le ministre était devenu le grand responsable des relations de travail. Après tout, c'est avec le ministre de la Fonction publique que les présidents des trois centrales syndicales avaient voulu négocier mais il était vite apparu que la politique salariale du gouvernement n'était pas le fait du Ministère; elle venait du Conseil du trésor. Le Ministère a été l'objet de critiques, souvent acerbes. Le rapport Martin-Bouchard[28] ignorait le Ministère et ne laissait aucun doute sur le peu d'estime qu'il lui vouait[29]:

> Il apparaît à la Commission que le Gouvernement devrait confier à un seul organisme bien identifié l'exercice des reponsabilités déterminantes qu'il lui revient d'assumer dans le cadre des négociations collectives dans les secteurs public et parapublic. Il semble tout naturel que cet organisme soit le Conseil du trésor... Pour les partenaires de l'État comme pour la partie syndicale, le Conseil du Trésor devrait apparaître comme le mandataire pleinement autorisé à agir au nom du Gouvernement

---

28. *Rapport Martin-Bouchard, Commission d'étude et de consultation sur la révision du régime des négociations collectives dans les secteurs public et parapublic*, février 1978. Cette commission a été créée par un arrêté en Conseil le 27 juillet 1977; le 5 janvier 1978, le représentant du milieu syndical, Michel Grant, a démissionné.

29. *Rapport Martin-Bouchard, op. cit.*, p. 73.

tout au long du processus des négociations. Cette recommandation vise un double objectif. D'abord, celui d'assurer la cohérence et l'efficacité de l'action gouvernementale, dans le cadre des négociations concernant aussi bien la fonction publique elle-même que les domaines de l'éducation et des affaires sociales. En second lieu, celui de permettre l'identification précise des responsables de la négociation au niveau gouvernemental.

De cette longue citation, on notera en particulier l'absence du Ministère qui n'est même pas cité si ce n'est plus loin pour parler d'amender sa loi. D'autres spécialistes ne mâchaient pas leurs mots. Ainsi Alain Baccigalupo de l'Université Laval ne cessait de réclamer la disparition du Ministère qu'il jugeait inutile et faisant double emploi avec d'autres organismes, en particulier le Conseil du trésor et la Commission de la fonction publique[30], alors qu'André Gélinas du Conseil du trésor affirmait que «la Commission de la fonction publique exerce en fait un rôle plus étendu que celui du ministère de la Fonction publique»[31].

Le ministère fit, par le projet de loi 53 et la *Loi 50* de juin 1978 une tentative de réaménagement des organismes chargés de la fonction publique qui lui permettrait de redorer son blason. L'idée maîtresse était d'imposer des limites à la négociation, de restreindre la zone du négociable, de récupérer des pouvoirs partagés avec les syndicats, bref de procéder à une centralisation du système en augmentant les pouvoirs du Ministère et en diminuant ceux des syndicats. Il n'était plus question du type de négociation collective en vigueur au début de notre période, type de négociation que Chamberlain et Kuhn assimilent à un «gouvernement industriel» nécessitant un compromis. L'article 3 du projet de loi 53 donnait une longue liste des pouvoirs du ministre, liste édulcorée dans l'article 116 de la *Loi 50* qui rappelle que certains points sont du ressort exclusif du ministre ou du Conseil du trésor tout en reconnaissant le rôle des conventions collectives. Le Ministère récupérait une partie du pouvoir réglementaire jusqu'alors dévolu à la Commission de la fonction publique. Il voyait confirmer son rôle de négociateur des conventions collectives dans le cadre d'un mandat fixé par le Conseil du trésor. Le Ministère reconnaissait la suzeraineté du Conseil du trésor mais augmentait ses pouvoirs au détriment d'un organisme décentralisé, la Commission, et des syndicats.

La *Loi 50* faisait perdre à la Commission de la fonction publique ses pouvoirs dans les domaines du recrutement, de la sélection et de la classification du personnel et la transformait en tribunal (art. 29) et en

---

30. A. BACCIGALUPO, «La disposition du Ministère de la fonction publique: une réforme qui s'impose depuis longtemps», *Les grands rouages de la machine administrative québécoise*, Montréal, Agence d'Arc, 1978, pp. 277-285.

31. André Gélinas dans J. BAUER et K. CABATOFF, *op. cit.*, p. 81.

organisme chargé d'enquête, de recommandation et d'avis au Conseil du trésor sur les règlements soumis au Conseil par le Ministère et l'Office de recrutement et de sélection quant à leur conformité avec la règle de la sélection au mérite (art. 30). Ainsi un organisme décentralisé — la Commission dépend de l'Assemblée nationale — perdait de son pouvoir décisionnel et devenait un tribunal.

Ce que la Commission ne cédait pas au Ministère, elle l'abandonnait à un nouvel organisme, l'Office de recrutement et de sélection du personnel de la fonction publique. L'Office avait pour mandat d'adopter les règlements concernant le recrutement et la sélection des candidats aux fins de nomination et de promotion et d'assurer le recrutement et la sélection. Tout comme le Ministère, l'Office devait soumettre ses règlements à l'approbation du Conseil du trésor.

De ce remue-ménage, décrié par les syndicats qui y voyaient une menace contre leurs droits acquis, sortait un système ni centralisé, ni décentralisé mais plutôt déconcentré. Contrairement à la décentralisation qui suppose une certaine autonomie des organismes subordonnés, la déconcentration vise à augmenter les pouvoirs des subordonnés tout en maintenant le lien de dépendance. Il ne s'agissait pas de centralisation car même si l'Office était subordonné au Conseil du trésor, il n'en relevait pas moins, comme la Commission de la fonction publique, de l'Assemblée nationale[32], ce qui lui assurait une source de légitimité extérieure au Conseil du trésor; il ne s'agissait pas non plus de décentralisation car le transfert des responsabilités d'un organisme à deux autres, de la Commission au Ministère et à l'Office, était un changement au niveau des modalités, non pas au niveau du système d'action et de contrôle. Il s'agissait, à notre sens, de déconcentration car un organisme, le Conseil du trésor, avait le contrôle sur le ministère et l'Office mais leur laissait une part de responsabilités: le recrutement et la sélection passaient d'un organisme décentralisé — la Commission était officiellement indépendante de la structure hiérarchique car elle relevait directement du législatif — à un organisme déconcentré — l'Office officiellement indépendant était soumis de fait au Conseil du trésor. Dans le domaine des négociations collectives, le Conseil gardait la maîtrise des décisions mais laissait le Ministère négocier au nom du gouvernement[33].

---

32. Ce fut le cas jusqu'à la *Loi de la fonction publique* de 1983. De 1978 à 1983, c'est l'Assemblée nationale qui procédait à la nomination des membres de l'Office. Depuis 1983, c'est le gouvernement.

33. Dans «La négociation collective chez les fonctionnaires et les enseignants québécois: 1975-1976», *Relations industrielles*, vol. 37, n° 1, 1982, Esther Déom présente Oswald Parent, ministre de la Fonction publique, comme «le grand coordonnateur gouvernemental des négociations dans les secteurs public et parapublic» (p. 150).

Le Conseil du trésor se trouvait ainsi dans la situation de contrôler les décisions touchant la gestion du personnel et, en particulier, ses aspects contractuels sans pour autant se perdre dans les multiples problèmes d'application. À l'intérieur du cadre établi par le Conseil, Office et Ministère se chargeaient de gestion et de négociation. Il est symptomatique que pour assurer un pouvoir décisionnel au sous-ministre de la Fonction publique, on ait cumulé ce poste avec celui de secrétaire associé du Conseil du trésor. Sans ce cumul, le sous-ministre aurait dû chercher des mandats et des autorisations au Conseil. Il est également à noter que la prédominance du Conseil dans la hiérarchie était assurée par l'absence de recours laissée au Ministère et à l'Office. En effet, contrairement à la norme habituelle qui veut que les règlements des ministères soient acceptés par le gouvernement, le Conseil du trésor devait donner son approbation à la place du Conseil exécutif. C'est donc pour éviter l'engorgement du centre, soit le Conseil du trésor, que d'autres organismes avaient reçu des mandats spécifiques. L'ascension du Conseil s'était prudemment accompagnée d'une certaine déconcentration[34].

LA CENTRALISATION VICTORIEUSE

L'équilibre que voulait instaurer la *Loi 50* reposait sur des bases fragiles et ne pouvait être qu'instable. Par son projet de loi 53, le gouvernement avait signifié son intention de récupérer ses droits de gérance, intention qui avait provoqué une levée de boucliers des syndicats du secteur public et ce, en période préréférendaire. La *Loi 50* tint compte des objections syndicales mais grignotait néanmoins le domaine du négociable. Le message était clair: État et syndicats étaient en total désaccord sur les limites des négociations. Du côté des structures administratives, on créait une apparente bicéphalité avec un Conseil du trésor pour la gestion financière et un ministère de la Fonction publique pour la gestion du personnel. La réalité voulait que, par les budgets, ce soit le Conseil du trésor qui assume la responsabilité des coûts en personnel, en particulier la responsabilité des conventions collectives des secteurs public et parapublic. En fait, le Conseil du trésor jouait le rôle d'un conseil d'administration et le ministère celui d'une direction du personnel.

En moins de cinq ans, il ne restait quasiment rien de la division du pouvoir instauré par la *Loi 50* et la centralisation revenait à l'ordre du jour. Le jour même où était sanctionnée la *Loi 50*, le 23 juin 1978, une autre loi, la *Loi sur l'organisation des parties patronale et syndicale aux fins des négociations collectives dans les secteurs de l'éducation, des affaires sociales et des organismes gouvernementaux*, officialisait la centralisation des

---

34. Cette prudence se manifeste également dans le fait qu'encore en 1974, la *Loi 95* ne soufflait mot du Conseil du trésor!

négociations. Elle prévoyait que les conventions collectives seraient négociées et agréées «à l'échelle nationale»[35] et que seuls quelques problèmes d'application pouvaient être négociés au niveau régional ou local. Les comités patronaux de négociations devaient obtenir des mandats de négociations du Conseil du trésor[36].

Peu après, le gouvernement décida non seulement de récupérer ses droits de gérance mais aussi de supprimer toute négociation entre lui et ses syndicats d'employés. Les gouvernements précédents avaient essayé d'imposer, avec un relatif succès, une politique salariale qui encadrerait les négociations; le gouvernement péquiste revint à la célèbre formule: «la Reine ne négocie pas avec ses sujets» en décrétant les conditions de travail au lieu de les négocier. Deux lois, en particulier, abolirent, à toutes fins utiles, le droit de négociation, la *Loi 70* de juin 1982 concernant la rémunération dans le secteur public et la *Loi 105* de décembre 1982 concernant les conditions de travail dans le secteur public.

La *Loi 70* prolongeait de trois mois les conventions collectives qui venaient à expiration le 31 décembre 1982 et décidait qu'à partir du 1er avril 1983, les traitements «que peuvent recevoir les salariés liés par une convention collective sont fixés par le document sessionnel n° 350 déposé à l'Assemblée nationale du Québec le 26 mai 1982»[37]. Ceci s'appliquait non seulement aux employés syndiqués des secteurs public et parapublic mais également aux universités et aux institutions d'enseignement privé subventionnées[38]. La *Loi 70* était on ne peut plus centralisatrice car elle remettait ce qui était jusqu'alors objet de négociations collectives aux seules mains du gouvernement et étendait la notion de secteur parapublic en y incluant des institutions formellement autonomes: universités et écoles privées subventionnées.

Comme on pouvait s'y attendre, les syndicats refusèrent de négocier dans de telles conditions une baisse de leur rémunération. La *Loi 105* qui s'appliquait aux secteurs public et parapublic au sens élargi déterminait les conditions de travail jusqu'au 31 décembre 1985 mais considérait ces conditions de travail imposées comme constituant des conventions collectives (art. 9). Cette loi revenait sur une des principales mesures de la Révolution tranquille, le Code du travail, car elle prévoyait que le Code ne s'appliquerait pas à ces curieuses «conventions collectives» (art. 11). Le gouvernement récupérait ainsi toute la zone du négociable, même à titre rétroactif. La loi officialisait ce que l'on savait depuis longtemps: le patron, c'est le Conseil du trésor. En effet, à plusieurs reprises, la loi désignait le président du Conseil du

---

35. Article 2.
36. Article 11.
37. Article 4.
38. Article 7.

trésor comme responsable de la détermination des conditions de travail. On avait donc un double mouvement de recentralisation tant dans les relations avec les syndicats qui, de sujets devenaient objets, qu'à l'intérieur de l'administration où le Conseil du trésor monopolisait les responsabilités au détriment du ministère de la Fonction publique.

L'abolition des négociations pour la période 1982-1985 était une mesure temporaire. Une autre mesure semblait être plus permanente et visait à faire perdre aux syndicats publics leur principal moyen de pression: la grève. On a vu que les syndicats des secteurs public et parapublic avaient largement utilisé ce moyen à un point tel que les grèves faisaient partie du rituel social québécois. Plutôt que d'interdire le droit de grève, ce qui aurait soulevé l'ire des syndicats et aurait obligé l'opinion publique à réfléchir sur les responsabilités respectives de l'État et des syndicats, le gouvernement choisit de limiter le droit de grève en invoquant la nécessité d'offrir des services essentiels à la population. La *Loi 72*[39] de juin 1982 créait un Conseil des services essentiels, à sous-représentation syndicale[40], pour déterminer la liste des services à maintenir en cas de grève. La présentation même de la loi ne laissait aucun doute sur le fait qu'elle revenait sur un des acquis de la Révolution tranquille, l'extension du Code du travail aux secteurs public et parapublic. Elle modifiait le Code du travail et instaurait un régime particulier pour les services publics. La notion de service public couvrait, en premier lieu, les services de santé et les services sociaux, mais s'étendait également à des services périphériques (municipalités) et à des services dispensés tant par le secteur public que privé (eau, gaz, électricité, transports, enlèvement d'ordures ménagères, téléphone, etc.). L'humour ne perdait pas ses droits puisque le texte précisait que la loi ne s'appliquait pas à la Société des alcools du Québec! Concrètement, les employés gardaient leur droit de grève à la condition expresse que la grève ne soit pas efficace. En effet, si les services essentiels sont assurés, on peut s'attendre à ce que l'impact de la grève soit faible. En cas de désaccord entre le Conseil des services essentiels et le syndicat sur l'étendue des services à assurer, le Conseil devait faire rapport au ministre et en informer le public. Le gouvernement pouvait alors suspendre le droit de grève. Cette loi qui avait pour objet «de consacrer la primauté du droit des citoyens à bénéficier de services jugés essentiels»[41] utilisait, fort ingénieusement, l'exaspération

---

39. *Loi modifiant le Code du travail, le Code de procédure civile et d'autres dispositions législatives.*

40. Des huit membres, le président est nommé par le gouvernement, deux représentent les syndicats, deux les employeurs et trois des organismes peu enclins à défendre le droit de grève comme l'Office des personnes handicapées (art. 6).

41. *Projet de loi n° 72, Loi modifiant le Code du travail, le Code de procédure civile et d'autres dispositions législatives*, 23 juin 1982, Notes explicatives.

manifestée par l'opinion publique devant l'ampleur des grèves pour, tout en gardant le droit de grève dans les textes, le rendre à toutes fins utiles symbolique. Là encore, la décentralisation affirmée par l'autonomie des syndicats et leur force de marchandage faisait place à une recentralisation.

Les aspects de la *Loi 50* concernant les négociations collectives n'étaient pas les seuls à être remis en question. L'ensemble du système prévu en 1978 fut remanié par la *Loi sur la Fonction publique* du 22 décembre 1983. Cette nouvelle loi fut marquée par un double mouvement de décentralisation et de centralisation.

La décentralisation de la gestion du personnel se manifestait par une responsabilisation des gestionnaires, un accroissement de leurs pouvoirs discrétionnaires, des possibilités de subdélégation des pouvoirs aux cadres supérieurs et au personnel de direction[42] ainsi qu'une délégation de certains pouvoirs de l'Office des ressources humaines aux sous-ministres[43]. Ce que les gestionnaires réclamaient depuis longtemps, la direction de leur personnel, leur était ainsi accordée. Selon la Commission de la fonction publique, «de telles mesures devraient contribuer à l'inversion de la course du balancier qui, depuis les années 1960, s'éloigne constamment de l'arbitraire des années 1950, et semble avoir atteint, sinon dépassé, la limite acceptable dans l'encadrement de plus en plus strict de la gestion des ressources humaines»[44]. En d'autres termes, de la pagaille et du patronage d'antan on était passé à une sur-réglementation que la loi de 1983 par ses délégations et subdélégations de pouvoirs tentait de limiter. La difficulté de la tâche et les écueils à affronter étaient tels que la loi prévoyait expressément que le Conseil du trésor devrait, au plus tard le 22 décembre 1988, «faire au gouvernement un rapport sur la mise en oeuvre de la présente loi, sur l'opportunité de la maintenir en vigueur et, le cas échéant, de la modifier»[45]. Le rythme de changement de l'administration publique s'accélérait de plus en plus. Mais ce n'était pas un hasard si le Conseil du trésor était chargé de suivre l'application de la loi. En effet, en même temps que les gestionnaires voyaient leurs pouvoirs s'accroître dans les ministères et organismes gouvernementaux, le Conseil du trésor poursuivait son élimination du peu de concurrence qui se manifestait encore au niveau des organismes centraux.

Cette centralisation prenait la forme d'une élimination du ministère de la Fonction publique, d'une réduction du rôle de la Commission de la fonction publique et d'un accroissement du rôle du Conseil du trésor. Le ministère de la Fonction publique, qui n'avait jamais réussi à être le vrai patron de la fonction publique car il ne détenait pas les clés de la bourse, disparaissait purement et

---

42. Articles 37 à 41.
43. Article 102. Là encore la subdélégation est prévue.
44. *Commission de la fonction publique, rapport annuel 1984-1985*, p. 7.
45. Article 172.

simplement. Ses fonctionnaires, dossiers et documents étaient transférés au Conseil du trésor[46]. La Commission de la fonction publique, l'organisme le plus décentralisé dans la mesure où il dépend de l'Assemblée nationale et non pas de l'exécutif, voyait ses pouvoirs circonscrits. Elle restait un tribunal administratif[47] mais son mandat de vérification, qui englobait jusque-là l'ensemble de la loi, était réduit «au recrutement et à la promotion des fonctionnaires ainsi qu'au caractère équitable et impartial des décisions qui les affectent»[48]. Les commissaires, en termes prudents, laissaient entendre que la centralisation comportait de sérieux risques et affirmaient: «Le législateur, par la clause de rappel de la loi, aura sans doute voulu s'assurer que l'inversion produite dans la course du pendule n'aura pas pour effet de ramener la fonction publique à la situation des années 1950»[49] (c'est-à-dire une situation d'arbitraire). Quant à l'Office des ressources humaines, il reprenait les responsabilités de l'Office de recrutement et de sélection du personnel de la fonction publique, mais, lui aussi, dans un cadre centralisateur. Au lieu de dépendre de l'Assemblée nationale qui en nommait les membres, comme son prédécesseur, l'Office des ressources humaines était rattaché à l'exécutif, son président et ses vice-présidents étant, dorénavant, nommés par le gouvernement[50].

La loi de 1983 consacrait le triomphe du Conseil du trésor, «chargé, au nom du gouvernement, d'établir des politiques générales de gestion des ressources humaines de la fonction publique et d'en évaluer la réalisation»[51]. Gestion financière et gestion du personnel relevaient ainsi d'un seul et même organisme. La loi ne se contentait pas de centraliser les pouvoirs de l'État employeur entre les mains du Conseil du trésor, elle diminuait considérablement la décentralisation inhérente à un régime de relations de travail négocié entre deux parties. Alors que la *Loi 50* stipulait que le ministre de la Fonction publique «signe les conventions collectives avec l'autorisation du gouvernement»[52], la nouvelle loi précisait que «le Conseil du trésor est chargé de négocier les conventions collectives avec les associations accréditées de salariés de la fonction publique. Il signe ces conventions collectives, en surveille et en coordonne l'application»[53]. Il est à noter que la signature d'une convention collective par le Conseil du trésor ne requiert plus l'autorisation du gouvernement. À cette centralisation interne s'ajoutait la centralisation du système par un affaiblissement des pouvoirs syndicaux. La loi reconnaissait

46. Articles 162 et 163.
47. Article 33.
48. Article 115.
49. Commission de la fonction publique, *op. cit.*, p. 7.
50. Articles 88 et 89.
51. Article 77.
52. Article 9.
53. Article 82.

bien le Syndicat des fonctionnaires provinciaux du Québec[54] mais érodait sa marge de manoeuvre. D'une part, le domaine du négociable était réduit puisque c'est le Conseil du trésor qui «détermine la rémunération, les avantages sociaux et les autres conditions de travail des fonctionnaires»[55], ne laissant qu'une portion congrue comme objet de négociations. D'autre part, même pour négocier ce qui reste, les moyens de pression du syndicat étaient réduits par la référence aux services essentiels. La terminologie utilisée est révélatrice: «la grève est *interdite* [c'est nous qui soulignons] à moins que les services essentiels ne soient maintenus»[56]. Le message était clair: les fonctionnaires gardent leurs droits à la syndicalisation, ils jouissent du droit de grève encadré par la loi des services essentiels donc quasi inopérant et leurs conditions de travail sont déterminées par le Conseil du trésor, qu'il y ait eu négociations ou non.

Le gouvernement s'autorisait, avec l'assentiment tacite de la population, à imposer des conditions de travail plutôt qu'à les négocier. On était loin de la grande époque où les syndicats faisaient trembler le gouvernement et semblaient quasi invincibles...

L'écrasement des syndicats des secteurs public et parapublic par des lois *ad hoc*, des décrets tenant lieu de conventions collectives, permettait à l'État d'imposer, par une recentralisation du système de relations de travail, ses politiques du personnel au lieu de les discuter. Cela simplifiait, apparemment, le processus décisionnel. N'empêche que, dans un système démocratique, aucun gouvernement ne peut compter sur une administration publique humiliée. Non seulement les 300 000 «bénéficiaires» des coupures de 1982-1983 étaient-ils des électeurs — ils ne se sont d'ailleurs pas gênés pour exprimer leur mécontentement en votant contre le gouvernement en place — mais ils étaient aussi ceux qui sont indispensables pour faire marcher les rouages de l'État. Le gouvernement fit alors adopter le projet de loi 37, *Loi sur le régime de négociations des conventions collectives dans les secteurs public et parapublic* du 19 juin 1985. L'idée apparente était, maintenant que les syndicats avaient perdu la dernière ronde, de jouer la carte de la base contre les dirigeants en décentralisant les tables de négociations.

---

54. Article 64.
55. Article 79.
56. La *Loi de la fonction publique* de 1965 avait déjà prévu dans son article 75 que «la grève est interdite à moins que les services essentiels et la façon de les maintenir ne soient déterminés par entente préalable entre les parties ou par décision de la Commission des relations de travail du Québec» mais cet article n'avait pas été appliqué. La même formulation, reprise dans l'article 69 de la *Loi sur la fonction publique* de décembre 1983 et s'appuyant sur l'existence du Conseil des services essentiels, introduit, de fait, une limitation à l'exercice du droit de grève.

Cette loi créait un nouveau modèle de négociations[57]. Elle prévoyait trois niveaux de négociations, national, régional et local et plusieurs comités et sous-comités de négociations dans le secteur parapublic. De la table centrale où tout se décidait entre les instances supérieures respectives, le Conseil du trésor et les centrales syndicales, on passerait à une multitude de lieux de négociations. Les éléments importants continueraient à se traiter provincialement mais les parties pouvaient s'entendre sur les matières à négocier régionalement ou localement. Une liste détaillée des points régionaux et locaux pour les enseignants était présentée à l'annexe A (depuis le régime syndical et la déduction des cotisations jusqu'aux frais de déplacement aux modalités et à la distribution des heures de travail) et, pour les affaires sociales et le personnel non enseignant de l'éducation, l'annexe B donnait une liste des arrangements locaux possibles dans le cadre d'une convention collective en vigueur. La loi prévoyait également que les négociations seraient conduites par trois comités patronaux dans le secteur de l'éducation[58] et cinq sous-comités dans celui des affaires sociales[59]. La moitié des membres seraient nommés par le ministre, l'autre moitié par les regroupements d'employeurs. Ces comités, après avoir obtenu des mandats de négociations du Conseil du trésor, «organisent, dirigent et coordonnent les négociations»[60]. Et, plus encore, lors des délibérations du Conseil du trésor sur les politiques de négociations les ministres des secteurs visés (Éducation, Enseignement supérieur et Affaires sociales) seraient invités.

Voilà qui semblait fort décentralisateur! Un article de la loi indiquait cependant que cette décentralisation n'était qu'un leurre. Seuls les salaires de la première année des conventions collectives étaient l'objet d'une discussion entre les parties, les salaires des deux années suivantes étant ceux prévus par le Conseil du trésor, déposés à l'Assemblée nationale et acceptés par le gouvernement[61]. Aucune trace de négociation n'était prévue pour ces deux années et le droit de grève y était aboli.

La décentralisation se ramenait, en fait, à la création de comités et sous-comités de négociations, sous la houlette du Conseil du trésor et à la régionalisation et à la localisation de certains aspects des négociations collectives. Par contre, les éléments centralisateurs ne manquaient pas:

---

57. Une excellente présentation de la *Loi 37* a été écrite par Fernand MORIN, «Rapports collectifs du travail dans les secteurs publics québécois ou le nouvel équilibre selon la loi du 19 juin 1985», *Relations industrielles*, vol. 40, n° 3, 1985, pp. 629-645.

58. Commissions scolaires catholiques, commissions scolaires protestantes et collèges.

59. Sous-comités pour les hôpitaux, les centres locaux de services communautaires, les centres d'accueil publics, les centres de services sociaux et les établissements privés conventionnés.

60. Article 33.

61. Articles 52 et 54.

1) rappel de la prééminence du Conseil du trésor;
2) retrait du champ négociable des conditions salariales pour deux années sur trois;
3) présentation des offres monétaires des deux dernières années à l'Assemblée nationale sans que celle-ci n'y gagne un pouvoir décisionnel.

Ainsi l'application de la *Loi 37* aurait abouti à un éclatement de la négociation collective en de multiples tables de négociations, et donc à la quasi-impossibilité d'un front commun syndical, à une négociation sur les salaires d'une année au lieu de trois et à une limitation du droit de grève des fonctionnaires non déjà couverts par les restrictions liées aux services essentiels. Elle aurait donné naissance à un monstre bureaucratique où se seraient enchevêtrées des centaines de tables de négociations, le Conseil du trésor étant le seul à posséder les données nécessaires à une politique globale, les syndicats négociant en ordre dispersé.

La pratique fut passablement différente. Pour des raisons politiques évidentes, le nouveau gouvernement libéral voulait éviter un conflit majeur avec le mouvement syndical et les centrales syndicales, échaudées par les mesures de 1982-1983, voulaient récupérer un minimum de pouvoir de négociation.

La négociation de 1986-1987 s'inspira très librement de la *Loi 37*. Les négociations débutèrent de façon décentralisée (au 20 juin 1986, trois cents séances de négociations s'étaient déjà tenues à dix-sept tables pour la seule CEQ)[62], ce qui obligeait les centrales à disperser leurs efforts. Malgré la loi des services essentiels, des grèves éclatèrent un peu partout (Syndicat des infirmières, FTQ, CSN, etc.)[63]. L'État répliqua en décembre 1986 par la *Loi 160* sur le maintien des services essentiels dans le secteur de la santé; la loi prévoyait des mesures d'une sévérité extrême en cas de grève illégale[64]. Un peu auparavant, les centrales avaient eu le réconfort d'apprendre qu'un juge de la Cour supérieure considérait que la loi violait certaines dispositions de la *Charte canadienne des droits et libertés*[65].

Tout semblait prêt pour un affrontement majeur. Il n'en fut rien. Le 11 décembre 1986, le gouvernement, alors que la loi ne l'obligeait pas à le faire,

---

62. *La Presse*, 20 juin 1986.

63. Grève des infirmières en juin 1986; grève d'une journée de la FTQ le 28 octobre 1986, grève générale et illimitée de la CSN le 11 novembre 1986.

64. Amendes très lourdes, suppression du retrait des cotisations syndicales à la source, etc.

65. Le 20 novembre 1986, le juge Croteau, de la Cour supérieure, déclarait que «le mode de fixation des salaires ou échelles de salaires prévu à la loi 37 restreint considérablement ou empêche toute expression de la liberté de négociation» et que certaines dispositions contrevenaient à la *Charte canadienne des droits et libertés*.

déposait à l'Assemblée nationale de nouvelles offres salariales pour 1987 et 1988 et, peu après, signait des ententes de principe avec la CSN et la FTQ. Les deux parties avaient montré leurs muscles (grèves même illégales, loi sévère) puis avaient négocié hors du cadre de la loi. À tour de rôle, les dirigeants des centrales rencontraient le premier ministre et le président du Conseil du trésor: les conventions collectives couvraient trois ans au lieu d'un, les négociations locales ne jouaient qu'un rôle secondaire.

La ronde 1986-1987 semblait marquer un tournant dans les négociations entre l'État et ses employés. Les deux parties étaient prêtes à négocier de façon dure mais abandonnaient la démagogie des années précédentes. Les centrales ne parlaient plus de faire sauter le système et le gouvernement ne niait pas, comme son prédécesseur, la légitimité du syndicalisme public. Le gouvernement soufflait à la fois le froid et le chaud, d'une part, en faisant voter la *Loi 160*, d'autre part, en acceptant de négocier les salaires pour toute la durée de la convention et en regroupant les négociations par grands secteurs. Les comités patronaux ne jouissaient que d'une autonomie limitée[66] et le rôle des ministres *ad hoc* (Éducation, Enseignement supérieur et Affaires sociales) n'en était qu'un d'appoint[67]. Le Conseil du trésor était bel et bien responsable du système mais sous la supervision du premier ministre.

De la décentralisation annoncée, décentralisation au niveau des négociations (multiplicité des tables) et non pas au sujet des salaires (deux années sur trois non négociables), il restait une centralisation pour les négociations (rôle minime des tables locales, négociations entre les dirigeants des centrales et le premier ministre, rôles essentiels du premier ministre et du Conseil du trésor) et une décentralisation plus grande que prévue pour les salaires (salaires négociés pour toute la durée des conventions et non plus seulement pour la première année).

Une opinion publique lasse des conflits de travail et un cadre législatif restreignant les pouvoirs des syndicats des secteurs public et parapublic laissaient l'État libre de centraliser le système de relations de travail en limitant le domaine négociable. Plutôt que d'utiliser à fond ces possibilités, avec le risque à moyen terme d'une explosion[68], le gouvernement préférait

---

66. Les comités patronaux semblent avoir peu apprécié d'être relégués au rang de second violon. Le président de la Fédération des affaires sociales de la CSN, les a accusés, en mars 1987, de vouloir «récupérer» les avantages de l'entente de principe, bloquant ainsi la signature des conventions collectives.

67. Le ministre de l'Éducation et de l'Enseignement supérieur, Claude Ryan, a fait plusieurs déclarations sur les problèmes de relations de travail, déclarations dont il ressortait que leur auteur faisait des recommandations mais n'avait pas le mot final sur la conduite des négociations.

68. Comme dans les conflits entre le gouvernement de la Colombie-Britannique et ses syndicats du secteur public et entre la Société des postes et le syndicat des facteurs.

négocier de façon pragmatique. Il se gardait le privilège d'imposer les conditions salariales pour les deuxième et troisième années des conventions collectives mais acceptait, en fait, de les négocier, élément décentralisateur, et privilégiait les négociations au sommet plutôt qu'aux tables décentralisées.

L'État s'était doté d'une panoplie de mesures limitant le pouvoir des syndicats (services essentiels, *Lois 37* et *160*) mais avait la sagesse de ne l'utiliser qu'en partie, dans l'espoir de faire accepter ces limitations aux syndicats. Ces limitations allaient dans le sens d'une plus grande centralisation du système mais permettaient une certaine mesure de déconcentration.

UNE LOGIQUE POLITIQUE ET ADMINISTRATIVE

La centralisation du pouvoir, même si elle n'était pas prévue, était prévisible. Elle n'était pas prévue car la vague de réformes du début des années 1960, et la syndicalisation du secteur public en fait partie, s'est produite dans une atmosphère d'ouverture, de «tout est possible», en fait, d'une certaine naïveté. On s'imaginait à la fois que les relations entre l'État et sa main-d'oeuvre salariée seraient harmonieuses, que quelques organismes publics, nouveaux ou renouvelés, comme le ministère de la Fonction publique ou le Conseil du trésor, prendraient en charge les nouvelles fonctions de l'État sans que le nouveau système ne souffre de dysfonctions. La centralisation n'était pas prévue car elle s'accompagnait de changements perçus comme positifs par la société: fin de l'ère Duplessis, augmentation de la scolarité, augmentation du niveau de vie permettant un gonflement des dépenses de l'État, diminution du rôle de l'Église, remplacement du système de statut, des bas salaires, du népotisme, du patronage, des religieux et religieuses sous-payés par des fonctionnaires syndiqués, bien payés, protégés contre l'arbitraire. Qui aurait pu envisager un dérapage? La centralisation n'était pas prévue car il y avait une complicité de fait entre les dirigeants des organismes en pleine expansion, soit les organismes publics et les syndicats, portés par une vague de prospérité économique.

Après l'euphorie, les problèmes concrets se sont posés: comment partager les bénéfices du changement, en tenant compte du rôle crucial de l'État dans la société et l'économie, surtout en période de difficultés économiques? Les pressions externes se sont fait sentir sur le système: difficultés économiques et sociales, coût des programmes sociaux, militantisme syndical, etc. Confronté à un syndicalisme militant, qui n'hésitait pas à utiliser son droit de grève et constituait des fronts communs avec un pouvoir de négociation considérable, l'État a tenté de limiter ce qu'il avait offert à ses employés par la multiplication des lois spéciales, des législations précisant ou modifiant dans un sens restrictif la gestion du personnel et les négociations, par le grignotage du champ ouvert (inconsidérément?) à la négociation, par la restriction au droit de grève au nom des services essentiels et par les décrets lorsque les syndicats ont refusé de réouvrir des conventions collectives dûment négociées et signées. Avec des hauts et des bas, on peut dire que tous les gouvernements de l'après-Révolution tranquille ont suivi la même logique politique: recentraliser, remettre à l'État ce qu'il avait consenti aux syndicats ou partagé avec eux, ce qu'il avait décentralisé.

À cette logique politique centralisatrice s'est ajoutée une logique administrative allant dans le même sens. Avec près de la moitié des dépenses de l'État affectée aux salaires de ses employés, le contrôle de cette masse salariale est devenu essentiel au contrôle du budget. Le Conseil du trésor étant le gardien du budget, il est devenu responsable de la fonction publique et du secteur parapublic, puis responsable des négociations, et enfin, il est devenu l'employeur officiel[69], éliminant ou marginalisant les autres intervenants.

À l'origine, la division des responsabilités était relativement claire: le Conseil du trésor analyse les coûts du personnel pour le budget de l'État, la Commission de la fonction publique gère le personnel et le ministère de la Fonction publique négocie les conventions collectives.

Ce triangle n'a pas fonctionné car il ne pouvait pas fonctionner. Dans la mesure où le coût du personnel est devenu un élément majeur du budget et où le budget est du ressort du Conseil du trésor, il était logique que ce dernier voit son pouvoir s'accroître. Le rôle de négociateur du Ministère ne pouvait survivre longtemps à la centralisation des données au Conseil du trésor. Un négociateur qui doit sans cesse s'en remettre au Conseil du trésor pour connaître les coûts des offres et des contre-offres ne peut garder son autonomie et ce, d'autant plus que les syndicats, conscients de cet état de choses, ont cherché à négocier directement avec le «vrai» pouvoir, le Conseil du trésor et non pas avec son représentant, le ministère de la Fonction publique. Quant à la Commission de la fonction publique on lui a retiré une partie de ses pouvoirs pour les remettre à l'Office des ressources humaines, travaillant sous la houlette du Conseil du trésor. Là encore, il est dans la logique administrative que toute décision impliquant un coût, comme le recrutement et la sélection, relève du Conseil du trésor.

La même logique administrative a augmenté le rôle du Conseil du Trésor par rapport aux ministères de l'Éducation et des Affaires sociales. On avait prévu que les ministères responsables de chacune des trois grandes catégories de personnel (Fonction publique, Éducation, Affaires sociales) négocieraient de concert avec le Conseil du Trésor. Mais il fallait un coordonnateur et ce ne pouvait être que le Conseil du trésor. En effet, tous les ministères reconnaissent le caractère central du Conseil; ce que les ministères de l'Éducation et des Affaires sociales ne pouvaient accepter du ministère de la

---

69. Il joue le même rôle d'employeur que le Conseil du trésor fédéral.

Fonction publique ou de tout autre ministère, légalement leur égal, ils pouvaient l'accepter du Conseil du trésor qui, pour les négociations, fonctionne comme un conseil interministériel normal[70].

La logique administrative veut qu'un organisme central contrôle les coûts, et puisque la gestion du personnel est essentielle au contrôle des coûts, il est donc inévitable que, tôt ou tard, celui qui contrôle le budget contrôle également le personnel.

Les centralisations politique et administrative se sont ainsi combinées pour accroître le rôle du Conseil du trésor, au point où, selon Louis Bernard, les mandats de négociation viennent du Conseil du trésor, sans passer par le Conseil des ministres, entre autres pour empêcher les fuites.

CONCLUSION

Les circonstances et l'environnement n'ont fait qu'accélérer l'émergence des problèmes et précipiter les difficultés d'application d'une politique décentralisatrice. La logique de la gestion administrative ne pouvait laisser un pouvoir externe à l'administration publique, le syndicalisme avec ses conventions collectives devenant aussi, voire plus important que les lois et règlements, limiter son propre pouvoir.

Cela aurait conduit à ce que Chamberlain et Kuhn appellent la troisième étape des négociations collectives, celle d'un système de relations de travail où l'employeur non seulement partage ses droits avec le syndicat par le biais d'une convention collective mais où cette dernière ne se limite plus à une série de règles à appliquer et devient un «guide pour l'action administrative», une source d'inspiration pour les intéressés, bref un système où la quête de bonnes relations de travail l'emporte sur le respect des lois, y compris les lois du travail. À la limite, la décentralisation, engendrée par la syndicalisation et le droit de grève des employés de l'État, aurait eu pour conséquence le démantèlement de l'autorité publique. Cette même logique de la gestion administrative ne pouvait accepter un pouvoir administratif diffus: la gestion financière implique un contrôle de la gestion sociale, d'où le rôle central du Conseil du trésor.

Les politiques gouvernementales, quel que soit le parti au pouvoir, ont visé à reprendre aux syndicats l'énorme pouvoir qu'ils avaient obtenu lors de la Révolution tranquille. Les politiques administratives, au nom de l'efficacité, ont éliminé toute concurrence dans la gestion du personnel. La mode actuelle de l'imputabilité, de la responsabilité accordée aux gestionnaires, ne doit pas

---

70. Et non pas comme exerçant les pouvoirs du lieutenant-gouverneur en conseil. Louis Bernard, ancien secrétaire général et greffier du Conseil exécutif, le 19 mars 1986.

masquer le fait que les décisions concernant la gestion du personnel relèvent du Conseil du trésor. Les Pères du changement croyaient tout possible; après eux, les responsables politiques et administratifs ont constaté que tout est difficile. Devant l'ampleur des problèmes concrets, les responsables de la gestion politique et administrative ont répondu par un double mouvement de centralisation.

VINGT-CINQ ANS DE CHANGEMENTS DANS LE DOMAINE DE LA GESTION FINANCIÈRE DU GOUVERNEMENT DU QUÉBEC

André Bernard

Au cours des 25 dernières années, le domaine de la gestion financière du gouvernement du Québec a connu de profondes modifications. Dans l'ensemble, ces modifications ont visé à préciser les juridictions, à consolider les contrôles et à donner aux dirigeants une autorité accrue. Comme le montrent les pages suivantes, les contraintes budgétaires des années 1980 ont accentué le caractère centralisé de la prise des décisions dans le domaine de la gestion financière.

LA SITUATION QUI EXISTAIT EN 1960

En 1960, au moment où Jean Lesage est devenu ministre des Finances et premier ministre, la gestion financière du gouvernement du Québec était encadrée par des législations adoptées à la fin du dix-neuvième siècle. Le contrôle central sur les choix budgétaires et la gestion financière était effectué par le premier ministre, le ministre des Finances et un ou deux autres ministres. Les contrôles comptables étaient effectués sur les paiements et non pas sur les engagements financiers; ces contrôles étaient exercés par le vérificateur général (appelé «auditeur»), celui-là même qui avait pour fonction de vérifier les comptes publics. Quant aux contrôles parlementaires, au terme de seize années d'exercice du pouvoir par Maurice Duplessis, ils étaient devenus à peu près insignifiants. En un mot, la gestion financière, dans le gouvernement du Québec de 1960, ressemblait beaucoup à ce qu'elle avait toujours été: une gestion d'organisme public de petite taille.

Certes, en matière de politique budgétaire et de gestion financière, un contrôle centralisé est la seule option réaliste, car les choix budgétaires et financiers consacrent les décisions essentielles. De fait, ces choix relèvent toujours des personnes qui détiennent le pouvoir réel au sein d'un gouvernement. C'est ainsi que, dans le gouvernement du Québec, chacun des premiers ministres suivants avait aussi été «trésorier»: Louis-Olivier Taillon, de 1894 à 1896, F. Gabriel Marchand, de 1896 à 1900, Louis-Alexandre Taschereau, de 1930 à 1932. Quand il ne prenait pas lui-même la direction des services participant à l'élaboration et à la gestion des politiques budgétaires, le premier ministre l'attribuait à celui de ses lieutenants (un autre ministre) en qui il avait le plus confiance (pour ce genre de responsabilité), tout en conservant la main haute sur les «grandes décisions» (notamment les priorités et les orientations générales). Le premier ministre entretenait souvent une relation quasi hiérarchique avec son trésorier ou ministre des Finances (c'est le cas notamment de Maurice Duplessis dans ses rapports avec Onésime Gagnon jusqu'en 1958 puis avec John S. Bourque, qui prit la relève d'Onésime Gagnon en 1958).

Bien qu'il détienne le pouvoir de nommer et de démettre ses ministres et celui de leur imposer ses volontés (s'ils veulent rester ministres), le premier ministre n'est quand même pas tout-puissant. Son temps est compté, son information ne peut tout couvrir, ses préoccupations sont largement déterminées par sa fonction. Et, de fait, le premier ministre doit confier à d'autres le souci de régler une quantité de problèmes, dont il ne saurait s'occuper personnellement sans mettre en cause sa fonction elle-même.

Ceux sur qui retombe la responsabilité de préparer et d'exécuter les décisions budgétaires subissent à leur tour des contraintes de temps, d'information, d'intérêt, comparables à celles que subit le premier ministre, et ils doivent à leur tour remettre à d'autres une part importante du travail à réaliser.

L'obligation de déléguer une part d'autorité, de confier à d'autres une part du travail à accomplir, constitue finalement une limite à la centralisation recherchée par les détenteurs du pouvoir en matière de politique budgétaire et de gestion financière.

Après 1960, en raison surtout de l'expansion du secteur public provincial, les services administratifs constitués pour décharger le premier ministre, puis pour décharger ceux de ses collègues ministres auxquels il confie diverses fonctions en matière de budget, n'ont cessé de se fragmenter et de croître; les contrôles ont été consolidés et, finalement, les dirigeants ont acquis une autorité de plus en plus étendue.

LA DIVISION INSTITUTIONNELLE DES TÂCHES EN MATIÈRE DE GESTION FINANCIÈRE

Les lois adoptées depuis 1960 ont modifié un arrangement institutionnel qui datait de 1883.

En 1883, en effet, un projet de loi (appelé à l'époque «Bill du trésor») avait créé un Bureau de la trésorerie (*Treasury Board*), précisé les fonctions du trésorier (titre porté jusqu'en 1951 par celui que l'on appelle maintenant ministre des Finances) et précisé les fonctions et le statut du vérificateur général. Le Bureau de la trésorerie était un comité de ministres, dont le premier ministre a toujours été membre (à titre de procureur général, jusqu'à l'époque de Maurice Duplessis). Ce comité assumait les fonctions du Conseil des ministres en matière de politique budgétaire, les principales décisions relevant de fait du premier ministre. Le trésorier coordonnait l'élaboration du budget, gérait les avoirs du gouvernement, s'occupait de la dette et ainsi de suite. Le vérificateur, de son côté, autorisait les paiements et vérifiait («apurait») les comptes.

La loi de 1961 et la clarification des mandats institutionnels

Le bill 30 de la session de l'automne 1960, qui devint le chapitre 38 des Statuts de 1961, introduisit trois changements importants. En premier lieu, cette loi concernant le contrôle des finances réorganisait le Bureau de la trésorerie (qui s'appellerait dorénavant Conseil de la trésorerie ou *Treasury Board*, l'appellation anglaise demeurant inchangée) en lui donnant des pouvoirs accrus.

Le bill 30 cherchait en outre à mettre un terme à la pratique selon laquelle la même autorité (celle du vérificateur) assumait tous les contrôles administratifs: il créait un poste nouveau, celui de *contrôleur de la trésorerie* (*Comptroller of the Treasury*), qui correspondait, en gros, à celui de contrôleur du Trésor que l'on connaissait à Ottawa depuis 1931.

Finalement, le bill 30 instituait la formule du contrôle sur les engagements, qui s'ajoutait dorénavant au contrôle sur les paiements (ainsi que c'était la pratique à Ottawa depuis 1931). Ce contrôle relevait du contrôleur de la trésorerie.

La disposition relative au contrôle sur les engagements prévoit ceci: aucun contrat ou engagement obligeant Sa Majesté à payer une somme d'argent ne peut être conclu et valide à moins que le contrôleur n'ait certifié qu'il y a des crédits suffisants pour couvrir les obligations de paiement découlant d'un tel contrat ou engagement au cours de l'année budgétaire concernée.

Jusqu'alors, au Québec, rien dans la loi n'interdisait au gouvernement de *s'engager* au-delà des disponibilités, de sorte que des mandats de paiement devaient être reportés d'une année à l'autre avant que le vérificateur puisse les certifier. Les sommes ainsi reportées totalisaient près de 10 millions de dollars en 1957-1958 (2 % du budget), plus de 12 millions en 1958-1959 et plus de 15 millions en 1959-1960[1].

Le nouveau contrôleur, qui jouit d'un statut comparable à celui du vérificateur, a donc le mandat d'éviter ces situations en effectuant un contrôle sur les engagements. Il peut de la sorte obtenir que les dépenses effectuées en fin d'année financière soient imputées aux crédits de l'année dont elles relèvent.

La réorganisation des services engagée par la loi de 1961 s'est poursuivie progressivement, au cours des années 1960, avec la confirmation des fonctions du contrôleur. D'ailleurs, à l'égard des comptes, la loi de 1961 prévoit ceci: «à la demande du ministre compétent et avec l'assentiment du ministre des Finances, le contrôleur peut fournir les services de comptabilité pour un ministère».

Quant au Conseil de la trésorerie, qui est substitué à l'ancien Bureau de la trésorerie, il est dorénavant composé du ministre des Finances, qui préside, et de quatre autres ministres désignés, en pratique, par le premier ministre. Il est à noter que le ministre des Finances est alors Jean Lesage lui-même, le premier ministre. C'était le premier ministre qui présidait l'ancien Bureau de la trésorerie (depuis l'époque de Maurice Duplessis). Le quorum reste de trois membres (ce qui était le cas depuis 1958, le quorum antérieur étant de deux membres seulement).

Le nouveau Conseil se voit attribuer des fonctions comparables à celles qu'assumait à l'époque le Conseil du trésor du gouvernement fédéral. La version de la loi fédérale (1951) et celle de la loi provinciale (1961) peuvent être mises en parallèle:

Le Conseil de la trésorerie (du Québec)

> exerce les fonctions de comité du Conseil exécutif en tout ce qui concerne les finances, les revenus, les estimations budgétaires, les dépenses et les engagements financiers du gouvernement ainsi que la nomination, la rémunération, la permutation et la retraite des fonctionnaires et employés du gouvernement, sauf les sous-ministres ou autres fonctionnaires de rang équivalent.

Le Conseil du trésor (du Canada)

> agit à titre de comité du Conseil privé de la Reine pour le Canada sur tous sujets concernant les finances, les recettes, les prévisions budgétaires, les dépenses et les engagements financiers, les comptes, les établissements, les conditions

1. Rapport du vérificateur, *Comptes publics, 1959-1960*, Québec, 1960.

> d'emploi de personnes dans le service public et la politique administrative générale dans le service public, que lui soumet le gouverneur en Conseil ou sur lesquels le Conseil estime opportun de présenter un rapport au gouverneur en Conseil...

Mais en imitant ce qui se faisait à l'époque à Ottawa, la loi québécoise de 1961 risquait de mener aux difficultés mêmes que la commission Glassco allait bientôt dénoncer. Ce risque fut d'ailleurs perçu[2]:

> Le personnel de la Trésorerie, avant de soumettre les recommandations de la Commission du Service civil au Conseil exécutif, a entrepris de vérifier les demandes. Bref, alors qu'auparavant, la Commission constituait l'organisme de contrôle sur lequel s'appuyait le cabinet avant de décider, elle voit aujourd'hui son travail revisé par le personnel de la Trésorerie. Autrement dit, la situation actuelle à Ottawa, au sujet de laquelle le rapport Glassco a été particulièrement incisif, est peut-être en train de s'implanter à Québec.

Les critiques opposées à la loi de 1961 furent d'ailleurs assez nombreuses[3] et l'expérience mena finalement à une nouvelle réforme, celle de 1970, dont les dispositions sont toujours en vigueur aujourd'hui.

La loi de 1970 et les amendements subséquents

La loi de 1970 a précisé le rôle du Conseil de la trésorerie dont l'appellation devient, en français, le Conseil du trésor. La loi de 1970 a modifié le statut du contrôleur de la trésorerie, qui devient un contrôleur des finances, avec des fonctions plus étendues. Enfin, elle a modifié le statut de vérificateur.

Comme celui d'Ottawa, le Conseil du trésor du Québec, tel qu'il est défini par la loi québécoise de 1970, constitue l'organisme majeur de l'administration financière. Il a pour fonctions:

1) de préparer annuellement les prévisions budgétaires du gouvernement;
2) d'exercer les pouvoirs du gouvernement en ce qui concerne les dépenses et les engagements financiers du gouvernement dans la mesure et aux conditions déterminées par règlement;

---

2. R. BOLDUC, «Le recrutement et la sélection dans la fonction publique», *Canadian Public Administration/Administration publique du Canada*, juin 1964, p. 207.

3. Voir A. BERNARD, *Parliamentary Control of Public Finance in the Province of Quebec since 1867*, Thèse de maîtrise, Montréal, Université McGill, 1965, pp. 103-113, pour un inventaire de ces critiques. Les critiques les plus importantes concernaient finalement le partage des responsabilités au sein du ministère des Finances où les services relevant du contrôleur, du vérificateur, du sous-ministre et du Conseil de la trésorerie, semblaient responsables de «comptabilités» presque similaires.

3) d'adopter des règlements ayant trait aux comptes d'honoraires ou frais de fourniture de services ou d'utilisation d'installations, aux conditions des locations, des baux et des aliénations de biens ainsi qu'à la perception et à l'administration des deniers publics;
4) d'adopter des règlements relatifs au système de comptabilité des ministères et organismes du gouvernement, ainsi qu'à l'émission des mandats de paiement et aux comptes à rendre des deniers publics dans ces ministères et organismes;
5) d'exercer les pouvoirs du gouvernement pour tout ce qui concerne l'approbation des plans d'organisation des ministères et organismes du gouvernement, de leurs effectifs, des conditions de travail de leur personnel;
6) d'élaborer et d'appliquer la politique administrative générale qui doit être suivie dans la fonction publique;
7) d'assumer toute autre fonction qui peut, de temps à autre, lui être confiée par le Conseil des ministres;
8) de donner des avis au Conseil des ministres sur les implications administratives et financières des mémoires et des projets de décret qui lui sont soumis.

Ces fonctions renforcent l'autorité des ministres influents sur le budget. De 1971 à 1981, l'influence décisive à cet égard a été celle du ministre des Finances.

Jusqu'en 1981, le fait que le ministre des Finances était président du Conseil du trésor constituait d'ailleurs une différence significative par rapport au Conseil du trésor du gouvernement fédéral, présidé depuis 1966 par un ministre qui n'est pas en même temps ministre des Finances. Depuis 1981, le Conseil du trésor de Québec est présidé par un ministre qui n'est pas en même temps ministre des Finances. La division des tâches entre le ministre des Finances et le président du Conseil du trésor est censée renforcer la position du premier ministre.

À Québec, par ailleurs, les fonctions comptables (tenue de comptabilité, enregistrement des pièces, émission des chèques, préparation des comptes publics) incombent à des services qui relèvent du ministre des Finances, sous l'autorité directe du contrôleur des finances. C'est là une autre différence significative par rapport à Ottawa, où (depuis 1969) ces services sont regroupés au sein du ministère des Approvisionnements et Services.

À Québec, de plus, la *Loi sur l'administration financière* de 1970 a maintenu la structure du «double contrôle» que la loi fédérale de 1969 avait abolie. Alors qu'on a aboli en 1969 à Ottawa le poste de contrôleur qui y existait depuis 1931, on trouve toujours, à Québec, un *contrôleur des finances* (nouveau titre du contrôleur de la trésorerie, dont la fonction avait été définie dans la loi de 1961). Le contrôleur des finances, qui relève du ministre des Finances, est le comptable en chef du gouvernement. Dès 1973, la division administrative qu'il dirige a été chargée du programme appelé «comptabilité gouvernementale». À ce titre, le contrôleur dirige les services de comptabilité des ministères. À cette fin, il délègue des représentants dans chacun des ministères et dans certains organismes publics. *Il enregistre les engagements budgétaires et voit à ce que les paiements qui en découlent n'excèdent pas les crédits.* Le contrôleur des finances prépare également les états financiers et les comptes publics et pourvoit au traitement des données comptables et financières. Les contrôles exercés par le contrôleur des finances sont «doubles» en ce sens qu'ils portent, une première fois, sur les engagements et, une deuxième fois, sur les paiements. Ces contrôles portent sur la légalité des opérations, leur régularité formelle et leur implication budgétaire (y a-t-il une autorisation législative pour effectuer la dépense envisagée? la dépense envisagée est-elle effectuée dans le respect des normes? y a-t-il au budget des fonds suffisants pour couvrir la dépense envisagée?). Ce contrôle ne se substitue pas au contrôle exercé par les gestionnaires responsables de la dépense (la dépense contribue-t-elle aux objectifs du programme?) ou au contrôle exercé par le Conseil du trésor (la dépense contribue-t-elle *suffisamment* aux objectifs du programme?).

Ces contrôles néanmoins renforcent les capacités des organismes centraux et, en quelque sorte, l'autorité des ministres financiers.

Enfin, dernier élément du contrôle central sur la gestion financière, la fonction du vérificateur général, dans la loi de 1970, a été réduite à la vérification des comptes. Cette fonction a cependant été valorisée grandement en 1985 à la suite de l'adoption du projet de loi 90 de 1984 (présenté le 20 juin 1984 et devenu, le 20 juin 1985, le chapitre 38 des lois du Québec de 1985).

Cette nouvelle législation accorde au vérificateur général une autonomie accrue dans l'exercice de ses fonctions, elle étend son champ de compétence et elle élargit le cadre de son action en lui permettant de traiter de l'imputabilité des personnes responsables et d'évaluer les décisions de gestion selon le critère de l'optimalisation des ressources.

LA GESTION FINANCIÈRE, EN PRATIQUE

En pratique, la gestion financière est davantage encadrée que ne le laisse voir la *Loi sur l'administration financière*. Le Conseil du trésor a en effet adopté, année après année, une quantité de règlements et de «politiques» qui précisent des limites étroites aux choix permis en matière de gestion financière. Ces règlements et ces «politiques», comme la loi qui les autorise, consolident l'autorité des ministres les plus puissants, tout en accentuant les caractéristiques qui les opposent aux porte-parole et membres des administrations qui leur sont subordonnées.

La consolidation de l'autorité des ministres les plus influents a été poursuivie par divers moyens et, parmi ces moyens, il en est trois qui ont pris une importance considérable: 1) le contrôle sur les engagements financiers, 2) la coordination centralisée de la préparation et de l'exécution des plans de dépenses annuelles et 3) la budgétisation par programme et les procédures qui s'y rattachent.

Le contrôle sur les engagements financiers

Le contrôle sur les engagements financiers, introduit en 1961, est devenu peu à peu un moyen de consolider l'autorité centrale sur la gestion financière.

À l'origine, en 1961, la finalité de ce contrôle était d'éviter les embarras qui découlaient de pratiques qui, jusqu'alors, avaient permis aux fonctionnaires et aux ministres d'engager le gouvernement pour des sommes qui dépassaient les autorisations législatives de dépenser ou même ne correspondaient pas à ces autorisations. Ce contrôle, précisément, visait officiellement à réaffirmer l'autorité des parlementaires sur les dépenses: dorénavant, aucun engagement ne pouvait être conclu s'il n'était conforme au crédit sur lequel il devait être imputé ou s'il impliquait des paiements qui, ajoutés aux autres paiements découlant d'autres engagements sur le même crédit, auraient excédé ce crédit.

Pour assurer le contrôle recherché, en sus du contrôle exercé par le contrôleur des finances (initialement appelé contrôleur de la trésorerie), les ministres du Conseil du trésor (appelé Conseil de la trésorerie jusqu'en 1971) ont obligé les ministères à solliciter leur approbation pour tout engagement nouveau ou particulier. L'autorisation préalable est rapidement devenue la règle pour tout ce qui dépassait une certaine somme (5 000 dollars, par exemple). L'ouverture d'un nouveau poste de travail, le recours à un appel d'offres pour des services ou des biens requis du secteur privé et les diverses décisions de dépenses éventuelles ont bientôt été assujetties à l'autorisation préalable du Conseil, même si les crédits pour les couvrir étaient disponibles.

Cependant, alors que le contrôle centralisé sur les engagements nouveaux ou particuliers était recherché, il devenait usuel de relâcher le contrôle, y compris celui du contrôleur, à l'égard des opérations routinières encadrées par des normes précises. C'est ainsi que les achats routiniers de biens courants (petits effets matériels), les frais de déplacement ou de séjour des personnes ou le temps supplémentaire des fonctionnaires furent gérés par les ministères concernés sans que ceux-ci aient à obtenir l'autorisation préalable du Conseil. De même, en pratique, les ministères purent gérer les programmes de subventions routinières (par exemple, les bourses d'études, les allocations aux individus, les subventions aux institutions des réseaux) sans avoir besoin d'autorisations préalables du Conseil, car ces programmes étaient encadrés par des normes d'attribution précises. Dans le cas de ces dépenses routinières, y compris les salaires du personnel déjà en poste, non seulement n'était-il pas nécessaire d'obtenir l'autorisation préalable du Conseil, mais encore il était suffisant d'obtenir du contrôleur une imputation d'engagement général (dit de «gestion»).

Dès 1965, des députés de l'opposition, membres de l'Union nationale, reprochèrent aux ministres influents d'avoir réintroduit le système de patronage que leur chef, le premier ministre Jean Lesage, avait dit vouloir abolir. Ces députés de l'opposition prétendirent que les ministres, par le truchement de l'autorisation préalable de tout engagement non routinier, se réservaient la décision quant au choix des fournisseurs ou contracteurs, quant au choix des personnes appelées à remplir un mandat précis ou un emploi nouveau, quant aux bénéficiaires de subventions spéciales et, aussi, quant aux montants concernés. Ces députés suggéraient que la décision, dans la plupart des cas, était partisane en ce sens qu'elle avantageait les «amis du parti».

Les ministres affirmaient, pour leur part, que ces contrôles préalables sur les engagements visaient simplement l'économie, l'efficience, l'efficacité, l'équité, l'équilibre...

L'idée de créer une commission parlementaire chargée d'examiner les engagements financiers autorisés par le Conseil et enregistrés par le contrôleur fut alors avancée et, petit à petit, elle se gagna des appuis.

Après son accession au poste de premier ministre en 1966, le chef de l'Union nationale, Daniel Johnson, laissa comprendre que, conformément aux voeux exprimés par les porte-parole de son parti avant le scrutin de 1966, une commission parlementaire des engagements financiers serait bientôt créée.

Il apparut néanmoins que le mandat d'une telle commission n'était pas facile à définir. La commission devait-elle discuter de ces engagements et, alors, dans quelle perspective? Pour être significative, l'intervention de la commission ne devait-elle pas suivre immédiatement chacune des autorisations accordées? Pourquoi cette future ou éventuelle commission parlementaire n'aurait-elle pas le pouvoir d'autoriser les engagements? Pourquoi n'aurait-elle pas le pouvoir de désavouer une autorisation d'engagement? Ces questions et bien d'autres contribuèrent à retarder la création de la commission parlementaire sur les engagements financiers.

Les députés du Parti libéral, dorénavant dans l'opposition, reprochèrent à leur tour aux ministres (cette fois, les ministres du gouvernement dirigé par le chef de l'Union nationale) d'utiliser leur pouvoir sur les nouveaux engagements à des fins partisanes. Ils leur reprochèrent même de ne pas créer la commission parlementaire sur les engagements financiers que les porte-parole de l'Union nationale avaient déjà suggéré de créer.

Quand, à l'issue du scrutin de 1970, ces mêmes députés du Parti libéral se retrouvèrent ministres à leur tour, leurs «engagements» en faveur d'une commission parlementaire sur les engagements financiers les obligèrent à créer la commission promise.

La commission parlementaire sur les engagements financiers reçut le mandat d'examiner une liste mensuelle des engagements nouveaux enregistrés par le contrôleur des finances. Cette liste, en pratique, ne fut jamais communiquée qu'aux seules personnes membres de la commission. De plus, les premières séances de la commission furent tenues à huis clos et, conséquemment, sans compte rendu public. Oswald Parent, ministre responsable de cette commission, prétendit que le huis clos était requis parce que les délibérations de la commission concernaient uniquement des montants sans signification pour le public. La liste, d'ailleurs, ne présentait que des chiffres, sans aucune explication ou description.

Les députés de l'opposition, en particulier ceux du Parti québécois, réclamèrent l'ouverture de la commission au public. Il fallut cependant attendre la réforme parlementaire de 1974, après l'élection de 1973 qui avait donné une majorité parlementaire sans précédent au Parti libéral, pour que les séances de la commission deviennent publiques.

Les comptes rendus des séances de la commission révélèrent que celles-ci servaient des objectifs essentiellement tactiques. Les interventions visaient en effet d'éventuels avantages électoraux ou partisans.

La commission s'est réunie presque chaque mois, de 1974 à 1980. Paradoxalement, malgré l'intérêt potentiel des sujets à l'étude, les journalistes n'en ont pratiquement jamais parlé.

Vers 1975, les députés du Parti québécois, alors dans l'opposition, suggérèrent que, pour éviter le patronage qui, selon eux, avait encore cours, il n'y avait qu'une solution: instaurer un nouveau système d'adjudication des contrats du gouvernement, un système fondé sur l'application de critères quantifiables et préalablement publiés.

Ce nouveau système d'adjudication, promis par les porte-parole du Parti québécois avant 1976, fut effectivement mis en place au cours de 1977 après que les députés du Parti québécois élus le 15 novembre 1976 eurent formé la nouvelle majorité parlementaire au Québec. On l'appela le système «Rosalie».

Naturellement, même après la mise en application de «Rosalie», la commission parlementaire sur les engagements financiers resta le théâtre d'affrontements partisans comparables à ceux du passé.

Le caractère des discussions au sein de la commission parlementaire des engagements financiers amena bientôt le leader parlementaire du Parti québécois à retarder de plus en plus les convocations mensuelles de sorte que, peu à peu, la fréquence des séances se modifia. Le nombre annuel de séances diminua sans discontinuer jusqu'à 1984.

En 1984, les dirigeants du Parti québécois décidèrent finalement d'abolir la commission parlementaire des engagements financiers. La juridiction de la commission ainsi abolie fut attribuée à «toutes les commissions». Chacune des sept commissions parlementaires sectorielles issues de la réforme parlementaire de 1984 (articles 87, 115-117, 256 et 263-285, *Règles de procédure*, Assemblée nationale, 1984) a mandat d'étudier les crédits, les comptes, les rapports, les projets de loi, les engagements financiers et toutes autres questions concernant les ministères dont elle s'occupe. Manifestement, parmi les objets prioritaires des débats parlementaires, les engagements financiers ne figureront pas souvent.

Avant 1984, l'autorité centralisée sur les nouveaux engagements financiers n'a jamais été menacée par la commission parlementaire sur les engagements financiers: elle le sera encore moins par les commissions sectorielles auxquelles seront présentées les listes d'engagements, car ces commissions auront de nombreux autres objets de discussion, tous plus importants du point de vue des stratégies et tactiques de harcèlement partisan qui mobilisent les parlementaires.

L'insistance de l'opposition, de 1962 à 1970, pour créer cette commission illustre toutefois l'importance accordée aux contrôles exercés par le Conseil du trésor sur les engagements.

L'autorité centralisée sur les engagements financiers s'exerce d'ailleurs avec plus de vigueur depuis quelques années. En vertu de la *Loi sur l'administration financière* (article 46), le Conseil du trésor peut en effet décréter la suspension, pour toute période qu'il fixe, du droit d'engager tout crédit ou partie de crédit. Ce décret doit être attesté et signé par le président du Conseil du trésor et notifié au contrôleur des finances. Le recours au gel des crédits est devenu si habituel, à Québec, que les employés des ministères savent que les soldes non encore engagés deux ou trois mois après le début d'un exercice peuvent faire à tout moment l'objet d'une suspension.

Il arrive même que le Conseil du trésor, en vertu de l'article 56 de la *Loi sur l'administration financière*, suspende la réalisation d'actions (ouvertures de postes, appels d'offres) autorisées en vertu d'une imputation d'engagement!

Il est patent, aujourd'hui, que le contrôle sur les engagements financiers est devenu l'un des piliers importants de l'autorité centrale exercée par le Conseil du trésor sur la gestion financière.

Le contrôle sur la préparation et l'exécution des plans de dépenses annuelles

Le contrôle sur la préparation et l'exécution des plans de dépenses annuelles constitue un autre pilier de l'autorité exercée par les ministres les plus influents au sein du gouvernement.

Certes, de tout temps, les ministres les plus influents ont cherché à maintenir un tel contrôle. Cependant, vers 1960, la taille des budgets et le rythme accéléré de croissance des dépenses ont rendu ce contrôle centralisé de plus en plus difficile ou incertain.

Faute d'un contrôle centralisé, on craignait que des féodalités risquent de se constituer bientôt, chacune s'engageant dans de stériles conflits contre les autres, dans la poursuite de finalités particulières sans utilité pour les contribuables. Les ministres, dans cette perspective, tentèrent de consolider le contrôle centralisé qu'ils exerçaient déjà.

Parmi les moyens mis en oeuvre, certains s'appliquent à la préparation, d'autres, à l'exécution des plans de dépenses.

Afin d'assurer leur autorité, les ministres les plus influents ont cherché d'abord à encadrer ou à limiter la croissance des dépenses récurrentes ou routinières en adoptant des normes de plus en plus contraignantes de façon à réduire la marge de manoeuvre des gestionnaires subalternes et à limiter de la sorte leur relative autonomie. Ces normes ont été multipliées dans tous les domaines, en particulier dans le domaine des ressources humaines.

Les ministres ont également cherché à définir le plus précisément possible la teneur des prévisions de dépenses des diverses administrations, tout en se gardant de publier les prévisions détaillées qu'ils exigeaient. C'est ainsi que, petit à petit, année après année, les prévisions exigées des diverses administrations furent de plus en plus détaillées, allant finalement jusqu'aux descriptions de tâches des postes de travail autorisés ou à autoriser. Cependant, comme ils n'avaient pas le temps d'examiner ces prévisions détaillées, les ministres s'en remirent aux employés du secrétariat du Conseil du trésor, employés dont le nombre augmenta sans cesse, année après année, alors même qu'étaient stabilisés les effectifs de l'ensemble du secteur public provincial (voir le tableau 1, qui présente les dépenses salariales du Conseil, du contrôleur, du vérificateur et de la fonction publique). De 1972 à 1985, les dépenses salariales de la fonction publique ont été multipliées par quatre, celles du Conseil du trésor par quinze.

Ce ne sont pas les prévisions détaillées qui sont soumises à l'autorisation des parlementaires de l'Assemblée: les députés en effet n'ont à étudier que des prévisions plus globales, au sein des crédits, sur lesquels ils peuvent voter. En pratique, les crédits sont adoptés tels qu'ils sont soumis puisque les ministres bénéficient de l'appui de la majorité au sein de l'Assemblée.

La loi interdit de dépenser plus que ce qui a été fixé dans le crédit adopté par l'Assemblée. L'article 40 de la *Loi sur l'administration financière* précise même que les dépenses et autres déboursés imputables sur chaque crédit, adopté ou inclus dans les prévisions budgétaires soumises à l'Assemblée, doivent être limités selon la division de ce crédit apparaissant aux prévisions budgétaires. Toutefois, le Conseil du trésor peut modifier cette division (au sein d'un crédit) et en faire une subdivision.

Tableau 1
Dépenses des organismes du contrôle financier du gouvernement provincial du Québec de 1960-1961 à 1985-1986 (en milliers de dollars)

Année	Dépenses du gouvernement		Dépenses du Conseil du Trésor		Dépenses du contrôleur		Dépenses du vérificateur	
	Totales	Salariales	Totales	Salariales	Totales	Salariales	Totales	Salariales
1960-61	745 471	—	—	—	—	—	480	454
1961-62	844 471	—	434	410	—	—	565	520
1962-63	956 728	—	592	571	—	—	647	581
1963-64	1 100 909	—	2 142	2 110	—	—	792	694
1964-65	1 437 715	—	2 426	2 333	—	—	844	751
1965-66	1 860 521	—	2 962	2 378	—	—	926	836
1966-67	2 119 994	—	3 557	3 292	—	—	995	911
1967-68	2 499 608	—	4 435	3 834	—	—	1 181	1 083
1968-69	2 544 571	—	4 960	4 277	—	—	1 239	1 158
1969-70	2 979 884	—	6 621	4 886	—	—	1 321	1 290
1970-71	3 659 372	—	6 725	5 088	—	—	1 350	1 306
1971-72	4 257 223	—	556	513	6 448	5 042	1 041	966
1972-73	4 699 396	550 222	871	720	8 068	6 206	1 268	1 181
1973-74	5 290 578	638 367	1 049	974	8 846	6 920	1 405	1 335
1974-75	6 761 469	847 803	1 239	1 158	9 383	8 158	1 687	1 606
1975-76	8 791 121	961 320	1 772	1 675	10 981	9 865	2 165	2 010
1976-77	10 208 429	1 122 283	2 443	2 296	11 955	11 732	2 760	2 583
1977-78	11 503 008	1 266 433	3 104	2 878	14 903	14 286	2 980	2 799
1978-79	13 402 830	1 309 480	3 997	3 694	15 973	15 484	3 780	3 246
1979-80	15 123 000	1 561 362	5 686	4 602	16 826	16 294	3 980	3 522
1980-81	17 596 659	1 805 777	5 802	5 430	18 467	17 977	4 657	4 333
1981-82	20 359 807	2 029 754	7 299	6 523	19 233	18 653	5 504	5 032
1982-83	22 259 296	2 186 910	9 279	7 320	19 586	18 997	6 206	5 589
1983-84	24 523 514	2 266 767	8 172	6 997	21 149	19 743	6 169	5 589
1984-85	22 542 499	2 402 948	14 798	10 578	21 686	19 691	7 247	6 210
1985-86	27 222 178	2 494 692	13 389	11 116	22 432	20 606	8 990	6 870

Source: D'après les comptes publics du Québec, données de l'année concernée (les chiffres, en effet, sont parfois modifiés lors de révisions ultérieures). Entre 1961 et 1971, les données du Conseil de la trésorerie et du contrôleur font partie d'une même catégorie. À partir de 1974, les dépenses du contrôleur sont établies par le programme «comptabilité». En 1984-1985, le Conseil du trésor s'enrichit d'une division provenant de l'ancien ministère de la Fonction publique.

La subdivision que permet la loi correspond en général à un degré de précision moins poussé que celui que le Conseil du trésor exige des diverses administrations aux fins de préparation des budgets. Cette subdivision est néanmoins effectuée systématiquement et elle limite l'autonomie des administrations puisque les virements entre les diverses catégories de cette subdivision relèvent du Conseil du trésor, selon l'interprétation qu'il a donnée de l'article 40.

Dans l'exercice de leur contrôle sur la préparation et l'exécution des plans de dépenses, les ministres membres du Conseil du trésor n'ont pourtant pas la partie facile, car, il faut l'affirmer, de très importantes pressions s'exercent sur eux, à la fois aux fins de limiter les dépenses pour éviter d'augmenter les impôts ou la dette et aux fins de satisfaire, par l'augmentation des dépenses, les besoins infinis des électeurs.

Entre 1976 et 1985, les pressions exercées sur les ministres membres du Conseil du trésor ont été d'autant plus insupportables que les promesses des porte-parole de leur parti avaient été généreuses. Au cours de cette période, en effet, les besoins auxquels les porte-parole du Parti québécois avaient promis de satisfaire exigeaient des dépenses que ni les impôts ni les emprunts ne permettaient de couvrir. Le poids des impôts, au Québec, ayant largement dépassé celui qui est enregistré dans les territoires voisins, il s'y produisit l'équivalent contemporain de ce qu'était la contrebande à l'époque où l'essentiel des revenus fiscaux provenaient des droits de douane: ainsi, en 1980, une nouvelle augmentation d'un taux d'imposition se traduisit par une diminution des revenus tirés de l'impôt. De même, l'endettement a atteint, aux taux d'intérêts contemporains, un plafond relatif, puisque, vers 1985, le service de la dette équivalait presque au montant qu'il fallait emprunter.

La budgétisation par programme et les procédures de contrôle qui s'y rattachent

La budgétisation par programme et les procédures qui s'y rattachent ont été introduites entre 1970 et 1973: elles constituent un autre pilier de l'autorité centralisée exercée par les ministres membres du Conseil du trésor.

La budgétisation par programme a introduit un profond changement dans la façon de gérer les dépenses publiques, à la fois du point de vue de la préparation et du point de vue de l'exécution des budgets.

Selon la façon traditionnelle de procéder, le contrôle s'exerçait à partir du budget de l'exercice précédent, auquel on ajoutait ou retranchait divers montants pour tenir compte de variations dans le nombre des services ou des biens produits, de variations dans les prix et les rémunérations et de variations dans la qualité des services ou biens produits. Ce contrôle impliquait inéluctablement une négociation entre les autorités centrales et les diverses administrations, car les augmentations demandées excédaient toujours les augmentations de revenus fiscaux.

Afin de minimiser l'acrimonie des négociations budgétaires, les autorités ont souvent tenté d'obtenir des diverses administrations qu'elles s'en tiennent à des enveloppes prédéterminées, mais la plupart des gestionnaires responsables des centres de coût refusent de travailler à l'intérieur de cadres définis sans tenir compte des situations particulières.

La budgétisation par programme se distingue de la façon traditionnelle de fonctionner en ce qu'elle met l'accent sur le calcul de l'utilité sociale des activités et sur les objectifs opérationnels justifiant ces activités. Cette nouvelle façon de faire consiste à déceler les résultats précis que visent les administrations, à évaluer l'utilité de ces résultats du point de vue de l'électorat en général, à retenir, de cette évaluation d'utilité sociale, des objectifs que l'évaluation justifie. Après avoir choisi les meilleurs moyens de réaliser ces objectifs, il s'agit d'affecter les ressources disponibles en fonction d'une optimalisation d'ensemble qui prend en compte l'utilité sociale découlant de la réalisation des objectifs retenus, d'une part, et les coûts fiscaux et sociaux qui s'y rapportent, d'autre part.

Une première façon de concrétiser ces nouvelles perspectives dans la préparation des budgets a été expérimentée dès 1961 au ministère de la défense des États-Unis, où on l'a baptisée du sigle PPBS, *Planning-Programming-Budgeting System.* En 1962, cette nouvelle formule était également adoptée par la NASA (l'agence aérospatiale américaine), puis, en 1963 et 1964, par un nombre croissant d'agences ou d'organismes. En 1965, L. B. Johnson, président des États-Unis, signait un décret généralisant le recours à cette nouvelle méthode dans l'ensemble du gouvernement fédéral américain.

En France, dès 1964, le ministère des Armées adoptait, en l'adaptant, le PPBS qu'avait déjà popularisé le secrétaire de la défense des États-Unis, Robert McNamara. En 1965 et 1966, plusieurs autres organismes, en France, l'adoptèrent à leur tour (l'aérospatiale française, notamment pour le programme Concorde, ou encore les travaux publics, en particulier pour le réseau express régional de Paris). En janvier 1968, à l'initiative de Michel Debré, alors ministre de l'Économie et des Finances, le système fut généralisé à l'ensemble de l'administration française et baptisé, cette fois, RCB (c'est-à-dire «rationalisation des choix budgétaires»).

À Ottawa, l'adoption du PPBS fut effectuée en 1969, et le Québec suivit en 1970, avec application généralisée en 1973.

En faisant prêter attention aux productions et aux résultats ou objectifs des opérations, les nouvelles méthodes facilitaient l'élimination des activités dysfonctionnelles, ou encore l'harmonisation des activités diverses menées dans le secteur public. La vue d'ensemble apportée par la budgétisation par programme permettait d'établir plus facilement qu'auparavant les interrelations entre les fins diverses des nombreuses activités différentes qui pouvaient exister afin de trouver, en dernier lieu, l'agencement optimal du point de vue de l'ensemble.

Vers 1970, la nouvelle méthode a paru apporter la solution aux ministres qui, à l'époque, faute de moyens, se sentaient incapables de porter des jugements éclairés quant à l'allocation des ressources; le nombre, la diversité et la complexité des activités gouvernementales paraissaient excessifs; l'information disponible sur les raisons d'être de chacune paraissait limitée; le temps requis pour approfondir quoi que ce soit faisait défaut (les élus étant déjà très occupés par leurs obligations administratives, parlementaires, électorales, partisanes, sociales et autres). Les dirigeants politiques espéraient obtenir, par le PPBS, une information plus sûre et plus pertinente que celle qui accompagnait les dossiers budgétaires de jadis; ils espéraient pouvoir en arriver à concentrer leur attention sur les choix majeurs (les objectifs), laissant à d'autres les choix secondaires.

Les dirigeants avaient l'appui de personnes estimant que les choix majeurs doivent appartenir aux élus, que l'unité d'action est souhaitable, que les «féodalités» administratives sont contraires aux intérêts du plus grand nombre... Il a même été dit que cette réforme serait utile aux gestionnaires, car elle faciliterait leur compréhension des raisons de leur travail, leur faisant connaître les objectifs poursuivis et les rationalisations ayant mené au choix de ces objectifs et au choix des moyens mis en oeuvre pour les atteindre. Il a aussi été suggéré que, connaissant l'objectif, les gestionnaires auraient pu apporter une contribution supplémentaire à l'amélioration des impacts et des performances de l'appareil gouvernemental.

Mais, dans la mesure même où elle servait les intérêts des ministres et de leurs électeurs, cette réforme budgétaire devait susciter l'opposition de nombreuses personnes qui craignaient les changements préconisés. Ces personnes ont contesté l'opportunité, voire la possibilité, *de définir des objectifs* opérationnels dans le secteur public et, accessoirement, l'opportunité d'une éventuelle unité d'action dans le secteur public. Elles ont aussi contesté l'opportunité, voire la possibilité, de procéder à une *allocation des ressources en fonction des objectifs* ou des programmes plutôt qu'en fonction des organismes ou des postes budgétaires classiques. Elles ont enfin nié la possibilité de *quantifier les coûts réels et les avantages* des productions du secteur public.

Les ministres favorables à la rationalisation des choix budgétaires admettent bien volontiers la difficulté de définir des objectifs qui satisfassent effectivement une majorité de la population (ou même de la «population desservie») et qui répondent pleinement aux critères de l'utilité sociale: mais, à leur avis, il est préférable de chercher à le faire que de ne pas le faire.

Les ministres qui ont fait la réforme budgétaire des années 1970 ont soutenu que les grands objectifs collectifs qui font l'unanimité (sécurité, santé, etc.) doivent orienter tout le reste. Les moyens de réaliser ces grands objectifs constituent autant d'objectifs secondaires possibles, entre lesquels on peut choisir selon le principe de l'optimalisation. Il y aurait moyen, selon ce point de vue, d'établir une «arborescence» d'objectifs, en partant des objectifs les plus généraux pour atteindre, à l'autre extrémité, des objectifs opérationnels.

Une telle arborescence d'objectifs a effectivement été élaborée puis adoptée. Au sommet, la finalité la plus certaine et la moins précise: le plus grand bien-être du plus grand nombre (ou une formulation similaire). Pour atteindre cet idéal lointain, toujours repoussé, quatre grands moyens: sur le plan économique, la croissance de la production dans la stabilité et l'égalité; sur le plan social, l'allongement de la vie par la santé physique et morale et dans l'harmonie; sur le plan culturel, l'accès à l'éducation et à l'expression artistique et ludique, pour tous; sur le plan politico-administratif enfin, la sécurité et la participation démocratique...

Cette arborescence généreuse était complétée aux niveaux intermédiaires et opérationnels par des objectifs de plus en plus précis. Le schéma proposé était relativement complexe: avant d'en arriver aux programmes opérationnels, il fallait descendre cinq paliers dans la hiérarchie des objectifs.

Cette hiérarchisation par le haut, selon la typologie proposée, facilitait les choix des autorités budgétaires en leur offrant une vue d'ensemble de l'activité gouvernementale et une structure par paliers de plus en plus englobante, et elle permettait de mieux délimiter les fins ultimes des objectifs intermédiaires, puis des buts immédiats.

La typologie québécoise se présente comme suit:

a) quatre missions, chacune étant divisée en domaines;
b) chaque domaine est divisé en secteurs;
c) chaque secteur est divisé en programmes (avec des objectifs de programmes);
d) chaque programme est segmenté en éléments, projets, activités, etc.

C'est au niveau des programmes que sont définis les résultats précis et mesurables (objectifs de programmes) auxquels mènent les productions de biens et de services qui découlent des activités ou opérations (*extrants* d'opérations).

Malgré le soutien apporté par les employés du Conseil du trésor, il a été difficile de formuler les objectifs à poursuivre dans chaque domaine, dans chaque secteur et dans chaque programme, le programme étant défini comme «un ensemble d'activités menant à la réalisation d'objectifs conçus comme des résultats spécifiques et mesurables à atteindre dans un délai fixé et pour une durée déterminée».

Pour aider à la formulation de ces objectifs, le nouveau premier ministre, Robert Bourassa, a constitué un comité de planification au sein du Conseil des ministres et il a encouragé plusieurs de ses ministres dans divers efforts visant l'élaboration de politiques sectorielles.

On a finalement décidé de s'y prendre de la façon suivante: 1) un inventaire de situation, par secteur (quelles sont les activités gouvernementales déjà engagées dans le secteur à l'étude? quelles perceptions a-t-on, dans la population, des problèmes posés dans ce secteur et des objectifs que l'on pourrait y poursuivre?); 2) un énoncé résumant les constats générés au terme de l'inventaire; 3) une consultation populaire en se basant sur cet énoncé, à la fois pour en tester la validité et pour obtenir les réactions qu'il peut susciter; 4) une évaluation des résultats de la consultation et une formulation d'option de politique; 5) une nouvelle consultation, sur cette option; et 6) une évaluation de cette nouvelle consultation et une formulation de politique, sous forme de projet(s) de loi.

En prenant le pouvoir en 1976, le Parti québécois a engagé une opération d'ensemble dans cette perspective. Il a commencé par créer cinq comités de coordination, chacun d'eux étant présidé par un ministre d'État n'ayant pas de ministère à gérer: un comité du développement économique (présidé par Bernard Landry), un comité du développement social (présidé par Pierre Marois), un comité du développement culturel (présidé par Camille Laurin), chacun de ces trois comités correspondant à une des quatre missions de la typologie PPBS du Québec, et enfin un comité sur l'aménagement du territoire et un comité sur la réforme électorale et parlementaire (présidés respectivement par Jacques Léonard et, à l'origine, Robert Burns), ces deux derniers comités correspondant à deux secteurs importants de la quatrième mission (la mission gouvernementale).

Le nouveau gouvernement a ensuite annoncé qu'il y aurait une politique par secteur, domaine et mission, au terme de l'opération d'ensemble. Et, sans tarder, des équipes, commissions, comités et groupes de travail ont été constitués, avec mandat de procéder aux inventaires requis.

Dans certains secteurs, les premiers efforts ont abouti assez rapidement à la publication de livres verts et de livres blancs. Un livre vert décrit une situation, identifie les problèmes qui s'y rapportent, énumère les objectifs à atteindre pour résoudre ces problèmes et fait état des diverses solutions (ou moyens) à envisager.

Un livre blanc expose, en plus des éléments que contient normalement un livre vert, l'option de politique (objectifs et moyens) envisagée par le gouvernement.

Les deux types de documents font normalement l'objet d'un débat public au moment des auditions publiques et tournées régionales des commissions parlementaires ou dans le cadre de consultations populaires de diverses natures. C'est ainsi qu'il y a eu d'importantes consultations sur le livre vert consacré à la réforme électorale, le livre blanc sur la santé et la sécurité au travail, le livre vert sur la politique scientifique, le rapport sur les universités, la politique québécoise du développement culturel, l'énoncé de politique économique (*Bâtir le Québec*) et autres documents.

Au Québec, le mouvement engagé en vue d'élaborer des objectifs sectoriels (ou politiques sectorielles) cohérents et adaptés au milieu a constitué un exceptionnel progrès dans la voie de l'optimalisation. En effet, il est remarquable que, contrairement à ce qui était de règle jadis, pour élaborer les objectifs (ou politiques) de chaque secteur, on ait engagé un vaste processus de consultation étendue, animé pour l'essentiel par des parlementaires élus.

L'idée fondamentale était d'établir la valeur des divers objectifs afin de choisir ceux qui répondaient le mieux aux besoins: et ce sont les ministres, qui, au terme des consultations, avaient à décider! La rationalisation des choix budgétaires, en dernière analyse, renforçait leur pouvoir.

Cette rationalisation leur donnait en outre de nouveaux moyens d'accroître l'efficacité et l'efficience des administrations et des programmes, car elle mettait en oeuvre, non seulement une nouvelle typologie budgétaire et de nouveaux mécanismes d'élaboration des décisions, mais aussi de nouvelles procédures et de nouveaux systèmes d'information.

Pour accroître l'efficacité et l'efficience, le nouveau système de gestion a permis l'élaboration et l'application d'indicateurs.

Par des indicateurs relatifs aux biens et aux services produits, on a cherché à évaluer la performance, l'efficience ou la productivité. Quel est le nombre d'opérations effectuées quotidiennement par une personne? Quel est le coût unitaire des productions?

Ces indicateurs ont permis de comparer les réalisations enregistrées au Québec à celles qui étaient enregistrées ailleurs, ils ont permis de calculer des moyennes, de fixer des cibles, d'établir des normes minimales, bref, de mettre l'accent sur l'accroissement du rendement, soit la productivité, l'efficience et la performance.

Même si l'établissement de coûts standard de production est plus difficile dans le secteur public que dans le secteur privé et même si l'établissement d'une véritable compatibilité analytique d'exploitation dans le secteur public est difficile à réaliser, car tous les coûts entraînés par les décisions publiques n'ont pas forcément d'équivalent financier ni de bénéficiaires déterminés, on a cherché à concilier les notions d'efficacité et d'efficience avec celles de service public. On a cependant retenu que les comparaisons avec les prix de revient privés ou les estimations d'autres gouvernements, lorsqu'elles sont disponibles, ne permettent que des comparaisons à titre indicatif, car elles ne peuvent tenir compte des structures, de l'environnement, de la qualité différente de la production.

D'autres indicateurs ont été définis pour mesurer l'*impact* (ou l'efficacité, ou encore l'utilité) des programmes, c'est-à-dire leur rentabilité socio-économique ou même sociopolitique. Ces indicateurs devaient permettre une mesure des changements que les programmes amenaient *dans la société*. Le nombre des accidents de circulation a-t-il diminué? Y a-t-il une baisse du taux de pollution? Combien de chômeurs ont été recyclés? Les gens sont-ils satisfaits?

Avec les indicateurs d'impact, le Conseil du trésor cherchait à savoir ce que la population retirait de chaque programme.

La mesure de l'impact des programmes a présenté beaucoup de difficultés, car elle impliquait la compilation de données nouvelles sur l'environnement: la situation des groupes défavorisés, le niveau de pollution, le degré de criminalité, etc.

En dépit des possibilités réelles d'évaluer l'impact des programmes gouvernementaux, les progrès de ce point de vue ont été lents et limités.

Non seulement y avait-il peu d'analystes capables d'évaluer les impacts des programmes, notamment en mettant en relation les actions entreprises et les effets (relations de causalité), mais il y avait en outre une absence fréquente de référence: idéalement, le critère d'impact devait être la différence entre les résultats attendus et les résultats enregistrés; malheureusement, les prévisions de résultats (objectifs) étaient souvent imprécises ou irréalistes.

La formule des indicateurs, pour prospective qu'elle soit, montre que le système PPB pousse à l'élaboration progressive d'un système d'informations clé destiné à modifier profondément la prise de décision gouvernementale. Le Conseil du trésor a beaucoup travaillé à la mise au point d'un tel système.

En dépit des faiblesses enregistrées dans la mise en oeuvre du système nouveau, les dirigeants ont su consolider leur autorité centralisée, car les indicateurs d'efficience et d'efficacité qu'ils appliquent à l'évaluation des programmes leur permettent de formuler des avis plus rigoureux que par le passé quant à la pertinence des demandes soumises par les responsables des programmes et des unités administratives.

De même, en pratique, les ministres membres du Conseil du trésor, par la formule de rationalisation introduite en 1970, ont réussi à établir des choix de priorités en comparant les programmes les uns aux autres.

Pendant une dizaine d'années, après 1971, des efforts considérables ont été consentis afin d'accroître l'efficacité et l'efficience des programmes délimités dans le cadre de la rationalisation des choix budgétaires du Québec. La budgétisation par programme s'est bel et bien imposée, puisque des objectifs opérationnels ont été effectivement définis dans la plupart des cas, puisque des indicateurs de performance (efficience, productivité, rendement, rentabilité) et d'impact (efficacité, utilité) ont été établis dans de nombreux programmes.

Certes, il n'a pas été nécessaire d'exiger longtemps les analyses qui, au début des années 1970, s'avéraient indispensables à l'implantation de budgets de programmes. Certains ont cru que, si l'on n'exigeait plus d'analyses comme au début, c'est que l'on avait abandonné la rationalisation des choix budgétaires. Il n'en était rien: la réforme connue sous ce vocable avait simplement atteint les résultats qu'elle pouvait atteindre; ce qui restait à accomplir serait réalisé par d'autres moyens.

L'un de ces moyens est le rationnement budgétaire, lequel s'est d'ailleurs brutalement imposé vers 1982 au moment où le Québec atteignait le seuil d'alerte dans la recherche de nouveaux revenus (résistance fiscale telle que de nouveaux impôts s'avéraient improductifs, obligation d'emprunter annuellement un montant voisin du montant du service de la dette).

Ce rationnement budgétaire a touché durement les programmes pour lesquels on ne pouvait fournir d'indicateurs d'efficience et d'efficacité satisfaisants du point de vue des ministres membres du Conseil du trésor.

Il en ressort que la budgétisation par programme et les techniques de contrôle qui s'y rattachent ont puissamment aidé à consolider l'autorité des ministres «financiers». On peut même dire que le rationnement budgétaire qui a généralement été recherché par les ministres financiers s'appuie dorénavant sur une rationalisation, elle-même fondée sur des critères d'efficience et d'efficacité qui font l'objet de mesures.

CONCLUSION

Les changements introduits entre 1960 et 1985 dans les organismes et mécanismes de la gestion financière du gouvernement du Québec ont été vraiment considérables. Ils ont précisé les juridictions des agents financiers traditionnels, tels le ministère des Finances et le vérificateur général, ils ont défini de nouvelles juridictions dévolues à des organismes nouveaux, tels le secrétariat du Conseil du trésor et le contrôleur des finances et ils ont aussi consolidé les contrôles et donné aux dirigeants une autorité accrue.

Ces changements ont non seulement permis aux ministres les plus puissants de maintenir leur tutelle sur l'ensemble de l'appareil étatique mais ils leur ont donné des moyens de l'amplifier. Le premier de ces moyens est le contrôle des engagements financiers, non seulement celui qui est exercé par le contrôleur des finances mais aussi, et surtout, celui qui est exercé par le Conseil du trésor. Le deuxième moyen est le contrôle, également exercé par le Conseil du trésor, sur la préparation et l'exécution des plans de dépenses annuelles et, notamment, sur la définition des taux de rémunération des personnels.

Le troisième moyen, enfin, a été fourni, après 1970, par l'introduction de la budgétisation par programme et des techniques de rationalisation des choix budgétaires.

Ces réformes ont certes consolidé l'autorité des ministres financiers et celle des organismes centraux mais elles ont aussi accentué les effets de l'inéluctable tension entre ces derniers, détenteurs du pouvoir, et les porte-parole et membres des administrations sectorielles. On peut penser qu'il y a dans cette tension inéluctable, que les réformes ont accentuée, l'une des explications des affrontements qui opposent épisodiquement les travailleurs du secteur public et les détenteurs du pouvoir: c'est, en tout cas, une hypothèse à laquelle aboutit l'examen de vingt-cinq années de changements dans le domaine de la gestion financière au Québec.

LA CONSTRUCTION DE L'ÉDIFICE SCOLAIRE QUÉBÉCOIS

Laurent Lepage

Comment ont évolué les structures de la société éducative québécoise depuis la mise en place du ministère de l'Éducation au printemps 1964? Cette interrogation nous amène à poser le problème du rapport qui s'est forgé entre un nouveau lieu de direction chargé d'une mission nationale et un ensemble d'institutions locales qui fonctionnaient depuis plus de cent ans dans un système dont les contours étaient plutôt flous. En effet, il faut se rappeler que dès l'avènement des commissions scolaires au milieu du siècle dernier, les agents de l'éducation se sont assez bien accommodés de la passivité de l'autorité provinciale et de l'absence d'une véritable Administration centrale. C'est ainsi que nous guiderons notre lecture du développement du système scolaire à l'aide d'une grille qui peut rendre intelligibles les faits qui expriment la constitution d'un rapport entre un nouveau centre d'autorité et les anciennes institutions locales devenues soudainement périphérie.

Notre parti pris est donc de considérer que les réformes de l'éducation, de 1960 à 1984, ont porté essentiellement sur le réaménagement des attributions des différents partenaires de la société éducative. Nous interpréterons les réformes qui ont marqué cette période comme des tentatives de l'autorité centrale de rendre plus efficace la structure de contraintes qui balise le champ d'action des différents intervenants de la chose scolaire. Par cette démarche, nous croyons pouvoir présenter le déploiement du modèle qui affecte aujourd'hui la gouverne de l'ensemble scolaire.

Ainsi posé, notre problème est en parallèle avec la problématique du développement politique d'une société. Nous profiterons de cette analogie en puisant quelques outils méthodologiques dans un modèle qui cherche à rendre compte de la réalité empirique de la constitution d'un nouveau pouvoir au sein d'un ensemble social.

Parmi les travaux de la science politique qui pose le problème de la construction d'un centre de pouvoir au sein d'une société[1], nous nous sommes surtout attardés au modèle CENTRE-PÉRIPHÉRIE articulé par B. Badie[2]. Ce cadre de référence possède l'avantage de se présenter comme une démarche heuristique plutôt qu'explicative, et nous invite à retrouver les modalités concrètes de la construction d'un centre et de la réorganisation de la périphérie[3].

En considérant le secteur de l'éducation comme une configuration particulière de relations entre différents types d'acteurs, nous dirons que le centre de cette configuration (le ministère de l'Éducation) cherche à imposer un certain ordre au sein de la société éducative et que, dans ses transactions avec son environnement pertinent, ce centre se comporte comme un monopole.

Nous retenons ici trois des nombreuses pistes de recherche que nous suggère le modèle CENTRE-PÉRIPHÉRIE. Il s'agit de trois processus, associés au phénomène du développement politique, que nous utiliserons comme points de référence pour présenter un ensemble de faits historiques. Nous verrons à préciser ces tendances à la lumière des données que nous avons recueillies, et peut-être même de les nuancer. Il s'agit ici de nous donner une démarche systématique.

GRILLE DE LECTURE DU DÉVELOPPEMENT DE LA SOCIÉTÉ ÉDUCATIVE QUÉBÉCOISE[4].

1. Construction d'un Centre, l'émergence d'une organisation bureaucratique en position d'autorité par rapport aux activités éducatives: nous examinerons en premier lieu les faits qui ont conduit le pouvoir

---

1. Voir B. BADIE et P. BIRNBAUM, *La sociologie de l'État*, Paris, Le Seuil, 1979.

2. B. BADIE, *Le développement politique*, Paris, Economica, 1978.

3. *Le développement politique*, *op. cit.*, p. 85.

4. Nous mettons le lecteur en garde contre l'illusion fonctionnaliste qui se dégage du modèle CENTRE-PÉRIPHÉRIE. Nous ne considérons pas que le développement politique est linéaire, ou irréversible. Nous estimons simplement que la séquence des interventions d'un Centre, comme celui qui dirige officiellement la société éducative québécoise, trahit sa position de monopole juridique et financier. Les nouvelles politiques de l'éducation prennent une forme reconnaissable mais elles ne peuvent pour autant déterminer l'action des partenaires de l'école et produisent souvent des effets inattendus. Pour le Centre, les réformes visent à résoudre des incertitudes de fonctionnement dans la périphérie; il y a donc toujours une bonne raison pour réformer le système scolaire. Mais le lieu, le temps et les effets des réformes ne répondent pas à une loi organique et déterministe. Il s'agit donc, pour nous, de rechercher des cohérences dans un ensemble de faits et non de démontrer leur inévitabilité; le système scolaire est un construit et non une donnée naturelle. Les actions du Centre balisent le champ des agents de l'éducation et c'est leur enchaînement qui produit l'effet de structuration.

politique à créer une organisation bureaucratique centrale, le ministère de l'Éducation.

2. La pénétration progressive au sein de la périphérie: nous examinerons les dispositions prises par le Centre bureaucratique pour réduire les incertitudes issues de son environnement. Nous tenterons ici de décrire comment le ministère de l'Éducation a cherché à contrôler la périphérie scolaire.
3. La réorganisation progressive de la périphérie: puisque les acteurs d'un système organisé ne sont jamais totalement démunis, nous analyserons la réaction des milieux de l'éducation au développement d'une autorité centrale.

A. La construction d'un Centre: la création du ministère de l'Éducation

Le premier élément de notre grille de lecture nous invite à rendre compte des faits qui entourent la formation d'un nouveau lieu formel d'autorité au coeur de la société éducative. Nous entamerons notre présentation des grandes politiques qui ont visé le développement du système scolaire selon l'idée que la mise sur pied du ministère de l'Éducation du Québec est le résultat concret d'une série de stratégies victorieuses menées par des responsables politiques au début des années soixante. Nous décrirons l'évolution de ce système scolaire à partir du moment où une entité légale, munie d'un pouvoir réglementaire, a pris place au centre de l'activité éducative.

En 1964, la création du ministère de l'Éducation se présente comme un fait majeur dans l'histoire de la société québécoise. Pour une première fois, un appareil gouvernemental peut formellement prétendre «mettre en oeuvre des politiques impératives susceptibles de recevoir une exécution immédiate sur l'ensemble du territoire concerné»[5]. En effet, étant donné que le secteur de l'éducation était surtout fait d'institutions locales, quasi indépendantes du gouvernement provincial, il avait toujours été impossible, pour l'autorité centrale, d'élaborer et d'appliquer une politique nationale de l'éducation. Tant sur le plan administratif que sur les plans financier et pédagogique, les interventions du gouvernement québécois avaient été faibles et indirectes. Les anciens accommodements décentralisateurs se posaient en obstacles.

Le système scolaire d'avant les années soixante se présentait sous la forme de deux grands réseaux d'enseignement public, le secteur général élémentaire et secondaire et le secteur professionnel. Ces secteurs étaient eux-mêmes dédoublés linguistiquement. De plus, soulignons que l'activité éducative était un dossier gouvernemental que se partageaient plusieurs Administrations. Un organisme autonome, animé par les autorités ecclésiales,

5. *Le développement politique*, *op. cit.*, p. 282.

le département de l'Instruction publique, veillait au contenu du projet éducatif; le Secrétariat de la province était pour sa part chargé du budget de l'éducation. Mais aussi d'autres ministères, tels l'Agriculture et l'Industrie, intervenaient au niveau de l'enseignement spécialisé. En somme, à cette époque, nous étions en présence d'un système scolaire fortement décentralisé qui relevait de la responsabilité de plusieurs centres de décision[6].

Ce type d'organisation scolaire a favorisé le développement inégal des diverses composantes de la société éducative. Cette désarticulation se posait comme un problème majeur pour cette société qui, depuis l'après-guerre, connaissait une industrialisation et une urbanisation vertigineuses. Dans ce contexte, l'éducation ne pouvait être utilisée par les dirigeants nationaux comme un levier du développement.

Ainsi, en 1960, après une victoire électorale remportée au nom de la modernisation de la société québécoise, le nouveau gouvernement Libéral s'engageait dans une démarche qui devait lui permettre d'affirmer les droits de l'État en matière d'éducation. Sa première décision importante fut de confier au ministère de la Jeunesse, ancêtre du MEQ, la responsabilité formelle du dossier de l'éducation. Ainsi, une seule Administration, sous l'autorité d'un ministre responsable devant l'Assemblée nationale, se voyait confier le budget de l'éducation. Ce ministère, en gérant les subventions aux commissions scolaires, offrait pour la première fois aux élus provinciaux un moyen d'intervention sur la chose scolaire. Dans les mois qui ont suivi cette décision, le gouvernement promulga une série de lois, appelée la Grande Charte de l'éducation, qui visait à préparer le terrain à la première politique nationale de l'éducation.

Mais s'il a été relativement facile pour le pouvoir politique d'affirmer son monopole de la contrainte financière, il n'en a pas été de même au plan de la substance «pédagogique» de la nouvelle mission éducative que l'on voulait confier à l'État. C'est ainsi que fut mise sur pied une Commission Royale sur l'enseignement dont les mandats les plus importants étaient d'étudier le rôle de l'État dans le développement de l'éducation et de diagnostiquer les problèmes de l'école[7]. Cette commission, qui siégea sur une période de plus de cinq années, proposa la création d'un vrai ministère de l'Éducation et jeta les bases d'un projet éducatif national fortement influencé par une pensée libérale et humaniste.

Ainsi, à travers un grand débat national et après une période d'intenses négociations entre le gouvernement et les autorités ecclésiales en particulier,

6. A. GAUTHIER, *Esquisse historique de l'évolution du système scolaire*, Québec, Presses de l'Université Laval, 1965.
7. *Rapport Parent*, *op. cit.*, 1961-1966.

fut enfin créé le ministère de l'Éducation[8]. Un nouveau cadre juridique jetait les bases du monopole de l'État dans ce secteur d'activité. Il était désormais possible pour le gouvernement québécois d'intervenir sur l'ensemble du système scolaire, et ce non seulement au plan financier, mais aussi au niveau du contenu de l'enseignement. Il est important de relever que le fait pédagogique était déjà une préoccupation officielle de cette nouvelle administration[9].

Les structures de ce nouveau ministère étaient simples et conformes aux principes d'organisation qui prévalaient à l'époque dans l'administration publique québécoise. Sous l'autorité d'une petite équipe de direction, on retrouverait six grands secteurs administratifs chargés d'élaborer et de veiller à l'exécution des grandes politiques. Une première analyse des fonctions de chacune des directions générales révèle la nature des préoccupations de ce nouveau centre de décision. Il était déjà perceptible en 1964 que le MEQ agirait comme le grand concepteur du contenu de l'activité éducative, mais aussi de l'organisation de la société éducative.

Par exemple, grâce à une direction de la planification, le développement du système scolaire devenait en soi une matière de décision; les fonctionnaires centraux allaient devoir tenter de soumettre l'ensemble de la société éducative aux impératifs d'objectifs nationaux. Accessoirement, l'implantation et l'aménagement des établissements scolaires seraient dorénavant inscrits dans un plan formulé par le nouveau centre. Aussi la conception des programmes d'enseignement devenait un moyen d'assurer la modernisation de l'éducation. En somme, les activités pour réformer le système scolaire ont été organisées selon une préoccupation d'unification et d'uniformisation. La centralisation des décisions devait permettre aux dirigeants du MEQ de gérer la politique de l'éducation devenue nationale et ainsi servir la nouvelle mission de l'État québécois.

Enfin, une caractéristique importante de la construction de ce centre a été l'inclusion d'un organisme consultatif dans le processus d'élaboration des grandes politiques. En effet, il faut souligner la mise en place du Conseil supérieur de l'Éducation, comme un porte-parole officiel des milieux intéressés et des grands corps québécois. Cet organisme recevait la responsabilité de

---

8. Selon Léon DION, *Le Bill 60 et la société québécoise*, *op. cit.*, Les grandes lignes de la loi instituant le ministère de l'Éducation, le 13 mai 1964, furent l'objet d'une négociation entre le pouvoir politique et les évêques québécois. Le système mis sous la tutelle de l'État demeurait confessionnel.

9. «... l'éducation des jeunes fera une large place au développement des aptitudes que l'on peut appeler humanistes...

Un juste équilibre sera constamment recherché, dans la confection des programmes, entre les exigences d'une formation humaniste et celles d'une formation professionnelle».*Rapport du ministère de l'Éducation*, 1964-1965, 1965-1966, p. 4.

maintenir la nouvelle administration en contact avec la réalité des problèmes de l'éducation. Ainsi, les dirigeants politiques ont voulu fixer les termes et les conditions de la participation de certains représentants de la société québécoise aux côtés mêmes de la nouvelle bureaucratie.

Nous devons ici relever que l'inclusion formelle de représentants du monde de l'éducation au processus d'élaboration des politiques nationales se présentait comme une caractéristique importante du nouveau Centre. Ainsi, dès 1964, la participation a été posée comme une des manières d'être de la société éducative québécoise. En effet, en plus de la création du Conseil supérieur, les dirigeants nationaux ont mis sur pied des comités de planification qui réunissaient des hauts fonctionnaires et des personnes désignées par les associations oeuvrant dans le secteur de l'enseignement.

C'est ainsi qu'au cours des premières années d'existence du Ministère, le Comité du Plan de développement scolaire a donné plusieurs avis au ministre sur des politiques relevant autant du domaine administratif que du domaine pédagogique[10]. Les documents officiels de l'époque faisaient grand état de la volonté de concertation des nouveaux dirigeants du système scolaire. Aussi ces textes révélaient les étapes qui conduisaient à la prise d'une décision nationale: les hauts fonctionnaires, s'appuyant sur les recommandations de la Commission royale d'enquête sur l'enseignement[11], proposaient au ministre une première ligne d'action. Ensuite, celui-ci soumettait ce projet de politique à l'un des comités de planification pour qu'il se prononce sur les grands objectifs du projet. Après une première acceptation de principe, ce comité se mettait à la tâche d'étudier les aspects administratifs, juridiques et pédagogiques de cette prochaine action gouvernementale[12].

Même si ce modèle de fonctionnement du Centre a évolué au cours des dernières années, il annonçait dès cette époque la tendance qu'auraient les dirigeants nationaux à recourir à la solution participative. On peut comprendre que, pour mener à bien le grand projet de renouvellement de la société éducative, les premiers responsables du ministère de l'Éducation ont cherché à s'assurer l'appui des différents segments du système scolaire. L'ambition de l'entreprise et les difficultés que présupposait la transformation d'une institution ancienne appelaient à la concertation plutôt qu'au dirigisme.

Mais le fait que ce premier modèle a été créé de toutes pièces, voire son caractère «ingénu», nous permet d'y retrouver plus qu'un souci contingent de gestion démocratique et d'efficacité. Cette mise en relation particulière des

---

10. *Rapport annuel*, ministère de l'Éducation, gouvernement du Québec, 1964-1965, 1965-1966.

11. *Rapport Parent*, *op. cit.*

12. Il est important de souligner que le sous-ministre, responsable de ce comité, avait été l'un des membres importants de la Commission d'enquête sur l'enseignement dont le Rapport a servi de référence pour la formulation des grands objectifs du ministère de l'Éducation.

grands acteurs ne trahit-elle pas aussi une certaine conception de l'autorité chez les dirigeants de l'époque? Ce processus décisionnel nous informe que le pouvoir politique, c'est-à-dire le ministre de l'Éducation et la branche exécutive du gouvernement, jouait un rôle d'arbitre entre les technocrates du MEQ et les représentants de la périphérie.

Le fait que la grande mission éducative de l'État a été définie hors de l'arène politique par une commission d'experts, permettait aux hauts fonctionnaires de minimiser leur obligation de servir une ligne partisane. Parce que certains de ces technocrates avaient été associés aux travaux de cette commission et que d'autres étaient les seuls experts reconnus en matière d'éducation, les hauts fonctionnaires ont pu voir dans leur tâche une fonction de «leadership». Les propos qui suivent, émis par un sous-ministre, pionnier du ministère de l'Éducation, sont très révélateurs:

> [...] Les artisans de toutes entreprises majeures, qu'on les qualifie technocrates ou de tout autre terme, ne prennent leur sens que dans le cadre d'un leadership affirmé qui révèle une volonté à un sens de la direction[13].

Ce construit, mettant en relation particulière les élus, les technocrates et certains porte-parole de la société éducative, peut être considéré comme un archétype de l'organisation de l'autorité dans la société éducative. En effet, si on considère les réformes de la dernière décennie, qui ont visé le modèle du gouvernement scolaire local (1971) et les écoles (1971 et 1979), on s'aperçoit que cette configuration de rôles a été reproduite en périphérie.

B. Les actions du ministère de l'Éducation, 1964-1984: la pénétration du Centre au sein de la périphérie

Le monopole d'État qui s'est constitué au coeur de la société éducative reposait sur un acte législatif du gouvernement québécois. La loi de l'Instruction publique (1964) établissait la légitimité de la nouvelle autorité nationale; mais, plus conséquemment encore, ce cadre juridique fournissait aux nouveaux dirigeants nationaux certains moyens pour mener leur action réformatrice.

Notre grille de lecture nous propose d'examiner comment ces moyens ont été utilisés par le nouveau centre. Nous considérerons successivement deux des supports à l'action du Centre sur la société éducative.

---

13. J.P. SABOURIN, «La réforme scolaire vue par certains qui y ont participé», *Revue scolaire*, Québec, 1971, p. 13.

L'utilisation de la règle bureaucratique:

On peut considérer qu'un des problèmes majeurs d'une Administration centrale, et plus particulièrement d'un nouveau ministère, est de soumettre sa périphérie à un minimum de règles et de normes communes, et ce afin d'assurer une régulation minimale entre ses diverses composantes. Cette tendance d'un Centre à rechercher l'uniformisation du secteur de l'éducation s'est exprimée au Québec par l'adoption d'une série de politiques à caractère régulatoire. C'est-à-dire que depuis sa création, le MEQ a promulgué des règles officielles qui ont défini le cadre de l'activité éducative.

L'enchaînement des «règlements» du ministère nous fait voir l'établissement d'une certaine cohérence nationale. Il révèle aussi que c'est à partir de son monopole de la contrainte juridique que cette Administration a pu pénétrer dans le fonctionnement des anciennes institutions de la périphérie.

Ainsi, selon une logique nationale, l'autorité centrale a cherché à établir le rôle et les attributions des partenaires de l'école. Les élèves, les enseignants et les administrateurs locaux ont vu au fil des réglementations et des conventions collectives leur champ d'action être délimité par l'Administration centrale. À la lecture de ces textes, il apparaît que chaque nouveau règlement vise à résoudre le problème de la différenciation au sein d'une même catégorie d'acteurs périphériques. Ces règles bureaucratiques ont eu pour effet concret de définir les conditions de l'inclusion d'un acteur dans la société éducative. Qui est étudiant, qui peut enseigner et que sera le régime pédagogique[14].

Si le pouvoir de la règle, qui appartient au Centre du système scolaire, ne peut déterminer l'action des partenaires de l'école, il a néanmoins pour conséquence de permettre aux dirigeants nationaux d'établir qui dans la société québécoise peut intervenir sur la chose scolaire.

Les réformes qui ont visé les structures administratives de la périphérie s'inscrivent aussi dans ce processus d'uniformisation. Soulignons ici l'Opération 55 qui dès l'entrée en action du MEQ prévoit l'organisation des commissions scolaires existantes en région. En 1966, on assiste à la création des bureaux régionaux dont le mandat est bien de «coordonner» les instances locales.

La reformulation de la loi de l'Instruction publique en 1971 impose un même modèle d'organisation à l'ensemble des commissions scolaires dont le nombre est réduit de plus de mille à moins de trois cents. Ce faisant, cette réforme établit formellement une nouvelle catégorie d'acteurs, dorénavant les parents seront consultés par les élus et les directeurs d'école. La délimitation de l'espace de jeu des acteurs périphériques par l'adoption de nouvelles règles

---

14. A. LEMIEUX et B. GENDREAU, *Les structures de l'éducation au Québec*, Agence d'arc, 1985.

bureaucratiques s'est poursuivie en 1979 puis en 1984 avec la précision du statut juridique de l'école.

Interventions du M.E.Q. sur les structures et le fonctionnement des commissions scolaires

1964	Suite à l'adoption de la loi instituant le M.E.Q., lancement de l'opération 55 qui jette les bases des commissions scolaires régionales.
1967	Le Bill 25 impose une première convention collective provinciale.
1971	Le Bill 27 réduit le nombre des commissions scolaires et prescrit un modèle d'organisation politico-administrative.
1972	Le Bill 71 trace de nouvelles structures scolaires pour l'Ile de Montréal.
1979	La Loi 30 impose la représentation des parents dans les structures et l'administration scolaires. La même année, la Loi 71 invite les partenaires de l'école à formuler un projet éducatif local.
1984	La Loi 3 réaffirme le rôle d'organisme intermédiaire des commissions scolaires et confirme les nouveaux pouvoirs des agents de l'école.

En somme, les interventions successives du MEQ ont d'abord visé les régions pour atteindre aujourd'hui l'école, voire la classe. Dès sa création, le Ministère a cherché à organiser des régions scolaires et ce afin de réduire et d'uniformiser les interlocuteurs périphériques. Par la suite, le Centre a souhaité rendre prévisibles les commissions scolaires en les réduisant peu à peu à un rôle de courroie de transmission. Enfin, depuis le début des années 1980, la Direction nationale tente d'établir un dialogue direct avec les «consommateurs» d'école.

L'utilisation de la contrainte financière:

Selon notre grille de lecture, une autre manifestation de l'émergence d'une autorité centrale est la tendance qui consiste à rassembler dans un même lieu de décision les pouvoirs de contraintes qui étaient auparavant dispersés, voire atomisés[15].

Dans le système scolaire québécois, cette tendance a emprunté deux voies convergentes. Il y a eu d'abord une série de mesures qui ont progressivement établi la dépendance financière des commissions scolaires vis-

15. *Le développement politique, op. cit.*, p. 83.

à-vis de l'autorité centrale, et un rapatriement par le Gouvernement du Québec des négociations impliquant les salariés du secteur de l'éducation.

Avant 1960, c'est-à-dire avant que l'État québécois se reconnaisse une mission éducative particulière, l'apport financier du Gouvernement provincial, sous la forme de subventions, ne constituait qu'une fraction des revenus des administrations scolaires locales[16]. La part du budget de l'éducation provenant des sources de taxations locales était supérieure aux subventions gouvernementales. Ainsi, de par leur pouvoir de taxation, les commissions scolaires possédaient une assez grande marge de manoeuvre.

De 1960 à 1967, le ministère de l'Éducation instaurait des procédures de contrôle sur les dépenses de la périphérie en modifiant les différents modes de financement des commissions scolaires. Ainsi, la «normalisation» des sources de financement a constitué l'axe principal des interventions du MEQ.

Évolution du contrôle financier dans le secteur de l'éducation 1960-1980[17]

	Avant 1960	1964-1965	1967-1968	1970-1971	1973-1974	Après 1980
CENTRE	Interventions indirectes (fixe les taux de taxation)	55.1	56.6	68.8	70.9	Contrôle des sources
ADM. LOC.	Autonomie relative (prélève des taxes)	44.9	43.4	31.2	29.1	Dépendance quasi-totale

N.B.: Nous avons regroupé dans la rangée «Centre» les sources de revenus contrôlées par l'administration provinciale et inclus les sommes versées par l'administration fédérale qui représentent une fraction du total.
Nous avons regroupé dans la rangée «Administrations locales» les sommes dont disposaient les commissions scolaires.
Il est important de rappeler que ce processus de centralisation des sources de revenus repose sur des réformes financières très concrètes, chacune réaffirmant le monopole du Centre.

Dès 1964, avec l'instauration d'un régime de subventions d'équilibre budgétaire, destiné à combler les déficits encourus par les commissions

16. *Analyse de l'évolution du financement de l'éducation au Québec*, 1964-1974, MEQ, direction de la planification, avril 1975.
17. Tableau construit à partir des données brutes présentées dans *Analyse de l'évolution..., op. cit.*, p. 47.

scolaires pour la construction d'écoles modernes, le MEQ imposait un nouveau système de financement[18].

L'effet le plus important de ces réformes financières a été d'assujettir la qualité (les moyens) et la quantité (le nombre d'enseignants) des services d'éducation dispensés par les commissions scolaires à une norme moyenne qui était sans répercussion sur la contribution fiscale locale. Ce qui a permis au Centre de niveler dans la forme les disparités locales.

Plus significativement encore, l'élaboration de nouvelles règles budgétaires par le Centre a eu pour effet de placer la périphérie en position de dépendance. Les réformes financières ont aussi réduit progressivement la marge de manoeuvre des administrations locales; le tableau précédent illustre l'accentuation de la dépendance financière des commissions scolaires.

Ces réformes financières, en reposant sur le fait que le MEQ définissait les problèmes de l'éducation en terme national, ont transformé doublement le rapport global Administration/administrés au sein de la société éducative. Premièrement, les coûts rattachés au fonctionnement du système scolaire ont été progressivement administrés et transmis aux particuliers sur une base nationale; deuxièmement, par voie de conséquence à l'éloignement physique et politique du Centre de décision, la capacité d'intervention des administrés sur le plan des budgets s'est amoindrie. Pour les administrés, la possibilité d'intervention sur les grandes décisions à caractère financier s'est réduite à la protestation.

Au niveau des relations de travail, la centralisation des négociations collectives a aussi eu pour effet de concrétiser le nouvel ordre légal dans la société éducative et la volonté d'uniformisation du MEQ.

> Des aménagements tout à fait différents allaient résulter de la négociation de ces conventions collectives à l'échelle provinciale: la normalisation des conditions de travail et de traitement mettait fin, sur ce plan, aux disparités locales ou régionales; la détermination de la rémunération et de la charge de travail des enseignants échappait au contrôle des instances locales; la masse salariale devenait une variable exogène dont le comportement relevait dorénavant des stipulations du contrat de travail plutôt que de l'évolution des budgets des organismes d'enseignement[19].

---

18. *Ibid*, p. 15: «*Les subventions statutaires et les revenus locaux normalisés provenant de l'imposition foncière (sont devenus) parties intégrantes du système de financement. Pour leur part, les subventions d'équilibre budgétaire servent de source complémentaire de revenus, leur octroi étant conditionnel à l'admissibilité des dépenses. Les critères de l'admissibilité des dépenses se fondaient, de façon globale, sur la correspondance des budgets d'opération aux effectifs d'étudiants, conformément aux règles administratives gouvernementales*».
19. *Analyse de l'évolution du financement*, *op. cit.*, p. 20.

Ainsi, la réorganisation budgétaire et la centralisation des négociations ont signifié, pour les salariés du secteur, une nouvelle relation à leur contexte de travail; l'uniformisation des conditions de travail et le rattachement des salariés à un centre unique de négociation allaient, dès 1969, redéfinir le rapport employé-direction. Sur le plan national, les nouvelles forces syndicales allaient progressivement inscrire leurs revendications dans un discours politique devenu leur seule stratégie possible. Les négociations avec le Centre-employeur, voire l'État-patron, orienteront dès lors le développement d'un certain syndicalisme dans le secteur de l'éducation. En imposant des nouveaux paramètres dans l'établissement d'une politique salariale, telles l'inflation et la hausse de la productivité moyenne de l'économie, le MEQ (et le Conseil du trésor) modifiait les règles du jeu des relations de travail.

En adoptant une perspective historique visant à décrire le développement d'une autorité au coeur de la société éducative québécoise, les réformes financières menées par le MEQ et la nationalisation des conventions collectives nous semblent s'inscrire dans un processus de pénétration de la périphérie. Un processus qui aurait eu pour conséquence de réduire les incertitudes dans l'environnement de ce ministère. En effet, les actions du ministère de l'Éducation paraissent avoir réduit la marge de manoeuvre des commissions scolaires et rendu ces dernières dépendantes des politiques nationales.

Grâce à son monopole de la contrainte financière, l'autorité centrale a successivement réaménagé les modalités de financement de l'éducation. D'une réforme à l'autre, le MEQ a effectivement élargi sa part de responsabilité et la portée de ses décisions budgétaires.

Mais, ce faisant, les dirigeants nationaux n'ont pas pour autant assujetti les acteurs périphériques à leur seule logique de bonne gestion financière. Si, désormais, le Centre tient les cordons de la bourse, ce sont toujours les administrateurs locaux qui en font le plus grand usage. Une analyse plus minutieuse des faits nous révèle l'illusion de pouvoir que véhicule le contrôle financier exercé par le centre. Un seul exemple frappant peut suffire pour dissiper cette impression d'appropriation du pouvoir des acteurs par l'État enseignant.

En 1978, à l'occasion de son discours sur le budget du gouvernement, le ministre québécois des finances annonçait avec étonnement que ses fonctionnaires avaient découvert un trou de 500 millions ($ can.) dans le financement de l'éducation[20]. Bien qu'à cette époque, le ministère de l'Éducation «contrôlait» déjà la presque totalité des sources de financement des commissions scolaires, et que des procédures budgétaires permettaient de veiller aux dépenses locales, un déficit inattendu a fait surface. La raison en

---

20. Discours sur le budget, Débat de l'Assemblée nationale du Québec, mars 1978.

était la suivante: les décideurs locaux auraient systématiquement mésinterprété une règle budgétaire et ce à l'avantage des commissions scolaires. Cette règle visait le calcul des effectifs enseignants à la charge d'une administration locale; en comptabilisant les postes à temps partiel avec les postes réguliers, plusieurs responsables locaux réussissaient à gonfler artificiellement leur budget. Cette pratique aurait duré plusieurs années.

Entre le monopole de la contrainte financière, qui est un pouvoir formel établi, et le pouvoir des acteurs périphériques, il ne faut pas se méprendre[21]. L'accentuation du contrôle financier, menée par le ministère de l'Éducation, repose sur une structure d'autorité qui lui assure le monopole de la contrainte financière. S'il est possible pour l'autorité centrale d'engager une réforme dans ce domaine, c'est parce que son pouvoir y est déjà établi; si une réforme en appelle une autre, c'est parce que le pouvoir des acteurs périphériques est irréductible et ne peut lui être enlevé par l'État. C'est l'enchaînement des réformes qui produit l'effet de pénétration. Les réformes financières ont certes structuré les rapports entre le Centre et la périphérie scolaire, mais elles n'ont pas déterminé les relations entre les acteurs de la société éducative.

C. La réorganisation progressive de la périphérie: comment les agents de l'éducation ont répondu aux politiques du MEQ:

Nous venons de souligner que, malgré son monopole de la contrainte financière, le Centre ne peut réduire les partenaires de l'école à l'état de servilité. Dans cette perspective, notre modèle d'emprunt nous suggère de rechercher la tendance à la réorganisation qu'exprimeraient les acteurs périphériques lorsqu'une autorité centrale cherche à s'imposer[22].

Considérons ici comment les différents segments de la société éducative ont répondu aux faits de la concentration de pouvoirs formels au siège du ministère de l'Éducation et à la nouvelle dimension nationale des politiques de l'éducation. Nous examinerons successivement deux des formes qu'a pu revêtir la réaction des partenaires de l'école.

La réaction associative:

Au Québec, depuis les vingt dernières années, l'échiquier scolaire national semble de plus en plus occupé par des groupes qui défendent des intérêts spécifiquement liés à l'enseignement primaire et secondaire. En effet, le nombre de ces associations visant à promouvoir des publics particuliers s'est

---

21. *L'acteur et le système*, *op. cit.*, p. 25.
22. *Le développement politique*, *op. cit.*, p. 83.

multiplié de façon spectaculaire. La comparaison suivante démontre l'importance de ce phénomène.

Au début des années soixante, au moment du grand débat national sur l'éducation, la Commission royale d'enquête sur l'enseignement, que nous avons déjà présentée, appelait les Québécois à se prononcer sur l'état des choses dans le monde scolaire. En examinant de près la liste de 316 mémoires qui ont été soumis à cette commission[23], nous avons pu estimer à 37 le nombre d'associations d'envergure provinciale qui se seraient alors manifestées publiquement. Nous avons répété cette opération de dénombrement pour l'année 1978; grâce à un document officiel qui rend compte d'une vaste consultation nationale sur l'école, menée cette fois par le ministre de l'Éducation, nous avons réussi à établir une comparaison entre les époques[24]. Nous avons relevé qu'à cette deuxième occasion, 68 regroupements nationaux ont déposé publiquement un mémoire.

Mais il faut signaler que, si le nombre des groupes d'intérêt a presque doublé, le nombre d'adhérents a, lui, connu une progression géométrique due au simple fait de la croissance des effectifs du système scolaire. Une comparaison de contenu des mémoires, antérieurs et postérieurs à l'émergence du ministère de l'Éducation nous permet de dire que les problèmes qui animaient ces associations dans les années soixante, on peut le comprendre, tenaient surtout à la conception et à l'administration du projet éducatif national. Ce souci reflétait évidemment le contexte du débat sur le rôle de l'État. Près de quinze années plus tard, ces problèmes ont été relayés par des préoccupations plus proches de la réalité locale et de l'organisation de l'activité éducative.

Ainsi, l'affirmation d'une autorité centrale, maîtresse de la conception des politiques de l'éducation, semble avoir favorisé la prolifération d'associations de défense d'intérêts. Ces regroupements formels, qui se font le plus souvent sur une base professionnelle, se présentent comme des réponses au jeu officiel de la concertation. On assiste donc depuis quelques années à une cristallisation des liens entre des acteurs périphériques dont la raison principale serait de rationaliser les efforts de représentation auprès des décideurs nationaux.

En découpant le milieu de l'éducation en quatre grandes catégories d'acteurs: parents, enseignants, administrateurs locaux et commissaires, on constate que pour chacun la normalisation du projet éducatif a signifié la mise en place d'un nouveau champ d'action, à savoir le dialogue centre-périphérie.

---

23. *Rapport Parent, op. cit.*, vol. 3, 1966 et *Le Bill 60 et la société québécoise, op. cit.* Nous avons retenu dans ces calculs les groupes nationaux liés directement à l'enseignement primaire et secondaire.

24. *Synthèse des audiences nationales, op. cit.*

Alors qu'en 1964 les dirigeants nationaux avaient peine à trouver des représentants des parents pour siéger au Conseil supérieur de l'éducation, aujourd'hui ces associations de tendances diverses se succèdent à la barre des témoins. Ainsi, étant donné l'institutionnalisation de la participation des parents, plusieurs organismes à caractère national ont aussi été mis sur pied pour dialoguer directement avec le Centre.

La spécialisation et la différenciation des fonctions dans le système scolaire, qu'auraient entraînées les politiques nationales, semblent avoir favorisé une tendance à la professionnalisation. Désormais, des corporations regroupant des directeurs d'école, des cadres et des enseignants spécialistes dans un domaine, défendent des causes précises auprès des dirigeants nationaux[25].

Mais en plus de l'apparition de cette constellation d'associations, on assiste depuis 1964 au développement et à la politisation des grandes organisations de représentation. Par exemple, la Fédération des Commissions scolaires catholiques du Québec s'est dotée, depuis plus d'une décennie, d'une infrastructure capable de maintenir un dialogue permanent avec le ministère de l'Éducation. Cet organisme n'hésite pas à inscrire ses doléances dans l'arène politique, et ce au delà de ses conversations avec le ministre. Des institutions membres de cette Fédération ont même contesté, devant les tribunaux, la constitutionnalité d'un projet de laïcisation des administrations scolaires locales[26].

Il est utile pour notre démarche de nous attarder ici à l'évolution de cet organisme dont la création est antérieure et indépendante de la mise en place du ministère de l'Éducation. Au début des années soixante, dans le contexte du débat sur le nouveau rôle de l'État en matière d'éducation, cet organisme avait pris le parti du maintien des anciens accommodements qui assuraient aux commissions scolaires une grande marge de manoeuvre. Or, quelle est la place qu'occupe aujourd'hui cet organisme qui représente toujours les autorités locales?

Suite à la formalisation d'un axe centre-périphérie dans le secteur de l'éducation, la fédération des commissions scolaires (FCSCQ) a peu à peu été appelée à servir deux fonctions. Premièrement, en tant que porte-parole des élus locaux, elle a été invitée à jouer un rôle de premier plan dans le cadre des grandes concertations portant sur les réformes scolaires; en second lieu, cet organisme s'est vu obligé de siéger aux côtés des dirigeants nationaux, à titre de partie patronale, lors des négociations provinciales impliquant les salariés des commissions scolaires.

En 1967, l'Assemblée nationale du Québec promulguait une loi qui mettait fin à un conflit de travail qui opposait les enseignants regroupés, eux,

---

25. M. BOUCHARD et al., *Le système scolaire du Québec*, Montréal, Guérin, 1982, un répertoire de ces associations, pp. 603-621.

26. *Le Devoir*, jeudi 12 janvier 1984.

sur une base nationale et les commissions scolaires disloquées[27]. Ainsi, la règle des relations de travail en périphérie s'est vu nationalisée et réinscrite par le Centre dans un nouveau régime de négociations. Peu après, les autorités du ministère de l'Éducation ont fait adopter une loi qui visait à encourager les commissions scolaires à se joindre à cette fédération, assurant ainsi le caractère national et représentatif de cet interlocuteur et partenaire. Depuis 1971, à la veille de chaque négociation collective dans le secteur public et para-public, le Gouvernement définit le cadre et les règles du jeu, et, partant, assigne un rôle précis à cette fédération. Ainsi, sur ce dossier, la Fédération des commissions scolaires s'est vu progressivement imposer un rôle de soutien aux dirigeants nationaux qui mènent désormais les rondes de négociations[28].

La réorganisation de ce segment de la périphérie ne peut donc pas être réduit au seul fait qu'elle constituerait une réponse à la constitution d'un centre. Le ministère de l'Éducation, puis le gouvernement lui-même, ont eu recours à la contrainte juridique pour redéfinir les fonctions de ce partenaire traditionnel du système scolaire.

Considérons un autre type de réaction à l'exercice du pouvoir par le ministère de l'Éducation. Le développement de nouvelles forces syndicales s'impose comme l'un des faits marquants de l'histoire de l'éducation au Québec. Depuis 1967, les rapports entre l'autorité centrale et les syndicats de ce secteur sont, pour dire le moins, des plus problématiques. À une exception près, chaque négociation nationale a été marquée par d'importants mouvements de grève et s'est soldée par un décret[29].

Même si, avant 1964, il existait un syndicalisme organisé sur une base provinciale, ce n'est qu'à la suite d'un conflit de travail en 1967 qu'un regroupement national des salariés du secteur s'est vraiment imposé sur l'échiquier scolaire. Une centrale syndicale en particulier a connu un essor fulgurant; la Centrale de l'enseignement du Québec (CEQ) regroupe aujourd'hui près de 150 syndicats et 85 000 travailleurs. De ce nombre d'adhérents, plus de 60% relèvent de l'enseignement primaire et secondaire.

Lorsque l'on examine les rapports qui se sont établis entre cette centrale et le ministère de l'Éducation on constate deux choses. Premièrement dans le jeu de la concertation, la CEQ participe mais resitue le débat dans l'optique d'une critique politique du système scolaire et de ce fait conteste le rôle d'arbitre qu'adoptent les ministres de l'éducation[30]. Deuxièmement, malgré les

---

27. Loi 25, 1967, *op. cit.*

28. E. DEOM, «La négociation collective chez les fonctionnaires et les enseignants québécois 1975-1976», *Relations industrielles*, vol. 37, no. 1, 1982, pp. 141-163.

29. G. HÉBERT, «Les relations du travail au Québec, bilan des années 1970», *Relations industrielles*, vol., 36, no. 4, 1982, pp. 715-747.

30. Pour un exemple de cette redéfinition politique des réformes scolaires, voir *Un pas en avant, deux pas en arrière*, Montréal, CEQ, mars 1979.

régimes de négociation collective qui ont été successivement définis par l'autorité centrale, ce regroupement syndical a eu tendance à adopter une stratégie de négociation qui interpellait le parti ministériel, donc le gouvernement, plutôt que le ministère de l'Éducation. C'est ainsi que le plus souvent, depuis une quinzaine d'années, c'est l'Assemblée nationale qui, suite au blocage des négociations entre les parties patronales et syndicales, impose les termes d'un contrat de travail. Cette réaction de contournement du centre du système scolaire par la CEQ, qui constitue sa réponse au fait de la centralisation des négociations collectives, a eu pour effet concret que désormais c'est un autre organisme central, le Conseil du trésor, qui a charge de ce dossier.

Chronologiquement, le Ministère a souhaité, à la fin des années soixante, jouer un rôle d'arbitre entre les commissions scolaires et les syndicats de l'éducation. Puis, au milieu des années soixante-dix, il s'est vu jouer le rôle de principale partie patronale; enfin, aujourd'hui, le dossier des relations de travail ne lui appartient plus[31].

Ainsi, cet exemple de réaction au fait de la constitution d'une autorité centrale en éducation, nous montre encore une fois la capacité d'agir des acteurs périphériques. Sur ce dossier, c'est le centre lui-même qui a dû se réorganiser pour répondre à une stratégie d'un des principaux partenaires de la société éducative. Contre-intuitivement, les décisions du ministère de l'Éducation qui ont visé à établir son rôle d'arbitre à une table nationale de négociation, ont eu comme conséquence que la Fédération des commissions scolaires et la Centrale de l'enseignement du Québec s'adressent désormais au pinacle de l'État. Si ces deux organismes semblent accepter, bon gré mal gré, que le ministre de l'Éducation se pose en juge dans les dossiers de nature pédagogique, il n'en est pas de même pour les questions politiques (confessionnalité, langue d'enseignement) et économiques (fiscalité, politique salariale)[32].

Ainsi, le double modèle d'autorité sur lequel semblent devoir s'appuyer les ministres de l'Éducation, paraît correspondre au fait que les grands organismes de représentation contestent son autorité sur tout autre dossier que celui du projet éducatif où ils s'estiment, à raison, capables de résister au Centre.

---

31. G. HÉBERT, «Les relations du travail au Québec...», *op. cit.*

32. La FCSCQ réagit au projet de «déconfessionnalisation» et à la politique linguistique en s'adressant aux tribunaux; la CEQ s'adresse au Cabinet et au premier ministre lui-même.

La résistance des acteurs:

Au-delà du fait que les différents types d'acteurs de la périphérie semblent s'associer pour assurer leur présence dans le jeu de la concertation nationale et que les grands organismes de représentation développent des stratégies de contournement du MEQ, sur place, nous l'avons observé, ils utilisent chacun les ressources dont ils disposent pour récupérer à leur avantage ou encore réduire la portée des politiques nationales[33].

Si notre grille de lecture s'avère un guide utile pour déceler les tendances de l'action collective d'éducation, voire les grandes caractéristiques de son organisation, elle ne nous permet pas de saisir le fait de la réaction concrète des acteurs. Certes au plan de l'ensemble national, on peut dire qu'il s'est développé une réaction associative et une tendance à certains niveaux de vouloir contourner l'autorité du MEQ. Par contre, au plan local, voire dans les systèmes d'action concrets, la réaction des acteurs, face aux politiques nationales, ne retrouve pas sa rationalité dans l'axe abstrait centre-périphérie mais bien dans leur propre problème de coopération.

Deux études de cas, qui se sont déroulées dans le contexte de l'application d'une politique nationale, nous ont permis de constater que c'est le fait organisationnel local qui conditionne la portée réelle d'une réforme. Ce n'est ni la mauvaise foi des acteurs, ni même leurs critiques idéologiques des objectifs éducatifs du Ministère qui fondent la résistance locale; ce serait plutôt la régulation des relations entre ces acteurs périphériques et la prégnance de leurs propres problèmes de coopération qui, de fait, constituent la base concrète de la réaction des partenaires de l'école[34].

En effet, dans le cas d'une commission scolaire, comme dans celui d'une école, direction générale et direction d'école ont saisi la réforme du projet éducatif local (1976, 1979, 1984) comme une occasion de résoudre utilement des problèmes qu'ils expérimentaient déjà. Les autres partenaires ont fait de même pour s'assurer que le nouvel ordre recherché par l'autorité nationale ne leur soit pas totalement défavorable. Ainsi, pour ce faire, chacun cherchait à protéger ou à élargir sa marge de manoeuvre et utilisait sa zone de pouvoir à bon escient; mais paradoxalement, tous ont contribué à un jeu collectif qui

---

33. L. LEPAGE, «Savoir lire l'école: analyse organisationnelle d'un établissement d'enseignement primaire», in A. BRASSARD, *Le développement des champs d'application de l'administration*, Les publications de la faculté des sciences de l'éducation, Université de Montréal, 1987.

34.L. LEPAGE, *Organisation et projet éducatif: la problématique du changement dans le système scolaire québécois*, thèse de doctorat, Institut d'études politiques de Paris, 1984.

aurait plutôt raffermi les grandes caractéristiques de leur système d'action qu'il en aurait transformé la nature[35].

CONCLUSION

À la suite de cette considération de l'enchaînement des réformes scolaires, nous devons rappeler que si notre grille de lecture nous a obligés à une démarche systématique, ce n'est que par une critique de l'idée de l'omnipuissance des appareils d'État que nous avons pu retrouver une certaine cohérence dans les faits. L'architecture du système scolaire semble plus exprimer les limites des pouvoirs formels de l'État enseignant et le fait du pouvoir des acteurs périphériques que la loi de la centralisation irréversible. Le développement du secteur de l'éducation reflète aussi un certain jeu démocratique québécois, avec ses défauts, certes, mais aussi avec ses avantages.

On peut dire que la nationalisation de la chose scolaire et la concentration des pouvoirs de contrainte chez un nouveau ministère de l'Éducation ont modifié la problématique du développement de l'éducation. L'établissement d'un axe officiel centre-périphérie doit être reconnu comme un fait marquant de l'histoire scolaire dans cette société. Toutefois, après que ce cadre juridique fut mis en place, le cours des événements n'a pas été déterminé par la seule volonté des dirigeants nationaux, ni par le fait du pouvoir absolu de l'État.

À travers cette présentation des actions du ministère de l'Éducation du Québec, nous avons pu déceler deux types de récurrence dans l'enchaînement des faits. En effet, on peut dire que depuis la création d'une administration centrale, deux genres de politiques, en apparence contradictoires, ont été mis en

---

35. Une étude de cas que nous avons dirigée en 1984, menée cette fois dans une commission scolaire de la région de l'Estrie, nous a permis de relever cette même tendance. Au lendemain de l'adoption d'une mesure législative qui devait constituer la phase finale de la politique de localisation du projet éducatif (loi 21-1979) on a pu observer que la direction générale et les directeurs d'école ont inscrit à l'agenda des débats pédagogiques des problèmes qui tenaient à leur rapport aux enseignants. Alors que ces derniers semblaient négocier leur collaboration à l'exercice collectif pour réaffirmer leur pouvoir pédagogique, ainsi ils ont réussi à minimiser le caractère contraignant du projet éducatif. Enfin, on a pu observer qu'un groupe parmi les professeurs ont «boycotté» l'exercice de la formulation des objectifs pédagogiques, contestant ainsi ouvertement la politique du ministère. J.M. BIRON, *Mémoire de IIe Cycle*, «Décentralisation et projet éducatif», chapitre III, Département de science politique, UQAM, 1984.

avant pour que se réalise un même projet éducatif, qui lui a été érigé en référence biblique[36].

D'abord, les décisions qui ont visé à uniformiser les structures, le fonctionnement et les conditions des agents de l'éducation ont reposé sur le fait du monopole de la contrainte juridique et financière du Centre. Mais ces actions répétées n'ont été possibles que parce que les pouvoirs de formuler la règle et de contrôler les budgets étaient déjà établis. Et si, avec les années, le ministère de l'Éducation a accumulé les responsabilités et a multiplié les règles, c'est bien parce que son autorité a des limites et qu'il ne peut pas toujours assujettir les acteurs à la seule logique de bonne gestion. Cette administration centrale est certes plus agissante aujourd'hui qu'il y a vingt ans, mais elle n'est pas plus puissante ni plus diabolique. Dans les domaines qui sont traitables avec les moyens de gouvernement classiques, la législation et les budgets, le MEQ a répondu au fonctionnement inégal et imprévisible des institutions de la périphérie par la mise en place graduelle d'un système bureaucratique et d'une direction unicéphale.

Par contre, pour ce qui est de la substance pédagogique de la politique de l'éducation, les autorités nationales ont répondu au pouvoir irréductible des acteurs en reconnaissant graduellement l'autonomie des écoles. En favorisant la tenue d'ateliers pédagogiques en 1966, puis en créant les comités d'école en 1971, en imposant des conseils d'orientation en 1979 et les projets éducatifs en 1984, le MEQ a cherché à ce que se gère sur place l'incertitude pédagogique. Si, formellement, ces décisions se présentent comme une décentralisation, on peut dire, par ailleurs, que ces politiques n'ont fait que reconnaître le caractère réfractaire des écoles.

---

36. Il est étonnant que le rapport d'une commission d'enquête qui date de vingt ans (Rapport Parent), soit encore aujourd'hui la principale référence du débat scolaire, et ce même chez les jeunes générations.

L'ORGANISATION DE L'INTERVENTION DE L'ÉTAT QUÉBÉCOIS EN MATIÈRE SOCIALE DE 1960 À NOS JOURS

Pierre P. Tremblay

INTRODUCTION

Au Québec, depuis l'introduction du système de gestion budgétaire «Planning, Programming, Budgeting System» (PPBS), la politique sociale du gouvernement est définie surtout par ses domaines d'intervention, qui sont essentiellement la sécurité du revenu, la santé et l'adaptation sociale ainsi que l'habitation. Les objectifs établis dans ces champs exigent toutefois la mise en oeuvre de programmes divers dont certains relèvent aussi bien de l'une ou de l'autre des trois autres missions de l'État québécois, à savoir la mission économique, la mission culturelle et éducative et la mission gouvernementale. Ainsi, la sécurité du revenu ne saurait être envisagée sans que soient réglées les questions préalables d'éducation, de développement régional et d'emploi pour n'en nommer que quelques-unes. L'habitation, pour sa part, est largement influencée par la loi du marché à laquelle est soumise l'industrie de la construction. Enfin, la santé et l'adaptation sociale sont des domaines où se répercutent les problèmes liés à la qualité de l'environnement.

Xavier Greffe, dans un ouvrage sur la politique sociale[1], a démontré de manière convaincante les rapports étroits existant entre l'économique et le social et, par voie de conséquence, les difficultés de considérer la politique sociale en elle-même. Des trois façons de distinguer l'économique du social

---

1. X. GREFFE, *La politique sociale*, Paris, Presses universitaires de France, collection «SUP», 1975. Cet ouvrage démontre l'importance et la variété des mesures sociales et la difficulté de les interpréter à l'aide d'un concept trop étroit de mission sociale. Dans cet esprit, le concept budgétaire de mission sociale utilisé au Québec doit être perçu comme un des indicateurs de l'intervention gouvernementale en matière sociale.

proposées par cet auteur[2], l'une d'elles semble bien convenir au Québec du dernier quart de siècle. Cette manière de voir propose le social comme étant la conjonction des problèmes non résolus par le fonctionnement de l'économique. Plus précisément, Greffe dit que l'économie engendre des déséquilibres qu'elle est incapable de résoudre, ayant plutôt tendance à les amplifier. L'intervention de l'État s'imposant, la politique sociale servira à délimiter cette intervention. Concluant sur les rapports du social et de l'économique, Xavier Greffe écrit:

> La solution contemporaine à la question sociale s'organise aujourd'hui autour du thème de l'égalité des chances. Au-delà de la critique passive de la propriété, on fonde la politique sociale sur la nécessité d'assurer l'égalité des chances face au système économique. En offrant aux plus défavorisés un moyen de s'intégrer normalement à la consommation, les échecs du système économique ne pourront plus reposer que sur l'incapacité des individus. La provision d'éducation, de santé, de logement et la garantie d'un revenu minimum résolvent ainsi la question sociale...[3]

Les propos de Greffe nous incitent à croire en la futilité de vouloir cerner l'ensemble de l'intervention sociale de l'État à partir de la notion budgétaire de la mission sociale, aussi préférons-nous utiliser le concept de protection sociale[4]. Par contre, ce concept serait de peu d'utilité pour l'analyse de l'intervention étatique s'il n'était éclairé par la philosophie qui l'anime: l'égalité des chances.

Notre propos ne vise pas une nouvelle définition de la mission sociale du gouvernement. Nous voulons plutôt rendre compte de l'évolution de l'organisation de l'intervention sociale au Québec depuis 1960 tout en essayant d'en dégager les principes, les enjeux et les temps forts. C'est pourquoi les concepts de protection ou d'intervention semblent plus appropriés pour cette tâche. Ainsi, tout au long de notre analyse, nous entendons par mission sociale du gouvernement l'ensemble des interventions destinées à la protection des individus et à la garantie de leurs droits et libertés.

---

2. *Idem*, lire tout le chapitre premier, pp. 15 à 28 inclusivement.
3. *Idem*, pp. 22 et 23.
4. Le concept de protection sociale décrit l'ensemble des activités d'ordre public ou privé destinées à garantir les droits et les libertés de tout individu. Ainsi, les activités de police et de défense aussi bien que l'appareil judiciaire contribuent à la protection de la personne vivant en société. Il arrive qu'un programme de dépenses relevant de la mission sociale soit directement lié à des programmes relevant des autres missions de l'État. À titre d'exemple, les programmes d'assurance sociale consécutifs à des accidents de la route relèvent alors de la mission gouvernementale et de la mission sociale. Le terme mission sociale, au sens budgétaire du terme, est trop restrictif et ne permet pas de tenir compte de l'ensemble de l'intervention globale de l'État.

Un rôle nouveau pour l'État

Dans son livre sur l'histoire de l'administration publique québécoise, James Iain Gow[5] rappelle que l'intervention sociale est de toutes les interventions de l'État celle qui a connu la croissance la plus importante au cours de la période allant de 1936 à 1970. Cette progression a du même coup transformé le rôle de l'État. Cette mutation va créer dans le seul secteur de la santé une augmentation du budget et des dépenses publiques qui vont progresser de 66 à 80 % en 10 ans, soit de 1970 à 1980. Ce rythme de développement est l'un des plus rapides en Occident, comme l'indiquent les données du tableau 1. Dans les pays où elles excèdent 80 % du budget de la dépense totale de la santé en 1980, les dépenses publiques dépassaient déjà 70 % de la dépense totale dès 1965. En Grèce, par exemple, pays où la croissance a été la plus rapide, les dépenses publiques constituaient, déjà en 1965 71 % de la totalité; en 1980, elles culminent à 83,8 %. Pour une période de 20 ans (1960-1980), le progrès le plus spectaculaire a été enregistré par ce pays. En revanche, pour la décennie (1970-1980), la palme de la croissance rapide revient à la Norvège qui affiche une augmentation de 20,9 points de pourcentage. Le Québec suit avec un gain de 14 points. L'étatisation des dépenses de santé telle que l'illustrent les données du tableau 1 n'est qu'un indicateur du phénomène plus général de l'augmentation de l'intervention de l'État dans le domaine social. En revanche, il s'agit du seul indicateur dont on dispose pour établir une comparaison avec d'autres pays et ce, malgré son imprécision[6].

La croissance fulgurante de la part du secteur public dans les dépenses de santé au Québec a été notée par Gow comme elle l'a été par les membres de la Commission d'enquête sur les services de santé et les services sociaux. Pour ces derniers, ce phénomène se comprend ainsi[7]:

> Au cours des trois ou quatre dernières décennies, le Québec a connu des changements sociaux d'une rapidité et d'une ampleur, semble-t-il, sans parallèle avec ce qui s'est passé dans les pays occidentaux. Que l'on songe, par exemple, à la diminution de l'importance de l'Église, à l'accroissement du rôle de l'État, à la baisse de la fécondité, au vieillissement de la population, à l'entrée des femmes sur le marché du travail, aux transformations de la famille ou aux innombrables bouleversements de valeurs. Ce sont moins les changements en soi qui frappent que la

5. Voir à ce propos, J.I. GOW, *Histoire de l'administration publique québécoise 1867-1970*, Montréal, P.U.M., 1986. Lire en particulier pp. 231-244, consacrées à la mission sociale.

6. Les dépenses publiques en matière de santé et de services sociaux peuvent varier grandement quant à la nomenclature des soins. Les chiffres de l'Organisation de coopération et de développement économique (OCDE) ne permettent pas de distinguer les pays d'après une telle base.

7. Gouvernement du Québec, *Rapport de la Commission d'enquête sur les services de santé et les services sociaux*, Québec, Publication du Québec, 1988, p. 3.

rapidité avec laquelle ils se sont produits et leur caractère souvent inattendu, ce qui a exigé et exige encore de la société en général et de chacun en particulier des ajustements nombreux, parfois difficiles et complexes.

Tableau 1

Dépenses publiques de santé en pourcentage des dépenses totales de santé, quelques pays de l'OCDE, 1960-1980

Pays	1960	1965	1970	1975	1980
Allemagne	58,5	61,5	73,7	78,6	77,5
Australie	48,1	54,7	57,1	73,7	66,2
États-Unis	24,5	26,2	36,8	42,5	42,7
Finlande	63,2	85,4	92,7	98,2	98,2
France	58,1	67,9	70,5	74,6	76,5
Grèce	35,7	71,0	58,3	68,6	83,8
Italie	76,3	82,2	85,0	88,1	89,1
Japon	—	58,7	64,4	71,4	72,1
Norvège	—	81,8	71,4	77,3	92,3
Royaume-Uni	94,3	97,3	97,5	92,7	93,0
Suède	54,3	77,2	91,3	96,1	95,7
Suisse	48,8	60,5	62,7	70,6	74,0
Canada	56,4	60,0	70,8	77,0	75,7
Québec	—	—	66,7	81,6	80,7
Moyenne	57,1	66,0	72,2	76,5	78,9

Source: Organisation de coopération et de développement économique, *Évolution des dépenses publiques de santé*, Paris, OCDE, 1981.

Les changements sociaux dont parlent les rédacteurs du rapport sont le résultat de la modernisation politique du Québec[8]. Toutefois, comme ils le soulignent plus loin dans leur document, il reste à savoir pourquoi les effets de cette modernisation ne se sont fait sentir qu'à compter de 1970 en matière de santé et de services sociaux, alors que dans le cas de l'éducation et de l'économie, la modernisation s'est produite plus tôt[9].

8. Sur ce concept de la modernisation politique, voir E. ORBAN *et al.*, *La modernisation politique du Québec*, Sillery, Boréal Express, 1976. En particulier, pp. 7 à 17.

9. J. I. GOW, *op.cit.*, p. 231.

À cette question, Douglas E. Ashford[10] propose une réponse fort intéressante. Pour celui-ci, l'État moderne est un État marqué par la solidarité sociale et la modernisation de l'État est liée au changement intervenu dans les conceptions de l'État[11]:

> Au sens le plus large, l'État moderne marqué par la solidarité sociale est un État reposant sur une politique. La façon dont les changements de politique sont définis, mis en oeuvre et évalués est de plus en plus intimement liée à notre vision même de l'État.

Or, contrairement à l'économie, par exemple, où la crise du début des années 1930 et les années d'après-guerre nécessitèrent une intervention forte des gouvernements, la solidarité sociale au Québec était, du moins jusqu'en 1960, le fait de l'Église et de la famille. C'est l'effacement progressif du rôle de l'Église, particulièrement en éducation et dans les services de santé et les services sociaux, combiné à l'éclatement de la cellule familiale de base, qui a fait de l'État le nouvel instrument de la solidarité sociale. Ashford croit que ce sont les contextes historiques qui expliquent le mieux la différence dans les modes et les rythmes d'intervention des États modernes au chapitre de la solidarité sociale[12].

L'émergence de l'État en tant que pivot principal de la solidarité sociale a mis en évidence la préoccupation d'universalisme. Inversement, c'est surtout à cause de cette volonté nouvelle de voir tous les citoyens bénéficier d'une protection sociale minimum que l'État est apparu comme étant le seul véhicule capable d'atteindre cet objectif. En somme, c'est en grande partie avec le développement de sa mission sociale que l'État québécois est devenu un État moderne. C'est aussi parce que les changements sociaux ont influencé profondément la modernisation politique du Québec que ces mêmes changements sont survenus avec une rapidité et une ampleur sans parallèle dans les autres pays occidentaux comme le souligne le rapport de la Commission d'enquête sur les services de santé et les services sociaux (rapport Rochon)[13].

La philosophie d'intervention sociale au Québec

Deux rapports importants vont contribuer à établir la problématique à partir de laquelle se développera une nouvelle politique sociale. Le premier de ces

10. Voir l'article de D. E. ASHFORD, «Les aspects politiques des politiques de solidarité sociale», *Politiques et management public*, vol. 3, n° 1, mars 1985, pp. 107 à 128.
11. *Idem*, p. 111.
12. *Idem*, p. 111.
13. Voir Gouvernement du Québec, *Rapport de la Commission d'enquête sur les services de santé et les services sociaux, op.cit.*, p. 3.

rapports d'enquête est celui du comité d'étude sur l'assistance publique, mieux connu sous le nom de comité Boucher. Le second est celui qui a été déposé par la Commission d'enquête sur la santé et le bien-être social, dit le rapport Castonguay-Nepveu du nom de ses présidents successifs.

Le comité Boucher a insisté sur l'importance de développer l'État comme moyen privilégié d'intervention, ce qui a fait dire à James Iain Gow[14]:

> Les recommandations du rapport Boucher correspondent bien à l'esprit du temps. L'État doit abandonner son rôle passif et choisir d'intervenir dans les affaires sociales de manière active et planifiée. Les observateurs ont reconnu dans ce rapport une nouvelle philosophie qui propose une rupture avec les politiques du passé, politiques qualifiées de laisser-faire.

Dans la foulée du Rapport Boucher, le gouvernement québécois complétera, dès 1963, un premier réseau de bureaux régionaux tandis que le ministère de la Famille et du Bien-être social créera en 1964 le Conseil supérieur de la famille. En fait, par ces deux actions, le Québec concrétise le remplacement du clergé, de la famille et des organismes de bienfaisance par une structure publique devant prendre la responsabilité de tout le domaine de l'assistance sociale. Outre ces préoccupations à l'égard de l'assistance publique, le comité Boucher reconnaît la pertinence pour le gouvernement de se doter de politiques de main-d'oeuvre, d'éducation ainsi que de santé et de bien-être social[15]. Voilà déjà une première indication que la mission sociale d'un gouvernement doit être gérée à la lumière des facteurs de production de la demande de biens et services. Une politique d'emploi dont les résultats sont positifs aura en retour une influence bénéfique sur l'état de santé des individus de même que sur leur niveau d'adaptation sociale. L'analyse faite par le comité Boucher l'amène à constater l'absence d'un système intégré de protection sociale au Québec et à conclure que l'intervention de l'État constitue le premier pas vers un tel système.

La commission Castonguay-Nepveu poursuivra la réflexion amorcée par le comité Boucher dans son diagnostic sur le système de protection sociale du Québec. Prenant appui sur un même postulat, la Commission affirme d'entrée de jeu que dans une société moderne, donc dans un univers industrialisé et urbanisé, les problèmes sociaux ne se posent plus à l'échelle du simple individu et ne sont pas résolvables par et dans l'environnement immédiat[16]. C'est de l'État seul que peut venir une intervention universelle. Aux fonctions supplétive et régulatrice, la Commission propose alors de substituer une fonction dynamique:

> À la fonction dynamique de l'État correspond une action directe sur les facteurs de progrès économique et social et,

14. J. I. GOW, *op.cit.*, p. 236.
15. *Idem*, p. 236.
16. Gouvernement du Québec, *Rapport de la Commission d'enquête sur la santé et le bien-être social*, vol. 1, Québec, 1967, p. 25.

> notamment, au plan social, sur l'organisation et la promotion d'un ensemble de services visant à consolider les résultats obtenus par la garantie pure et simple d'un niveau de vie convenable. C'est ici que s'insèrent toutes les mesures visant à promouvoir la formation professionnelle de la main-d'oeuvre, sa mobilité géographique et tous les aspects de prévention et de réadaptation qui donnent lieu à la prise en charge par l'État de certains types de services spécialisés dans le domaine de la santé et du bien-être[17].

Pour les commissaires, le remplacement du concept traditionnel d'assistance sociale, basé sur la responsabilité de la société envers ses citoyens les plus démunis, par le concept d'investissement social dans le développement des ressources humaines devient un principe central pour l'élaboration d'une nouvelle politique sociale[18]:

> Les prestations ont à la fois un objectif individuel et social; elles sont destinées, bien sûr, à assurer la subsistance du bénéficiaire mais elles visent aussi à promouvoir l'amélioration de sa capacité productive. À ce titre, elles s'inscrivent dans une politique globale de développement.

La commission Castonguay-Nepveu voyait dans la conception et l'articulation par l'État d'une politique sociale le moyen d'atteindre un double objectif: libérer l'individu en développant sa capacité productive, d'une part et, d'autre part, faire bénéficier l'économie de cette nouvelle force. En d'autres termes, selon les commissaires, l'économique est consécutif au social. Mais cela n'était pas aussi clair. Nous croyons plutôt que la pensée véhiculée par le rapport Castonguay-Nepveu était largement influencée par le concept de l'État-providence qui insiste davantage sur une autre finalité: libérer l'homme du besoin. Pierre Rosanvallon écrit à ce propos[19]:

> La dynamique de l'État-providence repose en effet sur un programme illimité: libérer la société du besoin et du risque. C'est sur ce programme que se fonde sa légitimité. Il est au centre du développement de tous les systèmes de protection sociale. Ouvrons le célèbre rapport Beveridge de 1942, *Social Insurance and Allied Services*, dont les recommandations servirent de base à l'édification du système actuel de sécurité sociale britannique et dont la philosophie inspire et continue d'inspirer, la plupart des réformes menées dans les social-démocraties. Le grand thème qui traverse son rapport est celui de la «libération du besoin» (freedom from want), reprenant la célèbre expression lancée par Roosevelt dans son *Message sur les quatre libertés* du 6 janvier 1941.

---

17. *Idem*, pp. 26 et 27.
18. *Idem*, p. 27.
19. Voir P. ROSANVALLON, *La crise de l'État-providence*, Paris, Seuil, 1981, pp. 7 à 32.

Si nous examinons le tableau 2, nous constatons que le but de la philosophie sociale mise de l'avant par le gouvernement du Québec au début des années 1970 est une reformulation de la finalité du concept d'État-providence. Le développement harmonieux de l'homme est en réalité une autre manière de dire la libération du besoin. D'ailleurs, le fait de reconnaître les principaux obstacles au développement harmonieux nous le confirme. L'insuffisance de revenus et la pauvreté de même que la maladie et l'inadaptation sociale sont en effet des besoins incontournables nécessitant une production de biens et de services sociaux.

Tableau 2
Structure de la philosophie sociale du gouvernement du Québec, années 1970

Objectif	Obstacles	Philosophie d'intervention	Mécanismes
	insuffisance de revenus et pauvreté	politique intégrée de sécurité du revenu	allocations familiales allocations sociales assurances sociales
développement harmonieux de l'homme	maladie	politique d'accessibilité pour tous à des soins et services personnels complets, continus et complémentaires de qualité	assurance hospitalisation assurance maladie réseau intégré d'établissements de soins et services
		inadaptation sociale	organisation de professions de de la santé et des services sociaux

Source: Ministère des Affaires sociales du Québec, rapport annuel 1970-1971, p. 12.

Dans l'introduction, nous avons avec l'aide de Xavier Greffe, illustré la difficulté de distinguer l'économique et le social[20]. Cet auteur nous permet aussi de situer la philosophie sociale de l'État québécois dans le creuset de l'économie libérale:

> Pour les économistes libéraux, l'objet de la politique sociale est de permettre aux individus de satisfaire un certain

---

20. X. GREFFE, *op. cit.*

> nombre de besoins essentiels qui ne peuvent l'être sur le marché... À l'égalisation des chances qui définit une stratégie où équité et efficacité vont de pair, correspond le concept du capital humain dont l'amélioration sert d'objectif concret aux mesures sociales.
>
> La politique sociale résout ainsi deux problèmes au niveau de l'individu et de la société[21].

La philosophie de la politique sociale mise en place par l'État québécois dans les années 1970 se situe dans cette ligne de pensée. C'est ainsi que l'on peut observer la manifestation d'une alliance objective entre l'intervention sociale d'inspiration social-démocrate et une politique économique d'obédience libérale.

La commission Castonguay-Nepveu s'est inspirée du rapport Beveridge. Elle en a conçu une définition de la sécurité sociale qui englobe les mesures visant à la prévention de la réalisation des risques sociaux et celles visant à l'amélioration des niveaux de vie. Ces mesures dépassent le simple octroi de prestations en espèces et la fourniture de services en vue de l'amélioration de la santé et de l'adaptation sociale des personnes. Bref, «cette conception est une exigence du développement social et économique»[22]. Si l'on accepte que la structure de la philosophie illustrée au tableau 2 représente effectivement la transposition en ce qui a trait aux fins et aux moyens de la définition de la sécurité sociale, il apparaît alors que les principaux risques sociaux sont la pauvreté, la maladie et l'inadaptation sociale.

Par ailleurs, la structure de la philosophie sociale du gouvernement québécois des années 1970 ne nomme pas les causes premières des obstacles au développement harmonieux de l'homme. De fait, ce que le ministère des Affaires sociales considérait comme des obstacles aurait dû être situé dans une perspective inversée. Ainsi, l'insuffisance de revenus et la pauvreté auraient dû susciter comme objectif l'atteinte d'un revenu économique décent ou encore l'élimination des situations de revenu insuffisant. Au lieu de parler de maladie et d'inadaptation sociale, on aurait dû parler de santé et d'intégration sociale harmonieuse. L'accent mis sur les contraintes découle de la perspective retenue, c'est-à-dire la poursuite du développement harmonieux de l'homme. Cet objectif était trop vague. En revanche, il avait l'avantage d'être généreux et de parler directement au coeur des citoyens. Il en demeure, toutefois, que les difficultés fondamentales de l'objectif de la politique sociale de l'État sont la confusion et son caractère illimité. Pierre Rosanvallon en arrive à cette conclusion dans son analyse du thème de la libération du besoin lequel[23] imprègne le rapport Beveridge qui, comme nous l'avons mentionné a largement influencé les auteurs du rapport Castonguay-Nepveu.

---

21. *Idem*, pp. 11 et 12.
22. Gouvernement du Québec, *Rapport de la Commission d'enquête sur la santé..., op.cit.*, p. 8.
23. P. ROSANVALLON, *op.cit.*, pp. 33 et 34.

Nous retenons aussi de l'observation du tableau 2, que le Québec avait fait un second choix: l'universalité d'accès aux services. En filigrane à cet universalisme s'inscrivait le principe de l'égalité de tous. Pour le réaliser, il y a nécessité pour l'État d'avoir une réelle capacité de redistribution. Or il est bien évident qu'à moins de s'accaparer de la totalité de la richesse, nul gouvernement, au surcroît démocratique, ne peut parvenir à égaliser totalement les chances. Les systèmes fiscaux en ont largement fait la preuve: ce sont les individus à revenus moyens qui paient en lieu et place des riches et des pauvres. La machine égalitaire de l'État-providence, comme la nomme Alain Minc[24], est faiblement redistributive. Néanmoins, la philosophie et les mécanismes d'intervention inscrits dans la structure de la philosophie sociale de l'État québécois ont ouvert la porte à une demande perpétuelle et sans cesse grandissante: la production de biens et de services sociaux destinés à la poursuite d'un objet insaisissable, à savoir le développement harmonieux de l'homme. Il en résultera éventuellement un système dont les rouages, les effectifs et les coûts croîtront de façon continue sans vraiment vaincre des obstacles de plus en plus insurmontables parce qu'ils sont nourris par des facteurs sociaux, économiques et culturels pour lesquels n'existait pas de structure d'intervention. Ce fut et c'est encore le cas pour le vieillissement de la population, la stagnation démographique, le mouvement des femmes, etc.

En résumé, la philosophie d'intervention de l'État québécois en matière sociale depuis 1960, et plus particulièrement à compter des années 1970, s'est développée sur des principes à la fois généreux et confus. Cela allait favoriser une autre surenchère: celle qui est menée par le gouvernement fédéral et par le gouvernement québécois dans le cadre de leur rivalité constitutionnelle. Cette concurrence s'ajoutait à la surenchère de l'État québécois et de ses citoyens en regard de la demande et l'offre de biens et de services sociaux. En somme, la philosophie d'intervention sociale du Québec au début des années 1970 faisait l'objet de plusieurs enjeux dont la modernisation de la société et la prépondérance constitutionnelle sur les questions sociales.

L'implantation du système étatique d'intervention sociale au Québec

Les années 1960 sont au Québec, comme dans beaucoup d'autres sociétés, des années de développement d'idées. La décennie qui suit est celle des réalisations. Avec la création du ministère des Affaires sociales dont le premier titulaire a été au coeur même de la réflexion sur le système social, on pose la pierre angulaire d'une politique de développement social qui se veut la plus large possible. Comme la nouvelle structure de la philosophie sociale le suggère, il faut alors asseoir l'édification du système sur une conception d'ensemble des

---

24. A. MINC, *La machine égalitaire*, Paris, Grasset, 1987, voir en particulier le chapitre portant sur le triple interdit, pp. 37 à 62.

services sociaux, des services de santé et de la sécurité du revenu. Tout en présidant à l'intégration des deux ministères de la Santé et de la Famille et du Bien-être social, le tout nouveau ministre, Claude Castonguay, reçoit le mandat d'élaborer une politique de la sécurité du revenu et de développer les mécanismes de rationalisation et de contrôle du fonctionnement des établissements de santé et de bien-être social.

Le cadre législatif

Le premier pas aura été de préciser le cadre législatif afin d'y nicher la mission sociale. C'est en 1970 avec la *Loi sur l'assurance-maladie* et, en 1971, avec la *Loi sur les services de santé et les services sociaux* que cela sera fait. Il est intéressant de voir jusqu'à quel point ces deux premières mesures législatives reflètent fidèlement la pensée du rapport Castonguay-Nepveu. Celui-ci faisait de l'assurance-maladie l'assise de la sécurité sociale et il lui attribuait trois grands objectifs. Le premier était de rendre les soins accessibles à l'ensemble de la population de façon qu'elle puisse en faire une consommation optimale. Le deuxième était d'obtenir une efficacité maximale du système de distribution des soins par la planification, la coordination et l'intégration de l'activité dans le domaine de la santé. Le troisième objectif était de maximiser les rendements sociaux de la santé, en tant qu'investissement dans les ressources humaines et en tant que mesure de prévention sociale. On pouvait pressentir dans ces trois objectifs une préoccupation d'investisseur qui voyait dans un individu en bonne santé un élément de rentabilité et de productivité économique. Ce qui n'est pas faux, mais valable surtout en période de prospérité économique. Au moment où les temps sont plus difficiles, les besoins de financement du système invitent à une révision de cette politique. Dans un tel contexte, le développement social suit le développement économique ne le précédant plus. Bref, à l'époque de l'implantation du système de protection sociale, on était convaincu que l'assurance-maladie était le tout premier outil à forger:

> Le risque de la maladie constitue l'un des facteurs les plus déterminants de l'insécurité humaine. Aujourd'hui, tout le monde reconnaît que le bien-être d'une collectivité repose en majeure partie sur son système de sécurité sociale, dont l'assurance-maladie est l'une des composantes essentielles... l'assurance-maladie... une véritable politique de la santé, incluant une planification des investissements et une organisation rationnelle de la distribution des soins de haute qualité[25].

Si l'assurance-maladie permet l'accessibilité financière aux soins, la *Loi sur les services de santé et les services sociaux* quant à elle vise l'accessibilité universelle à des soins et à des services complets, continus et de qualité. De

25. Gouvernement du Québec, *Rapport de la Commission d'enquête sur la santé..., op.cit.*, p. 35.

plus, comme son titre le suggère, cette loi tient compte de l'interrelation entre les problèmes de santé, les problèmes économiques et les difficultés économiques des citoyens. Puis vient s'ajouter une série de lois: la *Loi sur la protection de la santé publique*, la *Loi sur la protection du malade mental*, la *Loi sur la protection de la jeunesse*, la *Loi assurant l'exercice des droits de la personne* et la *Loi créant un régime d'allocations familiales*. À cela il faut ajouter les législations créant l'Office des professions, la Commission des affaires sociales, l'Office des services de garde et, enfin, la *Loi sur la santé et la sécurité au travail*. Cette énumération quoique partielle des législations à caractère social témoigne d'une diversification de construction du système au cours des années. La création de l'Office des services de garde est une autre manifestation de cet éclatement législatif. Ce phénomène fera dire à la commission Rochon:

> Depuis la réforme des services de santé et des services sociaux, des ajustements constants ont été apportés à l'organisation des structures, aux politiques de services et à divers programmes élaborés en fonction de problèmes précis ou de clientèles particulières...
>
> En fait, plusieurs objectifs ont guidé ces changements: consolider le droit à la santé et aux services sociaux et augmenter l'accessibilité aux services médicaux, adapter les services aux besoins de clientèles particulières, intervenir dans le domaine de la prévention et de la promotion de la santé et rationaliser l'organisation et l'administration des services. Les efforts déployés pour améliorer l'accessibilité aux services et répondre aux besoins de la population se sont traduits par de nouveaux programmes et de nouvelles législations[26].

Comme nous l'avons déjà souligné, l'objectif du développement harmonieux de l'homme (voir le tableau 2) constituait une porte ouverte à la manifestation incessante de besoins et à l'instauration de programmes de plus en plus nombreux et variés destinés à les satisfaire. C'est ce qu'a constaté la commission Rochon.

On ne saurait conclure sur la question du cadre législatif de l'intervention sociale de l'État québécois, sans toutefois souligner le fait que celui-ci a évolué à la suite de la concurrence ou de la surenchère, comme nous le disions plus haut, avec le gouvernement central. En effet, grâce à son pouvoir de dépenser et en raison de sa volonté d'assumer un leadership en matière sociale, le gouvernement fédéral a stimulé l'action du gouvernement du Québec. Un des exemples les plus probants fut le régime de rentes du Québec. Ce programme a été créé en réaction à l'annonce d'Ottawa d'instaurer un régime de pensions universel et contributif[27]. Il est à remarquer que c'est à Claude

---

26. Gouvernement du Québec, *Rapport de la Commission d'enquête sur les services de santé, op.cit.*, pp. 153-154.

27. Voir à ce sujet, C. MORIN, *Le pouvoir québécois... en négociation*, Québec, Boréal Express, 1972, pp. 19 et suiv.

Castonguay que le gouvernement de Jean Lesage demanda de rédiger la première version du régime de rentes[28]. La théorie de l'émulation a d'ailleurs été reconnue par un des critiques les plus importants du fédéralisme canadien, Claude Morin. Celui-ci a soutenu que l'action du gouvernement fédéral a provoqué l'adoption de programmes provinciaux qui, sans cet aiguillon, ne seraient apparus que plus tardivement[29]. En l'envisageant sous cet angle, on pourrait vouloir dire que la concurrence entre les deux gouvernements a eu des retombées bénéfiques pour les citoyens. Toutefois, il ne faut surtout pas perdre de vue que ces mêmes citoyens contribuent aux deux budgets. À ce compte-là, il n'est pas certain qu'à long terme ils seront gagnants.

La structure du système

Pour permettre au principe de l'universalité de se réaliser, l'État québécois dut mener de front deux opérations: une opération de centralisation et une de décentralisation. La première visait à rassembler dans un même endroit, en l'occurrence le ministère des Affaires sociales, les activités de conception, de planification, de coordination et de contrôle. C'était une opération conforme au nouveau rôle de l'État, celui d'être le coeur du système de protection sociale. De cette façon, le gouvernement voulait s'assurer le contrôle et l'harmonisation des services. Par ailleurs, une opération de décentralisation au moyen du développement du réseau des affaires sociales allait lui permettre d'en faciliter l'universalité d'accès. Le tableau 3 établit un résumé des principaux changements introduits par voie législative et qui orientaient tout le développement institutionnel du système de protection sociale. Par ailleurs, à l'aide des figures 1 et 2, on peut visualiser la modification qui intervint alors dans le réseau de distribution des services. Ainsi, avant la réforme, deux ministères s'occupent de gérer la législation et les subventions destinées à encadrer les activités des organismes privés ainsi que leurs transferts des fonds au moyen de subventions. Il n'existe pas à cette époque de véritable autorité fonctionnelle sur les établissements, les agences et les autres organismes. En somme, pas de coordination, pas d'harmonisation.

---

28. C'est à Claude Castonguay que le gouvernement Lesage confiera successivement la présidence de la Commission d'enquête sur la santé et le bien-être social et la responsabilité ministérielle du premier ministère des Affaires sociales créé en décembre 1970.

29. C. MORIN, *op.cit.*, pp. 183 et suiv.

Tableau 3

Principaux changements introduits par le nouveau système

L'accessibilité universelle aux services de santé et aux services sociaux comme le stipule l'article 4 de la Loi sur les services de santé et les services sociaux;

La création du ministère des Affaires sociales qui regroupait le ministère de la Santé et le ministère de la Famille et du Bien-être social. Le MAS se voit confier le rôle d'établir les priorités et de planifier, de contrôler et d'évaluer les programmes et les services;

La création des centres locaux de services communautaires (CLSC), qui devaient être la porte d'entrée du réseau et favoriser la collaboration entre les médecins, les travailleurs sociaux, les infirmières et les organisateurs communautaires pour prendre en charge l'ensemble des besoins sociaux et des besoins de santé d'une population locale;

La création des centres de services sociaux (CSS), où étaient intégrés les travailleurs sociaux des agences de service social, des écoles, des hôpitaux, des centres d'accueil et de la cour du Bien-être social. Le regroupement des services sociaux dans les CSS devait pallier leur morcellement et l'inégalité de leur développement et permettre une meilleure planification des programmes. De plus, la collaboration entre les CSS et les CLSC reposait sur le principe de la complémentarité des services, les CLSC devant offrir des services sociaux généraux et les CSS devant assurer les services spécialisés;

La création des départements de santé communautaire (DSC) qui ne devaient pas fournir de services directs à la population, mais contribuer à assurer la santé publique par des études de besoins et par des études sur les facteurs déterminants des problèmes de santé. Ils devaient aussi voir à la coordination des efforts de la communauté sur leur territoire;

La création des conseils régionaux de la santé et des services sociaux (CRSSS), qui n'avaient au départ que des responsabilités consultatives;

La création de l'Office des professions du Québec (OPQ), qui devait veiller à ce que les corporations professionnelles assument leur rôle de protecteur du public;

Enfin la participation des usagers et des travailleurs à tous les conseils d'administration des établissements et la nomination de représentants du public au bureau des corporations professionnelles.

Source:Rapport de la Commission d'enquête sur les services de santé et les services sociaux, pp. 150-151.

Avec la réforme, le réseau institutionnel change radicalement d'aspect. Au lieu de deux paliers d'intervention, les ministères et les institutions de services, il y en a maintenant trois: un ministère unique qui conçoit, planifie, coordonne et évalue, un palier consultatif où l'on retrouve, entre autres, les départements de santé communautaire et l'Office des professions du Québec.

Dans le cas particulier de l'Office, son rôle vise surtout à protéger les bénéficiaires par rapport aux soins prodigués par les professionnels de la santé. Enfin, il existe, après la réforme, un troisième palier où l'on retrouve les établissements chargés de distribuer les services et les soins auprès de la population. C'est un bouleversement important d'autant plus que la très grande majorité des établissements qui étaient originellement privés deviennent des corporations publiques.

Figure 1
Structure du réseau de la santé et des services sociaux avant la réforme

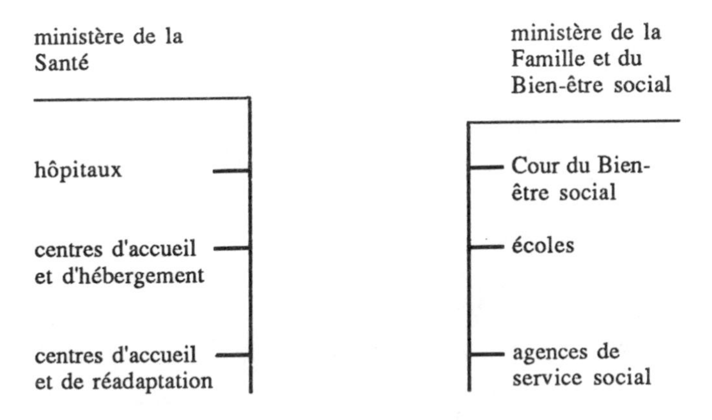

Les conséquences

La réforme de la structure de l'intervention sociale de l'État va avoir une conséquence immédiate: l'accroissement du poids budgétaire de la mission sociale du gouvernement. Ainsi, une recherche effectuée dans le cadre des travaux de la Commission d'enquête sur les services de santé et les services sociaux (Commission Rochon) révèle, compte tenu de l'activité économique au Québec en 1983, que l'administration provinciale dépensait per capita pour son intervention sociale au moins trois fois plus qu'en 1960 et deux fois plus qu'en 1971[30]. Pour la seule période de 1975 à 1985, comme l'indique le tableau 4, il y a une augmentation sensible de la part du produit intérieur brut (PIB) accaparée par chacun des trois grands domaines de la mission sociale. La sécurité du revenu fait le bond le plus important en passant de 1,59 % à 2,56 %. Pour ce domaine, il faut y voir, cependant, l'effet de l'importante récession économique du début des années 1980. Par contre, le domaine de la

30. Gouvernement du Québec, *Rapport de la Commission d'enquête sur les services..., op.cit.*, p. 237.

santé et de l'adaptation sociale, en principe moins sensible aux fluctuations de l'économie, a vu aussi sa part croître. De 6,82 % du PIB en 1975, la part des dépenses liée aux soins de la santé et aux services sociaux s'est gonflée pour atteindre 7,17 % en 1985. Le domaine de l'habitation, au demeurant beaucoup moins important que les deux autres, n'a pas été mis de côté pour autant. Il a lui aussi vu sa part être multipliée par trois. Cependant, l'examinant sous l'angle des dollars per capita, on observe une augmentation de six fois par rapport à 1975. Cela est dû à l'effet combiné du coût de la vie et du nombre d'unités de logements mis en chantier durant cette période. En somme, l'augmentation générale du coût de la mission sociale pour la période 1975 à 1985 résulte d'une conjonction de facteurs: coût de la vie, crise économique, augmentation des ressources, etc.

Figure 2
Structure du réseau de la santé et des services sociaux après la réforme

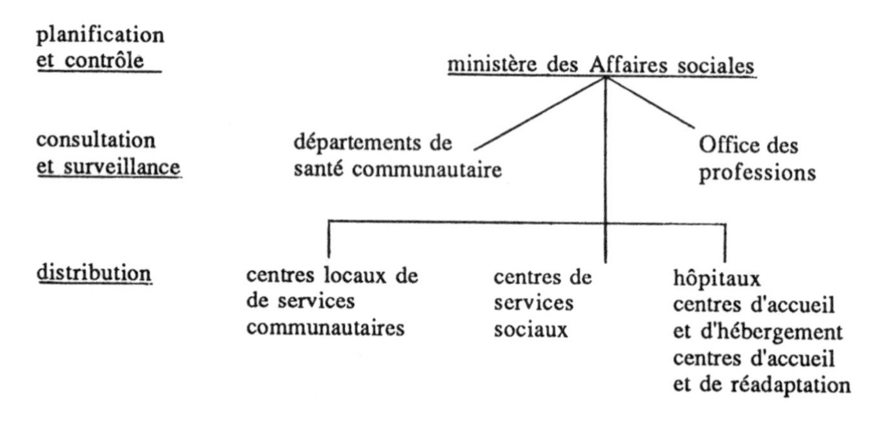

Tableau 4

Dépenses consacrées à la mission sociale selon le grand domaine, Québec, 1975-1976 à 1984-85

GRANDS DOMAINES Indicateurs	1975-76	1976-77	1977-78	1978-79	1979-80	1980-81	1981-82	1982-83	1983-84*	1984-85
SÉCURITÉ DU REVENU										
Dépenses (,000 $)	677 861	811 856	940 916	1 047 302	1 205 166	1 396 516	1 650 390	2 097 165	2 370 727	2 576 269
Per capita ($)	109 46	129 92	149 62	165 92	189 77	218 23	256 03	323 70	363 84	393 24
% du PIB	1,59	1,69	1,8	1,79	1,85	1,88	2,00	2,45	2,56	2,56
SANTÉ ET ADAPTATION SOCIALE:										
Dépenses (,000 $)	2 904 506	3 365 693	3 665 001	4 083 772	4 508 141	5 090 396	5 777 745	6 429 760	6 787 381	7 220 438
Per capita ($)	469 01	538 80	582 80	646 98	709 87	795 48	896 31	992 44	1 041 68	1 102 13
% du PIB	6,82	6,99	6,99	6,98	6,91	6,86	7,01	7,51	7,32	7,17
HABITATION										
Dépenses (,000 $)	48 152	52 247	67 088	88 948	108 269	134 025	183 597	227 395	272 038	290 506
Per capita ($)	7 78	8 36	10 67	14 09	17 05	20 94	28 48	35 10	41 75	44.34
% du PIB	0,11	0,11	0,13	0,15	0,17	0,18	0,22	0,27	0,29	0,29

* Crédits

Source: *Rapport de la commission d'enquête sur les services de santé et les services sociaux, op. cit.*, pp. 150-151.

Tableau 5
Répartition des modes d'intervention du gouvernement du Québec dans le domaine de la sécurité du revenu, 1984

fins \ nature	Dépense fiscale	Assurance sociale	Supplément du revenu	Assistance sociale	Biens et services
Revenu minimum de base			• remboursement d'impôts fonciers	• aide sociale* • logirente • allocations aux chasseurs et piégeurs cris	• prothèses, soins dentaires, médicaments • HLM, personnes démunies* et personnes âgées
Remplacement du revenu de travail	• exemption en raison de l'âge* • exemption en raison d'un revenu de retraite • déduction pour invalidité*	• rentes du Québec • accident du travail et maladie professionnelle • accident d'automobile • décès du conjoint • invalidité • acte criminel ou action civique	• allocation de maternité		
Compensation pour enfant ou conjoint	• exemption pour enfant à charge* • exemption de personne mariée*		• allocations familiales* • allocation de disponibilité • allocations aux parents d'enfants handicapés		
Aide à la participation au marché du travail	• déductions pour frais de garde		• supplément du revenu du travail • allocation de garde • gains permis selon l'aide sociale		

* Intervention conjointe Canada/Québec
Source: *Le Québec statistique*, 1985-1986, tableau 42, p. 535-537.

La deuxième conséquence du développement structurel de la mission sociale est l'apparition d'une main-d'oeuvre spécialisée. À cet égard, on peut lire dans le rapport de la commission Rochon[31] que, pour la seule période de 1975 à 1987, les ressources humaines, dans les services de santé et les services sociaux, sont passées de moins de 200 000 personnes à près de 300 000. Toujours selon ce rapport, la part de l'emploi total dans ce secteur d'activité est passée de 4,5 % en 1961 à 6,2 % en 1971 pour atteindre près de 10 % en 1987. Enfin, le rapport souligne que ces données ne tiennent pas compte des effectifs de la fonction publique et d'organismes parapublics associés au réseau de la santé et des services sociaux. En somme, si près de 10 % de l'emploi est accaparé par des personnes reliées de près aux services de la santé et aux services sociaux, on peut donc parler d'une industrie de la protection sociale. Par contre n'eût été de l'intervention de l'État dans ce domaine, il est douteux qu'une telle industrie aurait pris cette ampleur. Ajoutons que la main-d'oeuvre du réseau de la santé et des services sociaux est syndiquée dans une proportion de 92,5 %[32]. Cela accroît le caractère permanent de cette industrie et a certainement des conséquences sérieuses sur sa taille et son budget.

Une troisième conséquence de l'implantation d'un nouveau système d'intervention sociale de l'État du Québec aura été de mettre au service de la mission sociale la souplesse de financement de l'État. On sait que les gouvernements interviennent principalement soit par transferts directs, soit par la méthode dite de la dépense fiscale. Le tableau 5 illustre comment ces deux modes de dépenses ont été appliqués dans le domaine de la sécurité du revenu. On constate que l'intervention par voie fiscale y occupe une place importante surtout au chapitre du soutien à la famille. Le tableau révèle, par ailleurs, que l'étatisation de la solidarité sociale a permis aux Québécois d'accéder à une gamme beaucoup plus étendue de biens et de services, ce qui était plus difficilement concevable avant que l'État ne joue un rôle prépondérant en matière sociale.

Au gonflement budgétaire, à l'industrialisation de l'intervention sociale et à l'élargissement de l'éventail des biens et des services s'ajoute une quatrième conséquence, la politisation de la solidarité sociale. Alors qu'avant la réforme, la solidarité sociale était surtout la responsabilité des citoyens et qu'elle s'exerçait au sein de la famille et de la paroisse, l'avènement de la réforme en fait l'enjeu d'un rapport de pouvoir entre le gouvernement, les professionnels et les groupes de pression. Jacques Godbout résume la situation qui en résulte: «Finalement, l'image globale qui se dégage de cette réforme est celle d'une structure complexe qui réaménage l'exercice du pouvoir des professionnels et des administrateurs en y ajoutant la bureaucratie

31. *Idem*, p. 237.
32. *Idem*, p. 241.

gouvernementale comme principal mécanisme de contrôle réel»[33]. Ce réaménagement du pouvoir crée un vacuum dans le système de la participation des citoyens aux mécanismes de la prise de décision. On en a fait des bénéficiaires au nom desquels des hommes politiques et des professionnels expriment la demande et définissent la quantité et la qualité de l'offre.

Ce sont là, à notre avis, quatre des conséquences les plus évidentes de la mutation du système de solidarité sociale intervenue au Québec depuis 1960. Ce ne sont pas les seules mais ce sont celles qui ont accru le poids politique, structurel et budgétaire de l'intervention sociale du gouvernement.

L'évolution du partage des compétences ministérielles

Au fil des années, l'organisation de la gestion de la protection sociale au Québec a largement évolué. En 1973, cinq ministères québécois étaient engagés dans cette activité: les Affaires sociales, les Affaires municipales, la Justice, le Revenu et le ministère du Travail et de la Main-d'oeuvre. Quinze ans plus tard, comme l'illustre le tableau 6, il n'y a pas moins de 13 ministères. À ces organismes, il faut ajouter l'Assemblée nationale, le Tribunal de la jeunesse de même que le Conseil des ministres. À chacun des ministères se sont greffés des commissions, des comités, des régies, des conseils, etc. Ainsi, pour le seul ministère de la Santé et des Services sociaux, on ne compte pas moins de quatre conseils, deux commissions, plusieurs comités, une corporation, un fonds, un office et une régie. C'est une croissance qui s'est manifestée suite à la pression d'agents extérieurs à l'appareil étatique. Cela s'explique par le besoin de combler le vide participatif qui s'est manifesté au moment de la réforme. L'État prenant toute la place en se substituant à l'ancienne forme de solidarité sociale animée par l'Église, la famille, les groupes communautaires et les citoyens se sont constitués en groupe de défense d'intérêts. Les pressions qu'ils ont exercées ont obligé le gouvernement à répondre en créant des organismes.

La croissance de l'organisation gouvernementale de la protection sociale a été le résultat de la présence de certains facteurs de modernisation de la société québécoise. Ainsi, le féminisme nous a donné une ministre déléguée à la condition féminine en plus d'un conseil du statut de la femme. L'environnementalisme, pour sa part, a permis la création d'un ministère, d'un comité consultatif de même que celle du bureau d'audiences publiques sur l'environnement. Ce dernier constitue un bon indicateur de la volonté de l'État de faire participer les citoyens et de les consulter. La liste des organismes met en évidence l'ensemble des facteurs de développement de la constellation de la protection sociale. Aux acquis du féminisme et d'environnementalisme, nous

---

33. J. GODBOUT, *La participation contre la démocratie*, Montréal, Editions Saint-Martin, 1983, p. 99.

Tableau 6
Liste des organismes participant totalement ou partiellement à la protection sociale

ASSEMBLÉE NATIONALE
- Protecteur du citoyen

TRIBUNAUX JUDICIAIRES
- Tribunal de la jeunesse

CONSEIL DES MINISTRES
- Ministre déléguée à la condition féminine
- Conseil du statut de la femme
- Office des services de garde à l'enfance

MINISTÈRE DES AFFAIRES MUNICIPALES
- Régie du logement

MINISTÈRE DE L'ÉNERGIE ET DES RESSOURCES
- Ministre délégué aux mines et aux autochtones

MINISTÊRE DE L'ENVIRONNEMENT
- Bureau d'audiences publiques sur l'environnement
- Conseil consultatif de l'environnement

MINISTÈRE DU LOISIR, DE LA CHASSE ET DE LA PECHE
- Régie de la sécurité dans les sports

MINISTÈRE DE LA MAIN-D'OEUVRE ET DE LA SÉCURITÉ DU REVENU
- Commission des affaires sociales
- Commission des normes du travail
- Office de la sécurité du revenu des chasseurs et piégeurs cris
- Régie des rentes du Québec

MINISTÈRE DE LA SANTÉ ET DES SERVICES SOCIAUX
- Comités de révision (*Loi sur la Régie de l'assurance-maladie du Québec*)
- Commission d'appel pour les autochtones du Québec
- Commission d'examen (soins psychiatriques)
- Conseil d'arbitrage (*Loi sur la Régie de l'assurance-maladie du Québec*)
- Conseil d'évaluation des technologies de la santé
- Conseil des affaires sociales et de la famille
- Conseil québécois de la recherche sociale
- Corporation d'hébergement du Québec
- Fonds de recherche en santé du Québec
- Office des personnes handicapées du Québec
- Régie de l'assurance-maladie du Québec

MINISTÈRE DU CONSEIL EXÉCUTIF
- Conseil permanent de la jeunesse

MINISTÈRE DES COMMUNAUTÉS CULTURELLES ET DE L'IMMIGRATION
- Conseil des communautés culturelles et de l'immigration

MINISTÈRE DES COMMUNICATIONS
- Commission d'accès à l'information

MINISTÈRE DE L'ENSEIGNEMENT SUPÉRIEUR ET DE LA SCIENCE
- Office des professions du Québec

MINISTÈRE DE LA JUSTICE
- Comité de la protection de la jeunesse
- Comité de révision de l'aide juridique
- Commission d'appel en matière de lésions professionnelles
- Commission des droits de la personne
- Curateur public
- Fonds d'aide aux recours collectifs
- Office de la protection du consommateur
- Tribunal des professions
- Tribunal du travail

MINISTÈRE DU SOLLICITEUR GÉNÉRAL
- Commission de police du Québec
- Commission québécoise des libérations conditionnelles

MINISTÈRE DU TRAVAIL
- Commission de la santé et de la sécurité du travail
- Conseil des services essentiels
- Institut de recherche en santé et sécurité du travail

devons ajouter les points suivants: l'intégration des communautés culturelles, la question des populations autochtones, les garderies, la protection de la jeunesse, la protection du citoyen et du contribuable, les personnes handicapées, sans oublier tout le domaine des relations de travail et des conditions de santé et de sécurité au travail. Bref, l'installation de la philosophie de l'État-providence qui définissait un nouveau rôle pour l'État en lui donnant une fonction moteur a contribué à l'édification de la structure de base de l'organisation du système. La dynamique de la modernisation a fait gonfler la structure.

Si au moment de la réforme de la protection sociale on recherchait le développement harmonieux de la personne, force a été de reconnaître depuis que cet objectif, bien que confus et ambigu, devait s'insérer dans un ensemble d'objectifs et de politiques, qui déborde d'ailleurs le cadre étroit de la mission sociale au sens budgétaire. En fait, la sécurité du revenu, l'habitation de même que la santé et l'adaptation sociale sont les obstacles de première ligne. Dans la poursuite du bonheur, ils sont eux-mêmes consécutifs à des problèmes de société très complexes. Les contraintes définies par la mission sociale au sens budgétaire touchent directement l'individu et, par réaction, il peut agir et contribuer directement à les solutionner par ses efforts personnels. Par contre, la modernisation de la société québécoise et la complexité qui en résulte ont mis en évidence l'existence d'autres problèmes pour lesquels l'individu ne peut agir seul. Ces problèmes (l'environnement, la protection du consommateur, les relations de travail, etc.) sont du ressort de l'ensemble de la société, c'est-à-dire de tous les partenaires sociaux et exigent de nouveaux modes d'intervention de même que de nouvelles méthodes de gestion. C'est en réponse à ce défi de résoudre les problèmes touchant directement la personne dans son intégrité et les problèmes situés en amont que le système a évolué et que l'on se retrouve à l'heure actuelle devant une véritable constellation gouvernementale en matière de protection sociale.

CONCLUSION

L'histoire du dernier quart de siècle et, plus particulièrement, la période qui s'étend de 1970 à nos jours a été celle de la croissance de l'État. Ce déploiement étatique s'est manifesté clairement dans le domaine social. Non pas que le même phénomène n'a pas eu cours dans les domaines de la culture et de l'éducation, de l'économie et de l'administration. Le social a été le champ d'éclosion le plus prolifique, parce que l'État y a occupé, presque seul, toute la place. La solidarité sociale a été le fait de l'État; il n'y a pas eu le maintien d'un équilibre public-privé qui a toujours subsisté par exemple en éducation. Comme l'adoption d'une pratique d'État-providence a poussé le Québec à rechercher une sécurité totale pour chacun des citoyens, de leur naissance à leur mort, il s'en est suivi une prolifération de lois et règlements, de structures et de programmes qui ont élargi les frontières du système. C'est ainsi qu'une mission sociale définie par trois volets doit nécessairement déborder sur l'économique, le culturel et le gouvernemental pour y prendre tout son sens.

Par ailleurs, derrière le déploiement de l'intervention de l'État naissait une autre préoccupation, celle de l'autonomie des individus. Comme l'écrit Michel Crozier dans son plus récent ouvrage:

> La condition d'assisté est infantilisante, elle sera de moins en moins acceptée. La revendication d'autonomie, si perceptible dans le public, devrait être le levier grâce auquel il sera possible de décorporatiser ces ensembles[34].

De ces propos, on peut retenir que la protection sociale a été le théâtre d'une mainmise par l'État et, subséquemment, par d'autres institutions, notamment les corporations professionnelles et les associations syndicales. Dans ce partage de l'industrie sociale, l'individu bénéficiaire a fait l'objet d'une surenchère pour laquelle on a créé toujours plus de structures et à lauelle on affectait toujours plus de ressources. Mais on n'a pas réglé le problème fondamental: l'autonomie ou, en d'autres termes, le développement harmonieux.

Les résultats de la mutation de la politique sociale de l'État québécois depuis 1960 ne sont peut-être pas à la mesure de l'ampleur de l'organisation que nous connaissons aujourd'hui. La crise de l'aide sociale est l'exemple le plus probant du peu de résultat obtenu. Pour comprendre, il est peut-être nécessaire de croire, tout comme Michel Pelletier[35], que la nouvelle structure de la politique sociale a servi d'écran à des objectifs moins avouables: la sauvegarde de la paix sociale, la rentabilité électorale... On a ainsi créé l'illusion de faire beaucoup alors que l'on a fait peu. Enfin, la gestion de la politique sociale de l'État n'a pas modifié ou plus précisément diminué les inégalités socio-économiques. Herman Deleeck, analysant les dépenses sociales en Belgique, écrivait:

> Sans aucun doute, les dépenses sociales de l'État ont augmenté considérablement le niveau global de la protection sociale et de la sécurité d'existence, et elles ont porté l'usage de l'enseignement, des soins de santé et du logement à un niveau bien plus élevé. Mais en fin de compte, ces biens et services sociaux sont distribués plus inégalement que l'on ne le pense. Par le caractère universel des prestations et par la forme culturelle (souvent orientée vers les classes moyennes) sous laquelle elles

---

34. M. CROZIER, *État modeste, État moderne*, Paris, Fayard, 1987, p. 157.
35. M. PELLETIER, *De la sécurité sociale à la sécurité du revenu*, Montréal, chez l'auteur, p. 48.

> sont présentées, la politique sociale s'adapte souvent à la stratification sociale existante[36].

En somme, Deleeck suggère que le déploiement d'un système de développement social ne change guère la situation de départ si ce n'est que pour consolider la stratification sociale déjà existante. Bref, le développement harmonieux de l'homme serait un objectif inaccessible.

36. H. DELEECK, «La distribution inégale des dépenses sociales en Belgique», *Politiques et management public*, vol. 3, n° 3, septembre 1985, p. 109.

L'ÉTAT QUÉBÉCOIS ET L'ADMINISTRATION DE LA MAIN-D'OEUVRE

Yves Bélanger

REMARQUES MÉTHODOLOGIQUES

Certaines données de ce texte ont été recueillies au cours d'une série d'entrevues réalisées pendant l'été 1986. Ces entrevues ont été menées auprès de hauts fonctionnaires et de membres de cabinets politiques. Nous tenons à remercier ces personnes de leur collaboration.

INTRODUCTION

La dégradation des conditions économiques générales qui a frappé l'économie québécoise au cours des dix dernières années a fait émerger de nouvelles priorités au sein de la machine d'État. Ainsi la lutte au chômage est-elle une préoccupation croissante des instances politiques et administratives du gouvernement. Des dizaines de programmes impliquant plusieurs centaines de millions de dollars ont été créés et ont donné naissance à de nouveaux outils d'intervention économique. En fait, le champ de la main-d'oeuvre est apparu comme un des principaux domaines d'expérimentation de l'interventionnisme moderne. Cela fait en sorte que le ministère de la Main-d'oeuvre et de la Sécurité du revenu (MMSR), qui a la responsabilité de ces programmes au sein du gouvernement québécois, est devenu le troisième organe administratif provincial en importance. Pourtant nous ne connaissons que très peu de chose sur la nature de ses activités et le long processus qui a mené à sa mise sur pied en 1982. Les chercheurs québécois qui ont exploré le domaine de la main-d'oeuvre ont surtout fait porter leur analyse sur la connaissance du marché du travail et les enjeux économiques ou politiques qu'y représente l'État. Très peu se sont intéressés à l'application des programmes et au cheminement des appareils administratifs.

Nous nous sommes donc fixés pour objectif de situer les grandes étapes de l'évolution des organisations au travers desquelles l'intervention de l'État québécois a pris corps. Nous espérons ainsi lever le voile sur un aspect peu connu de la politique de la main-d'oeuvre et des enjeux qu'elle recouvre. En effet, nous verrons que l'orientation de cette politique a été grandement influencée par la synergie propre aux différentes composantes de la machine d'État.

Dans le premier chapitre, nous nous attardons à la définition des grandes caractéristiques de la politique québécoise de la main-d'oeuvre. Cet exercice d'aspect plus théorique a notamment pour objet de déceler les principaux obstacles auxquels la formulation de cette politique s'est heurtée. Cela nous permettra surtout de situer l'influence des facteurs administratifs dans le processus politique qui a présidé aux réorientations de l'intervention gouvernementale sur le marché du travail.

Le second chapitre est consacré à une étude rétrospective de l'administration québécoise dans le domaine de la main-d'oeuvre. Par conséquent, il revêt un caractère plus descriptif. Ce chapitre est divisé en trois parties. La première (période 1960-1968) retrace l'origine des premiers programmes gouvernementaux en main-d'oeuvre et les conséquences de leur regroupement administratif. La deuxième relate les nombreux rebondissements du dossier de la main-d'oeuvre sous le long règne (1968 à 1982) de la Direction générale de la main-d'oeuvre (DGM). Enfin, la troisième partie est consacrée à l'analyse des transformations qui ont résulté de la création, en 1982, du ministère de la Main-d'oeuvre et de la Sécurité du revenu (MMSR).

PARTIE I

QU'EST-CE QU'UNE POLITIQUE DE MAIN-D'OEUVRE?

Avant de passer à la définition de la politique de la main-d'oeuvre, il serait peut-être opportun de nous interroger sur la notion de politique par opposition à celle de programme. Le programme renvoie à l'idée d'une intervention gouvernementale délimitée en vue, la plupart du temps, de répondre à des besoins particuliers. Par exemple, afin de soulager les méfaits de la crise de 1981-1983, les gouvernements fédéral et provinciaux ont mis sur pied plusieurs programmes de création d'emplois temporaires ou permanents. Parmi ceux-ci, mentionnons le Programme québécois de *Bons d'emploi* dont l'objectif principal était de fournir aux jeunes finissants un outil susceptible de leur faciliter l'accès au marché du travail. À cette fin, le programme prévoyait le versement, sous forme de subvention à l'employeur, d'une somme d'argent équivalente à 75 % du salaire hebdomadaire avec un maximum fixé à 150 $ par semaine et à 3 000 $ au total pour l'embauche de jeunes titulaires (âgés de moins de vingt-cinq ans) d'un diplôme du secteur général ou professionnel depuis au moins six mois. Ce programme a été conçu sur une base temporaire et devait prendre fin en 1984 mais il a été prolongé et modifié depuis.

Le concept de politique évoque pour sa part un ensemble coordonné de programmes. C'est donc à ce niveau que sont définis les objectifs globaux et la stratégie d'intervention de l'État dans un secteur donné. Ainsi, le projet de revitalisation de l'emploi élaboré par le gouvernement fédéral en 1985 intitulé *La planification de l'emploi* est un ensemble de programmes qui s'apparente à une politique de la main-d'oeuvre. Par l'entremise de ses six programmes, cette politique poursuit, en s'appuyant sur diverses stratégies d'intervention en ce qui concerne l'emploi et la formation, des objectifs généraux consacrés principalement à l'adaptation de la main-d'oeuvre aux besoins du marché canadien. Nous devons toutefois préciser que l'ensemble de programmes dont il est ici question revêt malgré tout un caractère inachevé, puisqu'il ne regroupe qu'une partie seulement des budgets administrés par le ministère de l'Emploi et de l'Immigration du Canada. Plusieurs composantes importantes de l'intervention de ce ministère, comme le Programme d'assurance-chômage, n'y sont liées que très indirectement.

D'ailleurs, ce dernier exemple nous permet de préciser la nature du concept de politique de la main-d'oeuvre. Aux fins du présent texte, cette politique est définie comme *un ensemble coordonné de programmes où sont déterminés les grandes lignes et objectifs de l'intervention de l'État en matière d'utilisation et d'adaptation de la main-d'oeuvre*. Cette définition couvre donc un champ large de l'intervention de l'État. Elle regroupe l'ensemble des interventions destinées à gérer les ressources en main-d'oeuvre au sein du marché du travail, impliquant conséquemment la synthèse ordonnée des programmes de création d'emplois, des programmes de soutien aux sans-emploi (chômage) et des programmes de formation de la main-d'oeuvre. À la limite, cette politique peut adopter la forme d'une politique de gestion de l'ensemble de la main-d'oeuvre active. La politique de la main-d'oeuvre sert alors de cadre général à l'intervention gouvernementale en éducation, en relations du travail et en planification démographique. Dans une telle perspective, la politique de la main-d'oeuvre joue un rôle stratégique qui en fait une des principales pierres d'assise de la politique économique et sociale de l'État.

Certains pays comme la Suède, l'Autriche ou l'Allemagne ont adopté après la Seconde Guerre mondiale une approche interventionniste du type social-démocrate qui a rendu possible la formulation d'une telle politique[1]. En Autriche, par exemple, la politique économique est élaborée en fonction des objectifs définis dans le cadre de la politique de la main-d'oeuvre. Celle-ci est consacrée à la réalisation du plein emploi et exerce une influence déterminante sur tous les domaines d'intervention de l'État.

La politique de la main-d'oeuvre peut donc épouser un contenu variable et jouer un rôle différent d'un pays à l'autre qui sont dès lors directement tributaires de la capacité de cet État et de ses forces politiques à attribuer un rôle prioritaire à cette politique. En général, plus le principe de l'intervention de l'État au sujet du marché est étendu dans son application, plus la capacité de définir des objectifs socio-économiques nationaux est grande. À l'inverse, cette capacité décroît en situation de libre marché. À un premier niveau, on peut ainsi associer les difficultés du Québec à se définir une politique de la main-d'oeuvre à ses traditions plutôt libérales par rapport au contrôle des activités des agents économiques, notamment dans le domaine hautement stratégique des relations du travail. Les caractéristiques du marché nord-américain et les conceptions administratives de la chose publique y ont en fait créé un

1. Pour un survol de ces différentes expériences voir D. BELLEMARE, et L. POULIN-SIMON, *Le défi du plein emploi*, Montréal, Éditions Saint-Martin, 1986.

environnement hostile à la planification étatique sous toutes ses formes[2], constituant du même coup un obstacle de taille à la mise en place d'un cadre politique en matière de gestion de la main-d'oeuvre du type suédois ou autrichien. D'autres embûches relatives cette fois à la dynamique propre de la politique intérieure canadienne contribuent à en rendre la réalisation difficilement praticable.

Les obstacles auxquels s'est heurtée la politique de la main-d'oeuvre

L'administration québécoise a été confrontée à quatre grands types d'obstacles dans sa démarche en vue de définir des objectifs en matière d'encadrement et de gestion de la main-d'oeuvre québécoise. Il s'agit:

a) des limites de ses compétences constitutionnelles;

b) des luttes de pouvoir à l'intérieur de la bureaucratie;

c) de l'incapacité de dégager des objectifs politiques sectoriels cohérents;

d) de l'inadéquation des structures administratives régionales.

Les compétences constitutionnelles québécoises

En vertu de l'Acte de l'Amérique du Nord britannique, le contrôle des grands leviers économiques de l'État, les ressources naturelles mises à part, relève du gouvernement fédéral et l'administration de l'éducation dépend des législatures provinciales. Selon le texte donc, les principaux outils indispensables au contrôle des flux économiques qui concernent l'emploi sont entre les mains du gouvernement fédéral, alors que le secteur de la formation qui est à la base de la qualification de la main-d'oeuvre est sous la responsabilité des administrations provinciales. D'entrée de jeu, les conditions de ce partage impliquent donc un partage formel des compétences. Dans les faits, le cheminement historique du Canada a donné naissance à une dynamique plus confuse. L'avènement du keynésianisme, notamment, a incité l'État fédéral à étendre son rayonnement dans le champ de la formation. L'adoption en 1937 de mesures destinées à encadrer la formation des chômeurs a ouvert une brèche

2. Il suffit de lire les résultats des différentes expériences de planification pour s'en convaincre. Voir par exemple J. BENJAMIN, *Planification économique et politique au Québec*, Montréal, PUM, 1974.

dans ce secteur et amené le fédéral, ultérieurement, à concurrencer directement les provinces. Il a suivi une démarche similaire dans le dossier social avec la mise en place du Programme d'assurance-chômage en 1940 puis du Programme d'allocations familiales, des pensions de vieillesse et d'assurance-hospitalisation. En contrepartie, surtout après 1960, la plupart des provinces ont adopté différents programmes de soutien aux entreprises et à la création d'emplois, dont la conséquence la plus manifeste a été de morceler le pouvoir d'intervention dans les économies provinciales. Dans un tel contexte, les démarches entreprises progressivement au début des années 1970 en vue d'intégrer les différents mécanismes d'encadrement de la main-d'oeuvre se sont rapidement heurtées aux prétentions des deux niveaux de gouvernement et ont donné lieu à l'exercice d'un rapport de force.

La présence simultanée de deux machines d'État dans le champ de la main-d'oeuvre, l'une fédérale et l'autre provinciale, a également eu pour résultat tangible d'amener la mise en place de deux structures bureaucratiques concurrentes. Depuis la création du ministère de l'Emploi et de l'Immigration du Canada en 1965, les institutions fédérales chargées de définir la politique de la main-d'oeuvre ont surtout poursuivi des objectifs reliés au développement, à la mobilité des ressources en main-d'oeuvre et au soutien des chômeurs (par le Programme d'assurance-chômage). À la suite de la constitution du ministère de la Main-d'oeuvre et de la Sécurité du revenu en 1968, le gouvernement québécois n'a travaillé que de façon symbolique à la formulation d'une politique de la main-d'oeuvre québécoise pour concentrer ses efforts de façon plus empirique dans le champ de la formation. C'est dans ce dernier secteur que la concurrence fédérale/provinciale a été la plus vive. Cette concurrence s'est manifestée non pas en ce qui a trait à l'exécution de la politique, rôle qu'Ottawa a reconnu d'emblée aux provinces, mais plutôt à celui de définition du cadre politique général et du financement des programmes. L'administration provinciale, déjà rivale des Centres de main-d'oeuvre du Canada dans le domaine du placement, s'est ainsi vu offrir un rôle réduit de relais administratif et de dispensateur de services dans le secteur de la formation professionnelle.

Jusqu'au début des années 1980, la province de Québec a centré sa stratégie sur l'accroissement de sa présence dans ce champ et a ainsi contenu les ambitions fédérales. Toutefois, depuis ce temps, le gouvernement fédéral est parvenu à imposer un cadre politique et budgétaire qui délimite les règles et certaines modalités de l'intervention des provinces dans les secteurs de la formation professionnelle, de l'aide au recyclage et dans d'autres domaines reliés à la création d'emplois. Les contraintes financières imposées par la conjoncture et l'approche intransigeante d'Ottawa dans le dossier des accords fiscaux n'ont laissé que peu de choix à l'ensemble des provinces en général et au Québec en particulier. Le jeu politique actuel tend donc à attribuer le rôle de «définisseur de politique» au gouvernement fédéral. En fait, les accords sur la formation professionnelle de 1982-1985 et les accords Canada-Québec sur la planification de l'emploi de 1985 ont établi un rapport entre Ottawa et Québec qui ne laisse plus planer de doute sur le rôle prépondérant du fédéral.

Les luttes de pouvoir à l'intérieur de la bureaucratie

La dynamique des relations fédérales-provinciales influe également sur les relations internes de la machine administrative québécoise. Au cours des années 1970, l'administration des programmes d'emploi et de formation a été secouée par des luttes de pouvoir qui ont mis en scène différents ministères engagés dans l'aménagement des ressources humaines. De façon générale, ces luttes ont eu pour enjeu principal la définition d'un cadre politique aux interventions de l'État dans le champ de la main-d'oeuvre et l'attribution du rôle de maître d'oeuvre dans l'application des programmes à une seule entité ministérielle.

Le secteur de la formation présente une situation plus complexe. En effet, depuis l'adoption de la *Loi sur la qualification professionnelle* (1969), la responsabilité administrative des programmes de formation a été contestée à de nombreuses reprises par le ministère de l'Éducation du Québec (MEQ). Le MEQ a contrôlé l'infrastructure matérielle et les ressources professorales appelées à donner les cours en formation professionnelle et a tenté de miser sur cet avantage pour s'arroger une part substantielle du financement consenti à ce dossier. Ce ministère a en outre poursuivi différentes démarches destinées à intégrer la formation professionnelle à l'ensemble plus large de la formation aux adultes, dont l'administration relève depuis 1966 de sa Direction générale de l'éducation des adultes. Cette dernière a donc cherché à modeler la formation professionnelle à ses programmes et aux institutions du réseau de l'éducation. De cette approche a résulté une conception de la formation orientée non pas vers les besoins particuliers de la clientèle mais vers la formation générale. Par opposition, dès la formulation des premiers programmes en formation et la mise sur pied des Commissions de formation professionnelle (CFP), le ministère du Travail et de la Main-d'oeuvre (MTM) a orienté son intervention vers la satisfaction de besoins précis et le recyclage. À cette fin, par exemple, il a mis en place différents programmes de formation en milieu de travail et d'apprentissage qui ont donné lieu à la constitution d'un réseau d'enseignement parallèle directement contrôlé par les CFP. Ainsi, nous avons assisté à une chaude lutte entre les établissements du réseau scolaire et les CFP pour contrôler les fonds affectés à la formation. La mise en forme d'une nouvelle politique de formation par Emploi et Immigration Canada (rapport Axworthy)[3]

3. Gouvernement du Canada, *Du travail pour demain, les perspectives d'emploi pour les années '80*, Ottawa, Chambre des communes, 1981.

au début des années 1980 a obligé le Québec à résoudre le conflit MEQ/MTM. Un nouveau partage de la mission gouvernementale a ainsi été établi en 1984. Ce partage est fondé sur quelques principes qui n'éliminent toutefois pas toutes les ambiguïtés du régime antérieur. Les principes sont les suivants:

— La reconnaissance du caractère permanent de l'éducation.

— Le recours aux institutions du réseau de l'éducation.

— La reconnaissance du ministère de la Main-d'oeuvre et de la Sécurité du revenu comme maître d'oeuvre de la politique de formation. Ce principe implique le transfert des budgets en éducation permanente vers les instances du MMSR.

— Le transfert progressif des immeubles et de l'équipement détenus par les CFP vers les institutions du réseau scolaire.

— La mise sur pied d'un Comité ministériel auquel participent le MEQ, le MMSR et trois autres ministères. Ce comité a pour mission d'orienter l'action de l'État en éducation des adultes.

— La formulation d'un cadre politique d'intervention qui reprend les grandes lignes de la politique fédérale en faveur d'une formation en fonction des besoins de l'économie, tout en réaffirmant les préférences québécoises en faveur d'une formation plus générale.

— L'attribution d'un rôle accru aux CFP, et la mise en place de structures de concertation.

Ce compromis semble indiquer un déplacement du centre de gravité en direction des instances du MMSR et principalement vers les CFP. Il maintient toutefois une certaine confusion autour du rôle du MEQ qui demeure responsable de l'équipement et des ressources humaines. La constitution du Comité ministériel permet au MEQ de garder un accès aux instances chargées de définir le cadre politique. Le choix clairement énoncé dans l'entente en faveur de la revalorisation du rôle des régions laisse entrevoir un autre lieu de friction potentiel entre les structures des deux ministères (CFP-Centre du travail du Québec/commissions scolaires). On peut donc présumer que le contentieux administratif sur la formation professionnelle n'est pas encore résolu, bien qu'il ait évolué en direction de la mise en place d'une filière administrative unique.

Par ailleurs, le MTM a eu maille à partir avec le ministère de l'Immigration du Québec (MIQ) entre 1974 et 1977. Cet épisode du dossier de la main-d'oeuvre a donné suite à la publication par le MIQ d'un projet de regroupement de différents services en vue de constituer un ministère des

Ressources humaines. Le projet impliquait notamment l'intégration de la Direction générale de la main-d'oeuvre, ci-devant responsable des programmes d'emploi, de placement et de formation auprès du MTM. Nous exposons plus loin les détails de cet affrontement. Retenons pour l'instant que l'enjeu du projet était la mise en forme d'une politique intégrée de gestion des ressources humaines sous la responsabilité du MIQ. Le MTM s'est opposé avec énergie à cette proposition en invoquant la nécessité de maintenir le lien entre la main-d'oeuvre et le secteur des relations du travail. Le projet a été définitivement abandonné quelques mois après l'élection du gouvernement du Parti québécois.

Cet abandon peut être interprété comme l'expression d'une certaine convergence d'intérêt entre les membres du cabinet et la haute fonction publique. Le projet du MIQ avait en effet soulevé très peu d'enthousiasme au sein de la haute fonction publique. On peut également comprendre cette décision en la mettant en relation avec les options politiques et choix administratifs du Parti québécois. Rappelons en premier lieu que la dynamique intrinsèque au rôle d'opposition avait amené le Parti québécois à s'opposer au projet quelques mois seulement avant le déclenchement des élections. En outre, le Parti québécois véhiculait à l'époque une stratégie politique centrée sur une conception très keynésienne (d'inspiration social-démocrate) de l'intervention sociale de l'État. La confrontation de son idéologie aux contraintes du pouvoir a fait émerger des sensibilités politiques plutôt axées sur le problème de l'accès aux programmes sociaux, où l'emploi et la formation ne se sont vu aménager qu'un rôle de soutien complémentaire.

Sur un autre plan, la création des super ministères d'État en 1976 a influé sur le climat administratif dans le dossier de la main-d'oeuvre. En effet, dès sa création, le ministère d'État aux Affaires sociales (MEAS), dont la mission était précisément de coordonner le secteur social tout en lui assurant une plus grande cohérence d'action, est devenu un des concurrents les plus menaçants du ministère du Travail et de la Main-d'oeuvre. Le rattachement administratif du MEAS au Conseil des ministres a placé ce ministère en position pour créer un pouvoir parallèle d'intervention en main-d'oeuvre, actif dans le domaine de la création d'emplois et dans celui du retour au travail des bénéficiaires de l'aide sociale (BAS). Quoi qu'il en soit, la position stratégique du MEAS au sein du Conseil des ministres et la prestance de son ministre titulaire, Pierre Marois, au Comité ministériel permanent du développement social (CMPDS), a créé un pôle politique influent où ont été dessinées les grandes lignes de l'intégration de l'intervention de l'État en main-d'oeuvre à la nouvelle politique sociale de l'État, en fonction notamment des impératifs budgétaires édictés par le Conseil du trésor[4]. C'est par exemple sous l'égide du MEAS qu'ont été menés les travaux du Groupe d'étude sur la sécurité sociale

4. Pour une description du rôle du MEAS, voir L. BORGEAT *et al.*, *L'administration québécoise*, Québec, PUQ/ENAP, 1982.

(GESR) où ont été précisément définis les paramètres de l'actuelle politique de la main-d'oeuvre québécoise.

Il ne faudrait donc pas penser que le processus de formulation de la politique de la main-d'oeuvre s'est réalisé dans l'harmonie. L'imprécision qui a plané sur le mandat du MTM et, plus fondamentalement peut-être, sur le sens même de l'intervention de l'État dans le champ de la main-d'oeuvre a donné naissance à une dynamique de concurrence interministérielle qui a débouché sur divers conflits. Ces conflits, en provoquant des révisions successives de la mission sociale et économique des programmes de main-d'oeuvre, ont mené à l'assujettissement de ces programmes aux impératifs sociaux et budgétaires de l'État. En effet, le MTM n'a pu résister aux pressions exercées par la politique du MEAS et a dû se résigner en 1981 à la fusion des Centres de main-d'oeuvre et des Bureaux d'aide sociale. Le ministère du Travail et de la Main-d'oeuvre transformé en ministère du Travail, de la Main-d'oeuvre et de la Sécurité du revenu (MTMSR) est alors devenu le troisième organe administratif en importance du gouvernement québécois. Il ne restait plus qu'un pas à franchir pour créer un ministère de la Sécurité du revenu, il le sera en 1982 avec le départ des services rattachés à l'administration des relations du travail.

La principale source de conflit et de paralysie du dossier de la main-d'oeuvre entre 1960 et 1982 n'a cependant pas été d'origine externe mais plutôt d'origine interne au ministère du Travail et de la Main-d'oeuvre. En effet, pendant vingt-deux années, les différentes instances rattachées à l'administration des programmes de la main-d'oeuvre se sont heurtées aux intérêts des organes du Ministère chargés d'encadrer le secteur des relations du travail. Nous devons ajouter à cela que la place effective du dossier de la main-d'oeuvre a été grandement influencée par l'inégalité du rapport de force entre les missions contradictoires du Ministère. Le caractère souvent impératif, urgent et pragmatique des interventions en relations du travail a eu pour effet de reléguer au second plan les dossiers reliés à la main-d'oeuvre et d'ainsi confiner la Direction générale de la main-d'oeuvre, chargée d'acheminer ces dossiers auprès de la direction du Ministère, dans un rôle de laissé-pour-compte.

En conclusion, il apparaît incontestable que la capacité de l'État à définir une politique propre à la main-d'oeuvre a été lourdement hypothéquée par les luttes entre organisations et par l'éparpillement des outils d'intervention et de planification.

La problématique de la main-d'oeuvre dans la politique de l'État québécois

Nous avons précédemment affirmé que le gouvernement québécois a été jusqu'à récemment incapable de dégager des orientations et des objectifs politiques cohérents en matière d'utilisation et de préservation de la main-d'oeuvre. Nous pourrions ajouter à cela que le problème de ressources auquel les différentes instances responsables de l'application des programmes se sont confrontées découle de cette incapacité. Contrairement à plusieurs États sociaux-démocrates qui, dans l'après-guerre, ont articulé leur politique économique autour de l'objectif du plein emploi, le Canada a fait le choix implicite entre 1945 et 1970 de concentrer sa stratégie économique en direction des politiques sociales. En fait, les programmes sociaux ont été conçus comme des moyens privilégiés d'intervenir dans l'économie en vue d'assurer une forme de redistribution des richesses et de servir d'instruments de régulation économique. Cette approche peut être interprétée comme la conséquence, premièrement de l'incapacité de dégager un consensus fédéral-provincial en vue de doter le pays d'une politique économique homogène et cohérente et, deuxièmement, de l'absence de volonté d'intervenir en vue de contrôler directement le marché, ce qui aurait impliqué notamment la mise en place d'un système de planification national.

Dans ce contexte, les interventions directes dans le domaine de la main-d'oeuvre ont joué un rôle plutôt conjoncturel. Ainsi, la plupart des programmes d'emploi adoptés avant 1975 ont été conçus en fonction de l'accès aux programmes de l'assurance-chômage (Programme des travaux d'hiver, Canada au travail, etc.). Leur rôle a donc été complémentaire et leur conception, dépendante des orientations de la politique sociale.

Mais à partir du milieu des années 1970, l'État a concentré ses efforts sur la réduction du fardeau financier représenté par les programmes sociaux. Différents mécanismes de contrôle des dépenses et de sélection de l'accès aux programmes ont été introduits à cette fin et ont progressivement donné naissance à une nouvelle politique sociale articulée autour du concept clé de la sécurité du revenu. Depuis, les programmes sociaux sont perçus comme les composantes d'un «filet de sécurité sociale» destiné à assurer un soutien minimum aux personnes dans le besoin en évitant de faire obstruction au marché du travail ou de le parasiter. Plusieurs fonctionnaires ont acquis la conviction que la générosité des programmes sociaux est à l'origine de comportements économiques pervers[5]. D'une part, ces programmes attireraient un plus grand nombre d'individus au sein de la population active. D'autre part, ils inciteraient les petits salariés à se retirer du marché du travail. La hausse du taux de chômage et du nombre des bénéficiaires des programmes sociaux serait ainsi directement imputable à ce processus.

La réforme des programmes de main-d'oeuvre entreprise au début des années 1980 fait partie d'une démarche destinée à atténuer l'impact de ces phénomènes et à inciter les bénéficiaires des grands programmes sociaux, comme le Programme d'assurance-chômage ou celui de l'aide sociale, à

---

5. Groupe de travail sur la sécurité du revenu, *Vers une politique québécoise de revenue minimum garanti et de sécurité du revenu*, Québec, Secrétariat général du Conseil exécutif, 1980, p. 87.

réintégrer le marché du travail. Bien qu'elle soit toujours reliée à la politique sociale, la mission des programmes de main-d'oeuvre s'inscrit par conséquent dans une perspective qui n'est plus *passive et accessoire* mais au contraire *active et située au centre de la stratégie économique de l'État.*

Ainsi, tous les programmes d'emploi créés au Québec depuis 1980 ont été conçus de façon à se consacrer principalement au retour au travail des assistés sociaux. De même, la révision des objectifs des programmes fédéraux en formation, à laquelle le Québec souscrit depuis 1982, a mené à un resserrement de la problématique gouvernementale en faveur du retour au travail des bénéficiaires de l'aide sociale, notamment en centrant l'effort de formation en fonction des besoins du marché du travail.

Cette nouvelle façon d'aborder l'intervention de l'État pose différemment le problème de définition d'une politique de la main-d'oeuvre. Cette politique n'a plus, comme au cours des années 1960, à se définir par rapport à l'utilisation maximale de la force de travail ou par opposition aux fluctuations cycliques de l'économie. Elle délimite maintenant son champ d'action en fonction de l'utilisation optimale et productive des ressources humaines disponibles. En ce sens, les différentes composantes de l'intervention de l'État dans le champ de la main-d'oeuvre poursuivent des objectifs voisins de ceux de la politique de la sécurité du revenu avec toutefois une différence majeure. La politique de la sécurité du revenu s'est inscrite dans une démarche consacrée prioritairement à la réduction des dépenses sociales et au désengagement de l'État, laissant ainsi un espace plus grand et moins contrôlé au marché. À l'opposé, gérer la main-d'oeuvre a jusqu'à maintenant été synonyme de redéploiement économique, de stratégie de croissance, de soutien aux entreprises, bref d'interventions directes de l'État sur le marché. Un profond dilemme subsiste donc.

> Du point de vue économique, il est essentiel d'améliorer la performance de l'administration publique, la gestion économique de l'État et la performance des entreprises et de remettre au travail les chômeurs de longue durée. Ce sont des conditions essentielles pour améliorer les niveaux de vie des Canadiens et des Canadiennes. Mais encore faut-il choisir les bons moyens pour atteindre ces objectifs. La principale carence de la stratégie conservatrice c'est de reposer strictement sur le laisser-faire; de faire le pari d'une solution unique aux maux économiques du Canada, c'est-à-dire une concurrence accrue des marchés [...]
>
> Les réductions de la taille des gouvernements contribuent à la hausse du chômage, du moins à court terme; comment s'assurer que la création d'emplois dans le secteur privé progresse

suffisamment et au bon moment pour absorber la main-d'oeuvre ainsi mise en disponibilité?[6].

Dans l'actuel contexte de désengagement (très manifeste dans le secteur de l'intervention économique directe de l'État et le secteur social), le domaine de la main-d'oeuvre compte parmi les principaux lieux de recomposition de l'intervention de l'État. Cette recomposition peut et doit être interprétée et analysée dans la continuité de la gestion gouvernementale qui a caractérisé la période antérieure à 1975. En fait, elle s'effectue en grande partie par opposition au keynésianisme tel qu'il a été pratiqué à cette époque. Aucun gouvernement au Canada n'accepterait d'ailleurs de reprendre les expériences de contrôle des fluctuations de l'économie et les expériences de planification dans les domaines de l'emploi ou de la formation. Une telle approche serait inexorablement vouée à l'échec pour des raisons qui tiennent notamment aux contraintes du cadre fédéral canadien et aux limites du keynésianisme[7].

Les tendances décelables dans l'actuelle politique de la main-d'oeuvre s'inscrivent dans une pratique générale de l'État qui élimine toute éventualité d'un retour à l'interventionnisme des années 1970[8]:

— Le centralisme économique, politique et administratif a cédé la place à une approche du partage des pouvoirs plus sensible aux disparités régionales.

— L'État ne cherche plus tant à se donner des outils pour contrôler la demande qu'à réduire les frais inhérents au soutien des sans-emploi.

— La relance de l'emploi ne passe plus comme dans le passé par la croissance de l'État mais par celle des entreprises privées en fonction des pressions exercées par le marché.

On ne peut, aujourd'hui, établir les paramètres d'une politique de la main-d'oeuvre sans tenir compte de ces tendances. Nous définissions au début du présent article la politique de la main-d'oeuvre comme «un ensemble coordonné de programmes où sont déterminés les grandes lignes et les objectifs de l'intervention de l'État en matière d'utilisation et de préservation de la main-d'oeuvre». Nous pourrions à ce stade ajouter à cette définition que la

---

6. D. BELLEMARE, et L. POULIN-SIMON, *Le défi du plein emploi*, Montréal, Éditions Saint-Martin, 1986, p. 471.

7. Plusieurs économistes canadiens ont d'ailleurs abandonné les thèses keynésiennes pour leur préférer d'autres approches. Parmi celles-ci, mentionnons les stratégies orientées vers le soutien de l'offre, la restructuration industrielle, l'internationalisation, etc. Voir C. DEBLOCK, et D. PERREAULT, «La politique économique canadienne 1968-1984», *Conjonctures et politique*, n° 7, automne 1985.

8. Comme l'ont récemment souligné Y. LAMONDE et J.-P. BÉLANGER dans l'*Utopie du plein emploi*, Montréal, Boréal Express, 1986.

formulation d'une telle politique remet présentement en question l'intervention économique directe de l'État comme instrument d'application de cette politique.

Le difficile ajustement aux réalités régionales

Nous avons souligné que l'échec du modèle économique keynésien au Canada tient en grande partie à son incapacité à résoudre le problème des disparités régionales. Depuis la fin des années 1960, les gouvernements fédéral et provinciaux ont tenté avec très peu de succès d'intégrer la problématique régionale à leurs structures centralisées. En fait, la réalité des disparités régionales a rendu caduques toutes les tentatives de redéfinir une politique de la main-d'oeuvre au seul niveau des organismes centraux.

Pour contourner cet obstacle, les gouvernements fédéral et provincial du Québec ont rédigé différentes propositions de réforme administrative en direction d'une régionalisation plus poussée (mentionnons à cet effet la création des Municipalités régionales de comté, des Centres régionaux de services sociaux et de santé, etc.). Dans le secteur de la main-d'oeuvre, ce processus a été alimenté au cours des dernières années par un approfondissement des déséquilibres régionaux, qui s'est notamment traduit par un affaissement des économies des régions ressources (Gaspésie, Côte Nord, Lac Saint-Jean...). L'émergence de mouvements de relance économique dans plusieurs régions à la suite d'initiatives d'organisations locales a amené les appareils centraux à réviser les programmes d'emploi et leur encadrement administratif. Parallèlement, plusieurs rapports gouvernementaux ont formulé diverses propositions de déconcentration de l'administration destinées à en accroître l'efficacité et à mieux adapter leur intervention aux besoins du milieu. Rappelons enfin que le gouvernement fédéral privilégie depuis quelques années une stratégie de création d'emplois et de soutien au chômeurs qui reconnaît en partie le caractère différencié des économies locales et régionales.

La convergence de ces différents facteurs a convaincu le cabinet québécois de la nécessité de réformer ses institutions. Pour les raisons mentionnées précédemment, cette réforme repose principalement sur la restructuration des CFP, auxquels le ministère a confié le rôle de maître d'oeuvre des programmes de main-d'oeuvre et de table de concertation en région. Les conseils d'administration des CFP ont plus particulièrement hérité de la responsabilité de consulter les partenaires sociaux régionaux sur toute question ou tout projet de main-d'oeuvre particulier à la région. Cela devrait s'accompagner d'un transfert des responsabilités du MMSR vers les régions. Bien que la réforme ne semble pas impliquer une décentralisation du pouvoir décisionnel, mais plus vraisemblablement une déconcentration de l'administration des services, nous devons signaler néanmoins qu'elle définit une nouvelle mission politique pour les CFP. Celles-ci sont notamment appelées à intervenir depuis la définition des besoins de main-d'oeuvre, jusqu'à la gestion des programmes et à la négociation des accords Québec-Ottawa.

Cette réforme en est encore à un stade préliminaire et se heurte à différents obstacles relatifs notamment à l'étendue du transfert de responsabilités. Le MMSR constitue en effet une masse d'inertie considérable dont l'influence est difficile à déterminer avec exactitude, mais qui concerne tous les dossiers. Signalons simplement que la réforme a été acceptée pour ce qui est du principe en 1983. Or, quatre ans plus tard, les CFP n'ont toujours pas franchi le stade de la mise en place de leurs nouvelles structures. En outre, seulement deux des six programmes de l'entente Canada-Québec sont présentement administrés par elles.

Par ailleurs, les CFP font également face à la résistance de l'autre instance régionale en main-d'oeuvre que constituent les Centres Travail-Québec (CTQ) créés en 1981 à la suite de la fusion des Centres de main-d'oeuvre du Québec et des Bureaux d'aide sociale. Ces derniers ont accueilli plutôt froidement la décision du gouvernement provincial de ne leur reconnaître qu'une fonction accessoire dans le processus d'encadrement des interventions en région. Déjà, les ressources émanant des Centres de main-d'oeuvre, avant leur fusion avec les Bureaux d'aide sociale, ont éprouvé d'énormes difficultés à s'adapter à leurs nouvelles responsabilités par rapport aux bénéficiaires de l'aide sociale. L'éventualité de n'être plus qu'un rouage administratif plus éloigné encore du Ministère a donc suscité une certaine controverse et incité les dirigeants de plusieurs CTQ à contester le projet de réforme des CFP. Cette résistance risque de modifier les modalités de la réforme et contribue actuellement à en freiner le rythme.

Les obstacles relatifs à la formulation et à la mise en application d'une politique de la main-d'oeuvre sont donc nombreux. Non seulement impliquent-ils la capacité de se donner des objectifs politiques clairs, mais ils renvoient également, et peut-être même surtout, aux embûches inhérentes à l'organisation administrative de l'État. Le récit du cheminement qui a été celui de l'administration québécoise dans le champ de la main-d'oeuvre est donc surtout celui des luttes internes au sein de la machine gouvernementale et de l'impact de ces luttes sur le processus politique.

PARTIE II

L'ÉTAT QUÉBÉCOIS DEVANT LA GESTION QUOTIDIENNE DE LA MAIN-D'OEUVRE

L'ADMINISTRATION DE LA MAIN-D'OEUVRE ET L'INTERVENTIONNISME DE L'ÉTAT, LA PHASE D'ÉMERGENCE, 1960-1968

Il est difficile de caractériser l'intervention de l'État dans le dossier de la main-d'oeuvre pour la période des années 1960. Cette difficulté est principalement imputable au rôle ambigu qui est celui des programmes de main-d'oeuvre à l'intérieur de la politique économique. La récession de 1958-1961 mit en effet en lumière l'inaptitude d'une approche uniquement fondée sur la manipulation des grands agrégats économiques — comme celle du gouvernement fédéral entre 1945 et 1960[1] — à résoudre les problèmes relatifs aux fluctuations saisonnières de l'emploi et aux disparités régionales. Par ailleurs, cette récession permit pour la première fois depuis la Seconde Guerre mondiale de prendre conscience de la lenteur et de la lourdeur des mécanismes de stabilisation. Ce constat amena notamment le gouvernement fédéral à recourir à des programmes d'emploi comme le Programme des travaux d'hiver ou celui de la construction des maisons en hiver pour soulager rapidement et ponctuellement les méfaits du chômage saisonnier dans les régions les plus défavorisées. Il adopta dans le même esprit en 1960 une nouvelle législation sur la formation professionnelle visant à mettre en place, sous la responsabilité des législatures provinciales, une infrastructure logistique

---

1. Ce dernier donna suite aux travaux de la Commission nationale sur l'emploi. Voir Gouvernement du Canada, *The Royal Commission on Dominion-Provincial Relations*, Ottawa, 1937-1939, 1940.

destinée à soutenir différents programmes de perfectionnement de la main-d'oeuvre dans toutes les régions du pays. Par leur caractère novateur dans la manière d'aborder le problème du chômage, ces mesures annonçaient l'émergence d'une nouvelle façon de concevoir la gestion économique gouvernementale.

Le cabinet Lesage, qui n'avait à l'époque qu'une vision très partielle et très morcelée du dossier de la main-d'oeuvre, fut donc interpellé presque immédiatement après la prise du pouvoir en vue d'adopter les mécanismes nécessaires à l'opérationnalisation des programmes fédéraux[2]. Rappelons que dans le secteur de l'emploi, le Québec s'en était remis jusqu'alors au secteur privé et à une politique un peu scabreuse (patronnage) d'octroi des contrats gouvernementaux pour «régulariser» le marché du travail. En ce domaine, la récession de 1958 où le Québec fut confronté à des taux de chômage de près de 10 % mit en lumière l'inefficacité absolue de cette approche, posant du même coup l'urgence d'une politique plus structurée en vue de mieux planifier le développement économique. Par ailleurs, la place effective occupée par l'administration provinciale dans le domaine du placement était modeste. Le Service de placement provincial, fondé en 1911 mais fortement concurrencé par le gouvernement fédéral à la suite de la création du Service national de placement en 1941, ne disposait en effet que de trente et un bureaux pour l'ensemble du territoire en 1960.

Ajoutons à cela que les propositions fédérales en matière de formation professionnelle survinrent au moment où le Québec amorçait à peine la réflexion sur son système d'éducation. La réforme de l'éducation entreprise sous la direction de Paul Gérin-Lajoie servit d'ailleurs de toile de fond à une remise en question de l'ensemble de l'action gouvernementale en matière de formation professionnelle[3]. Le gouvernement ne disposait en fait pour seul mécanisme d'intervention en ce domaine que d'un régime fort décrié de formation par l'apprentissage. Le mandat fut à cet égard confié à Arthur Tremblay, futur sous-ministre de l'Éducation, qui devait définir la trame d'une nouvelle politique de formation[4]. À la suite de son rapport, le Québec engagea des négociations avec le gouvernement central, redéfinit le rôle des commissions d'apprentissage et mit en branle un processus de représentation auprès des parties syndicale et patronale en vue de les amener à participer à la planification de l'emploi. Le gouvernement québécois profita du cadre établi par le Programme d'assistance à la formation professionnelle et technique fédérale (1960) pour se doter de son premier programme de formation

---

2. Voir J. I. GOW, *Histoire de l'administration publique québécoise*, Montréal, Presses de l'Univeristé de Montréal, 1986.

3. La *Loi sur l'apprentissage* a été adoptée en 1944.

4. Le rapport Tremblay n'a jamais été publié. Voir les références faites à ce rapport dans: Québec (province), Ministère du Travail et de la Main-d'oeuvre, *La politique du marché du travail*, MTM, 1980 (ronéotypé).

professionnelle (1961)[5]. Nous devons ajouter à cela que la place consentie au dossier de la formation professionnelle dans le débat sur la réforme de l'éducation était très modeste.

Au début des années 1960, les structures québécoises n'étaient adaptées ni à l'intervention directe dans le champ de l'emploi, ni à un encadrement distinct de la formation professionnelle. Les milieux politiques et certains hauts fonctionnaires comprirent alors rapidement l'importance des menaces posées à long terme par la politique fédérale. En conséquence, après une première phase que nous qualifions de «réactive», caractérisée par un comportement défensif, opportuniste et prudent de l'administration québécoise, le gouvernement provincial s'engagea dans une phase «d'émergence» du champ de la main-d'oeuvre où les priorités politiques et administratives furent définies en fonction de l'accroissement de la présence des institutions québécoises en vue d'y préserver leurs compétences. Ces priorités furent également établies de façon à viser un accroissement de l'efficience et de la capacité d'intervention et de régulation de l'État québécois par rapport à l'économie provinciale[6].

La conséquence immédiate de ces décisions politiques sur l'organigramme du ministère du Travail fut de détacher l'emploi et la formation de l'administration des politiques d'accident du travail de laquelle ils relevaient, pour les confier à deux nouvelles directions ministérielles. La première, celle de l'emploi et de la main-d'oeuvre, encadra le placement et le reclassement, alors que la seconde, celle de l'apprentissage et de la promotion professionnelle, regroupa les instances chargées des dossiers de l'apprentissage, de la promotion professionnelle et de la formation en entreprise.

Grâce à cette réforme, le ministère du Travail franchit une étape importante dans la reconnaissance d'un certain particularisme à la gestion de la main-d'oeuvre. Nous devons en effet rappeler que la relation entre l'intervention sur le marché de l'emploi et l'administration des relations du travail est un sujet de débat qui mobilisa beaucoup d'énergie au début des années 1960. Les nouveaux programmes de main-d'oeuvre étaient déchirés entre plusieurs orientations politiques (intégration à la politique sociale, intégration à la politique du travail, fusion avec la politique d'immigration, politique autonome de la main-d'oeuvre) qui donnèrent lieu à divers affrontements entre administrations. Invité à prendre position dans le débat, le Bureau international du travail (B.I.T.) conclut, après consultation de ses membres, que le lien avec les relations du travail était plus évident et plus

---

5. Le Programme de formation professionnelle et technique.

6. Contrairement aux instances fédérales, la fonction publique québécoise s'est montrée très sensible aux préoccupations de l'Organisation de coopération et de développement économique sur la réforme des politiques classiques de placement et de formation en direction d'une véritable politique de la main-d'oeuvre intégrée d'inspiration keynésienne comme instrument de croissance et de contrôle économique.

fonctionnel, notamment parce que, affirmait-il, les politiques d'emploi étaient forcément tributaires des conditions de travail et surtout de l'engagement des partenaires sociaux responsables de l'établissement de ces conditions par voie de négociation. On remarquera ici l'influence des expériences sociales-démocrates européennes. L'objet de la politique du travail, reprit le Conseil économique du Canada dans son premier exposé annuel, devait être d'ajuster l'offre et la demande de travail en fonction de l'utilisation maximale des ressources humaines sur le marché du travail. L'efficacité de la politique de la main-d'oeuvre dépendait par conséquent de la mobilité des travailleurs. Cette politique devait donc relever d'un organisme rattaché non pas à des ministères à vocation sociale ou économique mais du ministère du Travail, avec un accès direct aux plus hautes instances du ministère de façon que les priorités de l'emploi soient partie intégrante de la politique du travail. Le Conseil ajouta:

> pour qu'un service public de placement soit véritablement efficace, il faut que les personnes directement affectées par son fonctionnement aient l'occasion de le conseiller[7].

Le Conseil recommanda donc au cabinet fédéral de mettre en place des mécanismes de consultation susceptibles de garantir un contact permanent avec des représentants patronaux et syndicaux. Les dimensions beaucoup trop modestes et la juridiction limitée[8] du ministère fédéral du Travail amenèrent cependant le gouvernement central à écarter cette avenue pour lui préférer, en 1965, l'intégration au nouveau ministère de la Main-d'oeuvre et de l'Immigration.

Pour les mêmes raisons, le cabinet québécois, conscient de sa vulnérabilité juridictionnelle en matière d'emploi, fit le choix de maintenir le lien administratif avec le ministère du Travail. Il était cependant d'ores et déjà acquis qu'une refonte en profondeur des structures du ministère s'imposait en vue d'assurer au dossier de l'emploi les ressources susceptibles de faire contrepoids aux instances rattachées à l'administration des relations du travail. Quelques années de sensibilisation aux problèmes de l'emploi et de la formation de la main-d'oeuvre suffirent donc à en faire un enjeu économique, politique et administratif. À la veille de l'élection de 1966, le Parti libéral du Québec (PLQ) mit de l'avant une proposition visant à créer un ministère de la Main-d'oeuvre et de l'Immigration québécois. Mais sa défaite mit rapidement un terme au projet.

---

7. Conseil économique du Canada, *Premier exposé annuel, objectifs économiques du Canada pour 1970*, CEC, décembre 1964, p. 182.

8. Cette juridiction ne s'applique qu'aux secteurs économiques sous responsabilité fédérale (communication, transport interprovincial, postes, etc.) et aux employés de l'État fédéral.

La nouvelle direction du ministère du Travail profita néanmoins de la révision de sa loi organique en 1968 pour proposer une réforme des structures responsables de la main-d'oeuvre et la mise sur pied d'un centre de recherches et d'études sur le travail et la main-d'oeuvre. Cette réforme fut à l'origine de la création de la Direction générale de la main-d'oeuvre (DGM) dont le mandat reprit les grandes lignes du projet piloté auparavant par les libéraux. En vue de mettre en relief sa nouvelle mission en gestion de la main-d'oeuvre, l'Assemblée nationale changea le nom du ministère qui devint le ministère du Travail et de la Main-d'oeuvre.

Le cheminement poursuivi au Québec entre 1960 et 1968 dans le dossier de la main-d'oeuvre fut donc marqué par un désir d'étendre le rayonnement de l'État, d'occuper ses champs de compétence et de donner à la machine administrative québécoise de nouveaux outils d'intervention économique et de planification des ressources humaines. Comme le montre la suite des événements, la décision de confier le mandat d'administrer les programmes et de définir la politique de la main-d'oeuvre au ministère du Travail ne fut cependant pas une décision heureuse. Elle enferma le dossier de la main-d'oeuvre dans une structure qui ne lui attribua ultimement qu'une influence accessoire sur la direction du ministère.

LE RÈGNE DE LA DIRECTION GÉNÉRALE DE LA MAIN-D'OEUVRE: L'EMPLOI ET LA FORMATION CONFRONTÉS À L'ADMINISTRATION DU TRAVAIL, 1968-1982

La nouvelle mission de l'emploi: l'échec

La Direction générale de la main-d'oeuvre fut constituée quelques mois avant l'adoption de la *Loi du ministère du Travail et de la Main-d'oeuvre* et fut, dès sa création, accusée par l'opposition parlementaire de n'accorder qu'une attention très accessoire à l'urgence de l'adoption d'une politique de la main-d'oeuvre[9]. Le ministre Maurice Bellemare riposta à cette critique en publiant, quelques semaines après le débat en chambre, les grandes lignes du mandat de la DGM où il spécifiait notamment que la tâche principale du nouvel organe devait être d'élaborer:

> un ensemble coordonné de programmes d'utilisation et de préservation des ressources de main-d'oeuvre dans le but de faire concourir l'emploi de ces ressources aux objectifs visés de

---

9. Québec (province), *Gazette officielle*, jeudi 5 décembre 1968, pp. 4509 et suiv.

croissance économique et d'élévation du niveau de vie de la population québécoise[10].

Ce mandat comprenait quatre volets principaux. Il devait d'abord mentionner l'objectif du plein emploi. Il fut aussi défini en fonction de l'amélioration de la production, de la redistribution géographique de la main-d'oeuvre et de l'intégration du travailleur à son milieu de travail. De façon plus explicite, la DGM hérita de la tâche d'élaborer une politique de placement, d'orientation, de reclassement, de formation professionnelle, de «liaison entre entrepreneurs et travailleurs»[11] et de la responsabilité d'encadrer la formation et l'administration des déplacements de la main-d'oeuvre. Ce projet fit également ressurgir l'urgence de définir une stratégie de plein emploi adaptée aux besoins du Québec[12]. Il offrit en outre de nouvelles perspectives aux commissions d'apprentissage[13] en faisant miroiter l'éventualité de responsabilités additionnelles dans le champ de la formation. La mise sur pied d'une Commission d'étude sur la formation (commission Laird) alloua ultérieurement une crédibilité accrue à cette déclaration d'intention. Finalement, le projet de réforme énonça la nécessité de rechercher des mécanismes susceptibles d'assurer la communication entre le ministère et les partenaires sociaux, non plus seulement en relations du travail mais également par rapport à la mise en oeuvre d'une éventuelle politique d'emploi. L'approche à laquelle le ministère adhéra sembla donc s'inscrire simultanément dans l'axe de la politique sociale de l'État et dans la perspective de la reconnaissance des spécificités régionales.

En vue de mieux éclairer le cadre politique qui accompagnait la réforme de 1968, rappelons les grandes lignes du contentieux social. Depuis le début des années 1960, le gouvernement québécois était à la recherche d'une stratégie susceptible de lui assurer l'initiative dans l'élaboration d'une politique sociale québécoise. Un mandat d'élaborer une ligne de conduite fut confié à la commission Castonguay-Nepveu dont le rapport, déposé en 1970, préconisait notamment la mise en place d'un régime du revenu minimum garanti[14]. L'emploi y sera perçu comme une des composantes de la nouvelle problématique sociale, comme un moyen de soutenir plus efficacement les efforts de l'État en vue de contrôler les fluctuations de l'économie et de soulager le problème du désoeuvrement. C'est dans cette perspective par

---

10. Québec (province), ministère du Travail, *Rapport annuel*, 1968-1969, Québec, Ministère du Travail, p. 63.

11. Québec (province), ministère du Travail, *Rapport annuel*, 1966-1967.

12. La *Loi fédérale sur la formation professionnelle aux adultes* de 1967 relègue les provinces à un rôle d'exécutant en échange d'un financement entièrement assuré par le gouvernement fédéral.

13. Au nombre de vingt-sept en 1965.

14. Québec (province), *Rapport de la Commission d'enquête sur la santé et le bien-être social*, Québec, Éditeur officiel du Québec, 1970.

exemple que le gouvernement fédéral instaura le Programme initiative locale et le Programme perspectives jeunesse. Le Québec emboîta le pas en 1972-1973 avec l'adoption du Programme d'aide au travail et du Programme de subvention au placement étudiant[15].

En ce qui concerne le dossier régional, le Québec récolta après 1968 les retombées des expériences du milieu des années 1960 dont celles du Bureau d'aménagement de l'Est du Québec et du Conseil d'orientation économique du Québec. Le constat de l'incapacité des instruments macroéconomiques à résoudre les problèmes de disparité régionale amena le gouvernement à débattre de décentralisation, de régionalisation et surtout à restructurer ses programmes en vue d'intervenir plus efficacement sur le plan régional. On révisa ainsi les instruments traditionnels de redistribution du revenu pour leur préférer des mécanismes d'intervention plus directs, orientés vers le soutien à l'entrepreneurship et les programmes régionaux de création d'emplois.

C'est dans ce contexte de remise en question de l'orientation de l'ensemble de l'intervention de l'État que la DGM s'attaqua en 1968 à la rédaction de *sa* politique. Un comité sur la formation fut mis sur pied pendant que, parallèlement, un groupe de hauts fonctionnaires entreprit la rédaction d'un livre blanc. Le premier résultat concret de cette démarche mena à l'adoption en 1969 de la *Loi sur la formation et la qualification professionnelle de la main-d'oeuvre*[16]. Une des conséquences principales de cette nouvelle législation fut de remettre l'administration et l'encadrement de la formation professionnelle à des instances sectorielles régionales, les Centres de formation professionnelle (CFP), placés sous la responsabilité des parties patronales et syndicales par l'entremise de comités consultatifs régionaux. De plus, la loi introduisit de nouvelles règles en matière de licenciements collectifs et attribua un rôle plus actif aux Centres de main-d'oeuvre québécois (CMQ). La réforme de 1968 donna donc lieu, dans une première étape, à la mise en place d'une structure organisationnelle plus élaborée et plus cohérente que celle qui existait auparavant. Les fonctionnaires de la DGM étaient ainsi en droit d'espérer un certain soutien de la part du sous-ministre et du ministre responsable.

Dans un premier temps, leurs espoirs furent comblés. En effet, les engagements publics du ministre Pierre Laporte et du sous-ministre Robert Sauvé[17], après l'élection de 1970, donnèrent l'impression d'une volonté politique d'octroyer une place plus importante à la main-d'oeuvre en général.

---

15. Aux quelque 943 millions de dollars fédéraux (destinés au Québec) et 1,4 milliard de dollars provinciaux affectés à la sécurité du revenu sont venues s'additionner diverses sommes d'argent explicitement consacrées à la création d'emplois.

16. Le bill 49 donne suite à la loi fédérale sur la formation professionnelle de 1967.

17. En poste de 1969 à 1971.

Signalons toutefois que cette ouverture ne semblait pas partagée par toutes les instances du ministère du Travail. Une bonne partie des ressources du ministère était en effet affectée à des tâches d'intervention conjoncturelle dans le règlement des conflits de travail ou dans le processus de reconnaissance des unités d'accréditations syndicales. La nature même de ces tâches imposait au ministère un rôle d'arbitre-médiateur duquel découlait une conception très pragmatique de son intervention politique. L'emploi fut conséquemment perçu comme une préoccupation de seconde importance pour laquelle peu d'énergie et, surtout, peu de temps furent disponibles[18]. Bien que le poids physique de la Direction générale de la main-d'oeuvre ne cessa de croître pour représenter environ 33 % des effectifs et près de 50 % du budget du MTM après 1975, elle ne parvint jamais à se défaire de cette image de «parent pauvre».

La place réelle occupée par la DGM lui fut durement rappelée en 1971 par le successeur de Pierre Laporte, le ministre Jean Cournoyer. Le dépôt du livre blanc sur la politique de la main-d'oeuvre[19] était devenu, aux yeux des dirigeants de la DGM, un moyen d'assurer un caractère prioritaire à leurs dossiers au cabinet du ministre et une ligne de conduite susceptible de donner consistance à la réforme entreprise trois ans plus tôt. Or, la stratégie du ministre, conforme à celle de l'ensemble du cabinet, avait préalablement été établie au lendemain de la crise d'Octobre avec pour cible principale l'inauguration des travaux du projet hydro-électrique de la baie James. Le livre blanc qui, à la suite d'une critique sévère de la politique fédérale, proposait une approche fondée sur la mise en valeur des ressources humaines par la voie de l'harmonisation de la politique du Ministère aux besoins du milieu, se situait sur un registre si différent et si incompatible avec cette stratégie qu'il demeura sans suite. Pourtant comme le soulignent avec beaucoup d'à-propos Diane Bellemare et Lise Simon-Poulin[20], jamais dans son histoire la position du gouvernement québécois n'a-t-elle été aussi nette dans ce dossier. Le projet de livre blanc proposait un cadre politique qui aurait pu lui permettre de devancer

---

18. Un bon exemple de cette problématique nous est fourni par le document de J. BARIL, «Les incidences du salaire minimum dans les secteurs à bas salaires et sur l'emploi en général»*Travail Québec*, vol. 11, n° 3, mai 1975: «Nous connaissons tous les obstacles qu'une convention collective peut créer au changement technique, à la mobilité des travailleurs et à leur perfectionnement. Des conditions de travail tels la durée du travail, l'allongement des vacances, l'âge de la retraite, les congés de perfectionnement ont une incidence directe sur les volumes de l'emploi. D'autres dispositions sur le perfectionnement, l'ancienneté, les formules de promotion, la description et la classification des emplois ont une répercussion directe sur la qualification de l'emploi» (pp. 133-134).

19. Québec (province), ministère du Travail et de la Main-d'oeuvre, *Pour une politique québécoise de la main-d'oeuvre*, 1971 (ronéotypé).

20. D. BELLEMARE et L. SIMON-POULIN, *Le défi du plein emploi*, Montréal, Éditions Saint-Martin, 1986, chapitre 7.

le gouvernement fédéral dans la mise en place de mécanismes de planification de la main-d'oeuvre[21].

Le seul secteur qui retint l'attention du gouvernement fut celui de la formation, à propos duquel la DGM avait élaboré neuf mesures[22] destinées à rapatrier sous son autorité l'ensemble des programmes en formation professionnelle[23]. Un comité interministériel de régie pédagogique auquel participa le ministère de l'Éducation fut formé en 1971 et l'on signa un accord sur le partage des responsabilités entre les deux ministères[24].

Néanmoins, la position objective occupée par la DGM dans la formation demeura ambiguë. En vertu de la loi, la plus grande part des budgets affectés à la formation étaient sous le contrôle des commissions de formation professionnelle (CFP) en région qui, rappelons-le jouissaient d'une certaine marge d'autonomie. Quelques CFP adoptèrent d'ailleurs une attitude souvent vindicative à l'endroit des fonctionnaires du ministère. Pour comprendre la raison d'être d'une telle attitude, nous devons la situer dans le cadre de la nature particulière des activités des CFP. Au début des années 1970, la formation encadrée par les CFP concernait principalement les métiers de l'industrie de la construction et, dans une moindre mesure, certains secteurs régis par décret comme l'automobile et la coiffure. Or, à partir de 1968, l'industrie de la construction s'engagea dans une expérience de syndicalisation sectorielle unique en Amérique du Nord[25]. La formation, tout comme le placement ou la qualification, devint un enjeu de pouvoir pour les organisations syndicales et patronales. Ce n'est qu'en 1974-1975, à la suite de l'enquête de la commission

---

21. Rappelons que la stratégie économique du gouvernement libéral fut orientée en 1970 vers la promotion de l'entrepreneurship autochtone, le développement des sociétés d'État et la Baie James. Les libéraux ne comptaient visiblement pas relancer le débat sur la planification ni reprendre les expériences de concertation syndicales-patronales. Ces derniers ont majoritairement associé les propositions du livre blanc à un modèle politique peu réaliste et difficilement négociable avec les autorités fédérales.

22. 1) Programme de formation en entreprise; 2) Programme de formation des adultes; 3) Programme de formation des apprentis; 4) Programme de formation des cadres; 5) Programme de formation aux instructeurs en formation professionnelle; 6) Programme de formation aux enseignants; 7) Programme de formation agricole; 8) Programme de formation aux Indiens; 9) Programme visant à l'uniformisation des exigences de qualification entre les provinces.

23. Une dizaine de ministères se partageaient plusieurs programmes et activités déterminés directement reliés au champ de la formation.

24. En conformité avec le cadre établi par le programme fédéral de formation adopté en 1967 et en renégociation en 1971.

25. Voir Y. BÉLANGER, *Les entrepreneurs québécois dans l'industrie de la construction*, mémoire de maîtrise, Département de science politique, Université du Québec à Montréal, 1977.

Cliche[26] que la DGM se résoudra à resserrer les contrôles administratifs sur ses centres régionaux.

Il ne restait somme toute qu'un corridor étroit à l'intérieur duquel la DGM pouvait encore espérer se donner des orientations compatibles avec les objectifs du livre blanc. Un effort fut fait en 1972 en vue d'occuper le champ de la qualification et d'ainsi y précéder le gouvernement fédéral, mais la tournée de consultation provinciale menée à cette fin déboucha à nouveau sur des recommandations qui demeurèrent apparemment sans suite. L'intervention de la DGM prit en conséquence la direction d'actions ponctuelles et d'initiatives personnelles. Signalons toutefois l'adoption du Programme de retour au travail des assistés sociaux qui fait acte d'une préoccupation à l'endroit du régime d'aide sociale dont le rôle sera ultérieurement déterminant pour la politique de la main-d'oeuvre québécoise et la mission de la DGM[27].

On peut à cet égard assimiler la trajectoire suivie entre 1968 et 1975 à un démarrage plus ou moins raté. Certes, l'État québécois disposait d'un certain nombre d'outils d'intervention et d'analyse du marché du travail. Ces outils n'offraient cependant pas suffisamment d'emprise sur l'économie québécoise pour permettre de planifier avec efficacité les ressources en main-d'oeuvre. En fait, la machine québécoise ne pouvait prétendre à une quelconque efficience que dans le seul secteur de la formation qu'elle ne dominait que partiellement. Dans le domaine de l'emploi et de la lutte au chômage, les programmes de la DGM ne représentaient tout compte fait qu'un complément marginal aux grands programmes fédéraux administrés par le ministère de l'Emploi et de l'Immigration du Canada et la Commission de l'assurance-chômage. Dans un tel contexte, la décision de tabletter le livre blanc de 1971 consacrait l'état d'infériorité du MTM par rapport à son vis-à-vis fédéral. Il apparaissait en outre maintenant évident qu'aucune politique de la main-d'oeuvre ne pourrait voir le jour sans une modification substantielle des relations entre la DGM et les autres composantes du MTM[28].

Quoi qu'il en soit, cette impuissance ne tarda pas à susciter la convoitise et à provoquer l'émergence de projets alternatifs dans d'autres constituantes de l'État québécois. La menace la plus sérieuse émergea en 1975 à la suite du dépôt d'un livre blanc sur l'immigration par Lise Bacon dont le

---

26. Commission d'enquête sur l'exercice de la liberté syndicale dans l'industrie de la construction, *Rapport*, Québec, Éditeur officiel du Québec, 1975.

27. Les arrêtés en conseil n° 1371, 1981 et 3925 allouaient à la DGM la responsabilité d'administrer un programme de prime à l'embauche de bénéficiaires de l'aide sociale.

28. Ironiquement la section du rapport du ministère en 1974-1975 qui traite de l'emploi s'intitule «Vers le plein emploi». En 1975, le taux de chômage québécois est le plus élevé depuis 1945.

titre, évocateur, est *Pour une politique de la population: Livre blanc sur les ressources humaines*[29].

L'intégration à l'immigration

Rappelons en guise de préambule à l'étude de ce dossier qu'en 1974-1975 le ministère de l'Immigration du Québec (MIQ) se cherchait une vocation. Depuis sa création en 1968[30], il s'était heurté à l'intransigeance du gouvernement fédéral pour lequel l'immigration constituait un important outil de contrôle du développement économique[31]. Dans ce contexte, le livre blanc québécois représentait une tentative d'élargir sa mission et de se donner une assise politique susceptible d'obliger Ottawa à lui aménager une place dans le jeu des relations fédérales-provinciales[32].

L'intérêt du MIQ pour la gestion de la main-d'oeuvre représentait également une tentative d'adapter l'administration québécoise à la structure fédérale. En effet, au moment où le MIQ déposa son livre blanc, Ottawa travaillait à une réforme de ses institutions visant à renforcer la cohésion de ses programmes d'emploi et de chômage en vue notamment d'y intégrer des mesures destinées précisément à l'immigration[33]. L'objectif du MIQ était donc de s'assurer un rôle d'interlocuteur provincial unique vis-à-vis le fédéral.

Concrètement, le projet du MIQ consistait en une proposition destinée principalement à regrouper l'ensemble des services consacrés à l'administration des programmes chargés d'encadrer les différentes catégories de la population québécoise, en vue de former un ministère des Ressources humaines. Le livre blanc préconisait notamment le regroupement des services d'immigration,

---

29. Ministère de l'Immigration, *Pour une politique de la population: Livre blanc sur les ressources humaines*, MIQ, 1975.

30. Le Ministère prenait la relève du service aux immigrants du ministère des Affaires culturelles (1965).

31. M. LABELLE *et al.*, *Histoire et conditions de vie des travailleurs immigrants au Québec*, Québec, CEQ, 1979.

32. Cette démarche fut toutefois abandonnée quelques années plus tard.

33. Des études annoncées à cette époque furent publiées au cours de 1977. Signalons parmi elles le document suivant: Assurance-chômage Canada, *Étude d'ensemble du régime d'assurance-chômage au Canada*, CAC, février 1977, (réforme Cullen). Par ailleurs, le projet de loi C-27 créant le ministère de l'Emploi et de l'Immigration, la Commission de l'emploi et de l'immigration du Canada, le Conseil consultatif canadien de l'emploi et de l'immigration et modifiant la loi de 1971 sur l'assurance-chômage fut adopté par la Chambre des communes le 19 juillet 1977.

ceux de la démographie et de la famille (MAS) et ceux de la main-d'oeuvre (MTM)[34].

Le dossier de la fusion fut cependant suspendu à la veille des élections de 1976. La fonction même d'opposition parlementaire à laquelle le Parti québécois était confiné depuis 1970 explique probablement en partie son opposition de principe au projet. Néanmoins, au moment de la formation de son premier cabinet, le premier ministre René Lévesque confia la direction du MIQ et du MTM au même ministre, soit Jacques Couture. Une des premières décisions du ministre fut d'abandonner les trois projets de loi concernant la fusion inscrits au feuilleton par les libéraux[35], pour relancer la consultation à l'intérieur des instances gouvernementales[36].

Cette consultation offrit au MTM de nouvelles tribunes pour publiciser son opposition. Le MTM fit valoir deux arguments principaux. En premier lieu, il mit en doute la pertinence de confier la gestion de la main-d'oeuvre à un ministère aux compétences constitutionnelles contestées et vulnérables. En second lieu, il réaffirma l'absolue nécessité de maintenir en contact permanent les dossiers de la main-d'oeuvre et des relations du travail[37], pour conclure que la fusion ne pouvait ultimement que mettre en péril la paix industrielle en donnant avantage à la politique d'immigration. Or, le MTM se percevait encore à l'époque comme une des composantes administratives les mieux placées pour formuler une politique d'emploi basée sur la concertation, grâce notamment à son rôle d'intermédiaire entre les employeurs, les travailleurs et leurs associations.

La mobilisation de ressources à l'intérieur du MTM en vue de résister à l'offensive du MIQ, en replaçant la DGM sous les feux de la rampe, attira à nouveau l'attention générale sur l'absence de politique globale en matière de gestion et d'encadrement de la main-d'oeuvre. Le rapport annuel de 1974-1975 du MTM mentionne l'existence d'un comité interministériel chargé d'élaborer une telle politique. Au moment de la publication du rapport, ce comité avait réalisé un premier inventaire de l'ensemble des programmes de main-d'oeuvre. Par ailleurs, dix comités se virent confier le mandat de formuler des

---

34. Voir Québec (province), ministère de l'Immigration, *Livre blanc: population, main-d'oeuvre et immigration*, Québec, MIQ, 1975. Ce document rappelle en outre qu'en 1974 les effectifs du ministère fédéral comptaient 7 500 employés au Québec contre 200 à la DGM. Notons cependant le caractère exagéré de cette évaluation. En 1974, la DGM employait environ 500 personnes (incluant les CFP).

35. Projets de loi n° 28, 29 et 30 (1976).

36. Il créa à cette fin un comité chargé d'étudier la fusion en août 1977.

37. Québec (province), ministère du Travail et de la Main-d'oeuvre, *Mémoire au Conseil exécutif, commentaires et opinions du MTM sur les recommandations de mémoire du 9/2/76*, 18 décembre 1976 (ronéotypé).

propositions concrètes susceptibles de baliser l'intervention du ministère[38]. Cette nouvelle tentative, bien qu'elle amena Québec à réaffirmer ses velléités d'autonomie dans le cadre de la Conférence fédérale-provinciale de 1976, demeura une fois de plus sans lendemain.

Certains élus convaincus de la nécessité d'élargir l'emprise de l'État québécois sur son économie entreprirent, à partir de ce moment, la mise en forme d'une nouvelle génération de programmes d'emploi hors des cadres établis par le MTM. Ainsi, dès sa création, le Programme de stimulation de l'économie et de soutien de l'emploi (PSESE), qui devint l'Opération solidarité économique (OSE), et qui représentait le résultat du regroupement de vingt-sept activités de création d'emplois réparties dans différents ministères, fut placé sous la responsabilité d'un comité interministériel chapeauté par le ministère d'État au développement économique où le ministère du Travail et de la Main-d'oeuvre brilla par son absence[39]. Le Programme de création d'emplois communautaires (PECEC) intégré à OSE fut pour sa part confié à l'Office de planification et de développement du Québec (OPDQ)[40].

Ce morcellement des programmes de main-d'oeuvre et plus particulièrement de programmes d'emploi s'explique également par la présence des superministères d'État mis en place après l'élection de 1976. Dans le cas qui nous intéresse, la présence du ministère d'État aux Affaires sociales (MEAS) dirigé par Pierre Marois a contribué à jeter une certaine confusion dans le dossier de la main-d'oeuvre et de ses relations au secteur social. Rappelons qu'en disposant de cabinets politiques autonomes, avec pour mandat explicite d'élaborer de grandes orientations politiques susceptibles d'assurer une certaine cohésion sectorielle à l'intervention de l'État, les ministères d'État se sont manifestés très rapidement dans la plupart des dossiers importants. La présence de ces nouvelles entités administratives provoqua plusieurs luttes de pouvoir[41]. Par exemple, on s'interroge encore

---

38. Québec (province), ministère du Travail et de la Main-d'oeuvre, Comité D'allaire, *Rapport synthèse*, 2 mai 1977 (ronéotypé). Le document met en doute notamment la pertinence du maintien des CFP et propose une démarche en matière de formation fondée sur la récupération des programmes administrés par le gouvernement fédéral.

39. Modeste au début (1977-1978) avec seulement 820 emplois créés, le programme devint une pièce majeure mais contestée de la politique de relance de l'économie après 1979. OSE fut considéré par plusieurs analystes comme un collage de programmes et une opération publicitaire fondamentalement constituée d'interventions de sauvetage d'entreprises et surtout de recensement des investissements publics. Voir P. FOURNIER, *La concertation au Québec, étude de cas et perspectives*, Québec, Les publications du Québec, 1985.

40. Selon un relevé réalisé en 1981, le gouvernement québécois disposait de 115 mesures d'emploi réparties dans vingt-six ministères.

41. Voir L. BORGEAT *et al.*, *op.cit.*, chapitre 3. Québec (province), Centre de recherches statistiques sur le marché du travail, *Inventaire des mesures*

aujourd'hui sur les raisons qui ont amené le MEAS à confier l'administration du Programme PECEC à l'Office de planification et de développement du Québec (OPDQ) et non pas au MTM. Cette décision s'explique probablement en partie par le caractère communautaire et régional du programme que le gouvernement du Parti québécois souhaitait vivement encourager et avec lequel la DGM n'était pas familiarisée. On peut penser sur un autre plan que le passage de Pierre-Marc Johnson au MTM, déjà considéré à l'époque comme un rival potentiel de Pierre Marois à la succession de René Lévesque, n'a probablement pas non plus été étranger à cette décision.

Par ailleurs, le dossier des relations MTM/MEAS doit être analysé dans le contexte plus large de la centralisation du pouvoir au profit du Conseil des ministres et au détriment des ministères sectoriels. La création des grands ministères d'État en 1976 marquait en fait une étape importante dans le long processus de la concentration du pouvoir au sein de l'administration québécoise. D'autres étapes avaient été préalablement franchies au cours des années précédentes avec la mise sur pied du Conseil du trésor et du Comité des priorités. La constitution des ministères d'État qui héritèrent de la tâche d'animer et d'orienter les travaux de six comités ministériels permanents[42], offrait théoriquement un accès complémentaire au contrôle des activités des ministères sectoriels tout en proposant une façon d'aborder le problème de la coordination, de l'harmonisation et de la planification de l'intervention gouvernementale. En outre, les comités ministériels présentaient l'avantage d'être éloignés des organismes administratifs et de n'être assujettis qu'aux instances politiques de l'État. La menace était toutefois que les ministres d'État ne se satisfassent pas d'une fonction de coordonnateur et que la tentation soit grande pour eux de rechercher des moyens d'exercer leur influence directement sur les administrations sectorielles ou, à défaut, de créer une administration parallèle.

C'est un peu ce qui s'est produit dans le domaine social et dans celui de la main-d'oeuvre. Pendant les cinq années où il a occupé le siège de ministre d'État aux affaires sociales, Pierre Marois a cherché à établir des contacts directs avec les fonctionnaires du MTM. Par ailleurs, en acceptant de confier l'administration du PSESE/OSE et du PECEC à des organismes directement rattachés au Conseil des ministres, le MEAS s'est donné des moyens plus

---

de main-d'oeuvre et d'emploi aux gouvernements du Québec et du Canada en 1981-1982, Québec, CRSMT, 15 janvier 1982.

42. Le Comité ministériel permanent du développement social (CMPDS) était formé du ministre d'État au développement social, du ministre du Travail, de la Main-d'oeuvre et de la Sécurité du revenu, du ministre des Communautés culturelles, du ministre de la Fonction publique, du ministre de la Justice, du ministre de l'Habitation et de la Protection du consommateur, du ministre des Affaires sociales, du ministre de l'Éducation et de la ministre d'État à la condition féminine.

directs d'en régir l'application. Le MEAS a donc été l'artisan d'un processus de concentration du pouvoir et du contrôle du Conseil des ministres au détriment du MTM. L'intérêt porté successivement par le MIQ et le MEAS au secteur de la main-d'oeuvre permet de constater qu'il a existé tout au long des années 1970 un besoin réel pour l'État québécois d'élargir son emprise sur le marché du travail.

Cette remarque nous permet de mieux mesurer l'impact du refus de la direction du MTM de soutenir le projet de livre blanc élaboré par la DGM en 1971. Ce refus a eu pour conséquence de priver l'État québécois d'un outil de gestion économique tout en bloquant pendant près de dix ans, d'après une stratégie uniquement défensive, toute possibilité de confier cette réalisation à une autre entité administrative. La somme des pressions qui se sont ainsi exercées a donné lieu à un mouvement tendanciel en faveur du statu quo au sein du MTM, dans un contexte qui aurait pourtant été très favorable à la multiplication des programmes et à la mise en place de nouveaux mécanismes de planification de l'emploi. Il appert en effet que cette période cruciale de la politique économique québécoise et canadienne qui s'est inscrite sur la toile de fond des contrôles anti-inflationnistes, des coupures budgétaires et de la réduction des programmes sociaux, fit du secteur de la main-d'oeuvre un des lieux de recomposition de la stratégie d'intervention de l'État. L'absence d'un leadership dynamique à l'échelle de la politique québécoise eut dans ce contexte un effet centripète, entraînant un morcellement encore plus prononcé des programmes. Au seuil des années 1980, le pouvoir apparut plus éparpillé encore qu'au moment de la création de la DGM en 1968. L'absence d'objectifs en matière d'encadrement du marché du travail qui résulta de cet éparpillement plaça la DGM dans une position de grande vulnérabilité lorsque s'amorça le débat sur la décroissance de l'État et la redéfinition de la politique de sécurité du revenu.

La sécurité du revenu contre l'emploi

Avant de nous engager dans l'étude de l'impact de la politique de la sécurité du revenu sur le secteur de la main-d'oeuvre rappelons quelques grandes données de la conjoncture. L'économie québécoise était en situation de crise larvée depuis 1975, elle sera en crise ouverte à partir de 1981. Une des conséquences de cette crise a été de hausser de façon substantielle le fardeau social et, plus particulièrement, d'entraîner dans un mouvement de croissance soutenu les programmes de chômage et d'aide sociale. L'État fédéral, par exemple, a tenté de soulager son Programme de chômage par diverses réformes en 1975, en 1978 et en 1980. Ces réformes l'ont amené à abandonner tout effort en vue d'étendre la mission sociale du programme pour se replier sur une gestion plus proche du principe sélectif de l'«assurance»[43]. Parallèlement, Ottawa a procédé à la fusion de la Commission de l'assurance-chômage et des centres de main-d'oeuvre en vue d'assurer un retour au travail plus rapide des bénéficiaires. Différentes mesures ont été adoptées à cette fin et un nouveau système d'information mis en place.

À Québec, la réforme a été plus laborieuse. Rappelons en premier lieu que la pierre d'assise du régime social québécois est le Programme d'aide sociale et que ce programme doit en principe être accessible à toute personne dans le besoin, sans autre forme de sélection. Or, la dégradation de la situation économique et le resserrement de l'accès au chômage ont eu pour conséquence un accroissement considérable des bénéficiaires de l'aide sociale (BAS). Au nombre de 195 000 en 1971, les BAS sont passés à 203 000 en 1975 pour franchir la barre du demi-million en 1980. Cette croissance se poursuivra jusqu'en 1986. Le régime avait été conçu, disait-on, pour les personnes inaptes à travailler. Or, en 1980, le Conseil des ministres estimait à 53,6 % la proportion de bénéficiaires aptes au travail. Le régime d'aide sociale assumait donc, dans les faits, une part substantielle des frais de la crise et devenait une menace à l'«équilibre» budgétaire de l'État. La révision des objectifs du programme en vue d'inciter un plus grand nombre de bénéficiaires à retourner au travail s'imposa donc comme un *impératif financier* qui entraînera le secteur de la main-d'oeuvre à sa suite.

L'année 1980 a marqué une étape importante dans le cheminement conjoint des dossiers de l'emploi et de l'aide sociale. Le cabinet a en effet confié à deux groupes d'étude la mission de le conseiller sur une éventuelle réforme de son système de sécurité sociale. Le Groupe de travail sur la révision du Programme d'aide sociale dirigé par Émile Dubois (Conseil des ministres),[44] — auquel participèrent également des représentants du Conseil du trésor, du MAS et du MTM — et le Groupe de travail sur la sécurité du revenu présidé par l'économiste Pierre Fréchette de l'Université Laval, ont tous deux développé une analyse de l'aptitude au travail des BAS orientée vers le regroupement des ressources du réseau de l'aide sociale et de celles des Centres de main-d'oeuvre.

Le groupe Fréchette s'attarda plus particulièrement à l'étude de la sécurité du revenu et du concept de revenu minimum garanti (RMG) avec pour trame centrale l'abandon du principe de l'universalité, la réduction du coût des programmes et leur simplification.

> Le système actuel est la résultante des choix passés effectués au fil des ans. Il est important de se rendre compte que,

---

43. Voir à ce propos M. PELLETIER, *De la sécurité sociale à la sécurité du revenu*, 1982.

44. Groupe de travail sur la révision du programme d'aide sociale, *Rapport préliminaire du groupe de travail sur la révision du programme d'aide sociale*, Québec, Secrétariat général du Conseil exécutif, 1980.

> pour un coût total donné de la sécurité du revenu, il serait possible de prendre des orientations assez différentes du système actuel. En fait, il est véritablement possible de faire des choix sur le plan de l'orientation générale de la sécurité du revenu: tout dépend de l'importance relative que l'on accorde à chaque objectif[45].

Or, quels étaient ces objectifs? Idéalement, il devrait être possible d'avoir un seul programme de sécurité du revenu qui encourage au travail tout en étant redistributif[46].

L'accent mis sur la sélectivité des programmes et la réforme du régime de fiscalité s'harmonisait en outre ici à l'objectif d'améliorer la qualification des travailleurs par la formation professionnelle et la création directe d'emplois[47]. Sur le plan administratif, le document prêchait en faveur du regroupement des services à l'intérieur d'une nouvelle entité, soit un ministère de l'Emploi et de la Sécurité du revenu.

L'impact de la révision proposée par le Conseil des ministres fut majeur et déterminant dans l'orientation de la politique de la main-d'oeuvre après 1980. Les recommandations des deux rapports furent discutées à tous les niveaux de l'appareil d'État québécois et donnèrent lieu ultimement à un resserrement empirique de la problématique de la sécurité du revenu autour de la question du retour au travail des BAS.

On doit à cet égard signaler l'influence majeure qui a été celle du Conseil du trésor dans ce dossier. Vers la même époque, le Conseil du trésor établit en effet certaines priorités dans la réduction des dépenses sociales de l'État qui reprirent l'objectif d'inciter plus activement, et avec des moyens contraignants accrus, les bénéficiaires de l'aide sociale aptes au travail à réintégrer le marché du travail. À ce même moment, le Conseil du trésor mena diverses études destinées à mettre au point une procédure de récupération des trop-payés et d'identification des fraudeurs. Une problématique plus claire sera ultérieurement publiée dans le livre blanc sur la fiscalité[48].

Les pressions du Conseil du trésor obligèrent le MTM à prendre position:

> Ce document a pour objectif d'énoncer l'opinion du ministère du Travail et de la Main-d'oeuvre sur la question des bénéficiaires de l'aide sociale qui sont aptes au travail. Il s'agit d'un sujet d'une grande importance eu égard aux implications sociales, économiques et financières. Il faut mesurer les conséquences psycho-sociales que supportent tous les individus

---

45. Groupe de travail sur la sécurité du revenu, *Vers une politique québécoise de revenu minimum garanti et de sécurité du revenu*, Québec, Secrétariat général du Conseil exécutif, 1980, p. 87.

46. *Idem*, p. 91.

47. *Idem*, pp. 145 et suiv.

48. Québec (province), ministère des Finances, *Livre blanc sur la fiscalité des particuliers*, Québec, Gouvernement du Québec, 1984.

> concernés directement ou indirectement par la situation d'oisiveté et de dépendance sociale dans laquelle se retrouve une partie non négligeable de toute la population du Québec. De plus, la non-utilisation des capacités productives de plus de cinq cent mille Québécois et Québécoises constitue une perte énorme pour l'économie québécoise. Enfin, l'État affecte une importante partie de ses ressources budgétaires pour assurer la subsistance de plus d'une centaine de millions de ménages familiaux et non familiaux dont le chef est apte au travail. Cette question des bénéficiaires de l'aide sociale aptes au travail mérite donc un examen très attentif[49].

Le MTM critiqua néanmoins sévèrement certaines prémisses du rapport sur la sécurité du revenu[50] en rappelant les contraintes de la conjoncture économique et la nécessité d'investir dans les programmes de création directe d'emplois et de formation en vue de soulager le problème du sous-emploi. Concrètement, la mise en place des Programmes intégration de jeunes au travail (PIJE) et retour au travail (PRET) confirmèrent le recentrement de la problématique gouvernementale autour de la réinsertion des assistés sociaux[51]. C'est peut-être à ce moment que l'absence de politique et de stratégie claire par rapport au marché du travail se fit le plus sentir. Faute d'alternative et devant leur incapacité de rédiger une contre-analyse susceptible d'éviter le glissement vers la sécurité du revenu, les fonctionnaires de la DGM se retrouvèrent à court d'arguments et sans soutien politique au Bureau du ministre et au Conseil des ministres.

La décision administrative la plus lourde de conséquences dans ce dossier, et qui lui a fait franchir un point de non-retour, a certainement été celle de modifier le mandat du MTM en 1981 en vue de créer le ministère du Travail, de la Main-d'oeuvre et de la Sécurité du revenu. Ce nouveau ministère fut confié à Pierre Marois, ex-ministre d'État au Développement social. Sous sa direction, les services de la main-d'oeuvre et de la sécurité du revenu s'engagèrent dans un vaste processus de réorganisation administrative dont la clé fut la fusion des Centres de main-d'oeuvre québécois aux Bureaux d'aide

---

49. Québec (province), ministère du Travail et de la Main-d'oeuvre, *La situation du marché du travail au Québec et ses conséquences sur le régime de l'aide sociale*, 1980.

50. Le MTM affirme: «Étant donné qu'il n'existe aucune pénurie de main-d'oeuvre non qualifiée au Québec, il est tout à fait impossible de soutenir sérieusement que les bénéficiaires aptes et disponibles soient des individus qui ne veuillent pas vraiment travailler et que l'on doive caractériser en faisant appel au vocabulaire de la psychologie: comportement délinquant, immaturité affective, absence de motivation et d'intérêt, etc.», *Idem*, p. 9.

51. Québec (province), ministère du Travail et de la Main-d'oeuvre, *La politique du marché du travail*, Québec, MTM, 1980.

sociale. Cette fusion ne fut pas réalisée sans résistance et mobilisa l'essentiel des énergies et des ressources du Ministère pendant près de douze mois.

Une des conséquences les plus tangibles de la fusion fut d'insuffler une nouvelle poussée aux effectifs de la DGM. Au cours de l'année financière 1980-1981, les effectifs totaux (permanents et occasionnels) y atteignirent 1 140 personnes/année. Après la fusion avec les services de sécurité du revenu, ils passèrent à 2 940 personnes/année. Le budget fit un saut quantitatif encore plus impressionnant, en passant de 100 millions de dollars en 1979-1980 à 1 364 millions de dollars en 1981-1982[52].

La fusion fut également à l'origine de la création de deux nouvelles directions ministérielles. La première, la Direction générale des politiques et programmes de main-d'oeuvre et de sécurité du revenu, hérita de la tâche de concevoir, de développer et d'évaluer les programmes. La seconde, la Direction générale des opérations, se vit confier le réseau de service à la clientièle. La mission des fonctionnaires fut également révisée au cours de 1981-1982 par trois modifications à la loi et sept amendements réglementaires dont l'objectif fut de mettre en pratique les nouvelles orientations «sociales» du ministère.

Ainsi, à partir de 1981, la sécurité du revenu a clairement dominé l'ordre du jour du ministère et a constitué la trame principale de son approche en matière de main-d'oeuvre[53]. Signalons qu'au moment de l'intégration main-d'oeuvre-sécurité du revenu, le ministère a également obtenu la responsabilité des dossiers de l'assurance-maladie, des allocations familiales, du régime des rentes, de la gestion des programmes de soutien aux revenus des autochtones découlant des accords de la Baie James et de l'administration des services de reclassement de la main-d'oeuvre. L'addition de ces responsabilités vint appuyer le développement du secteur de la sécurité du revenu au détriment de celui de la main-d'oeuvre.

Le début des années 1980 a également été troublé par les remous du dossier de la formation professionnelle. En effet, à la suite de la publication des rapports Allmand[54] et Axworthy[55], le gouvernement fédéral annonça son intention de réformer ses programmes de formation professionnelle en vertu desquels les programmes québécois avaient été élaborés, en vue principalement d'adapter les activités de formation aux besoins du marché. Le gouvernement fédéral envisageait également de s'assurer la haute main sur l'orientation des programmes qu'il finançait en échange d'un accroissement substantiel de son

---

52. Québec (province), ministère du Travail, de la Main-d'oeuvre et de la Sécurité du revenu, *Rapport annuel, 1981-1982*, Québec, MTMSR, 1983.

53. Avec pour clientèle cible privilégiée les jeunes assistés sociaux.

54. Gouvernement du Canada, *Du travail pour demain, les perspectives d'emploi pour les années '80*, Ottawa, Chambre des communes, 1981.

55. Groupe d'étude sur l'évolution du marché du travail, *L'évolution du marché du travail dans les années '80*, Ottawa, Emploi et Immigration Canada, 1981.

soutien financier. Ces deux documents devinrent conséquemment les déclencheurs d'une réorientation de l'ensemble de la politique fédérale de main-d'oeuvre.

Bien que des préoccupations semblables à l'endroit de la formation aient été débattues au sein du MTM avant la publication des énoncés politiques fédéraux[56], le ministère québécois sentit ses propres programmes menacés et confia à une commission d'enquête (commission Jean) la tâche de le conseiller sur l'orientation à donner à sa propre politique de formation des adultes, y compris la formation professionnelle. Cette démarche visait manifestement à faire contrepoids à la politique fédérale. Une première analyse des accords signés pour la période 1982-1985 indique toutefois que les grandes orientations du rapport Axworthy survécurent aux négociations entre les deux gouvernements[57].

En vue de compléter notre description de la mission du MTM à la suite de la fusion de 1981, mentionnons son rôle dans l'administration des programmes de création d'emplois. Au début de 1982, le ministère gérait quatre programmes, soit le Programme de retour au travail (PRET), le Programme d'aide au travail (PAT), le Programme d'intégration des jeunes en emploi (PIJE) et le Programme des services externes de main-d'oeuvre (SEMO). Signe des temps, ces quatre programmes s'adressaient de façon exclusive ou partielle aux bénéficiaires de l'aide sociale[58]. La dégradation rapide des conditions économiques en 1981-1982 amena ultérieurement le Québec à adopter une nouvelle série de mesures temporaires dont le Programme de bons d'emploi, le Programme de création d'emplois temporaires (PCET) et Chantier Québec[59].

---

56. Voir Québec (province), ministère du Travail, de la Main-d'oeuvre et de la Sécurité du revenu, *Stratégie d'intégration et de développement d'un programme de formation de la main-d'oeuvre dans le cadre d'une politique de main-d'oeuvre et d'emploi québécoise*, 1981 (ronéotypé).

57. La marge de manoeuvre financière réduite du Québec a influé sur la stratégie québécoise et explique en partie l'accueil plutôt distant qui a été réservé en 1982 au rapport de la commission Jean. Les grandes lignes de conduite des accords de 1982 qui ont notamment fait valoir la nécessité d'orienter la formation professionnelle dans le sens des besoins du marché ont ouvert les horizons de la formation professionnelle sur le champ plus large de la formation des adultes.Voir D. TREMBLAY, «Programmes d'emploi et la formation professionnelle», dans *Interventions économiques*, n° 11, automne 1983. Parallèlement, le Québec engagea un processus de décentralisation de la planification et de l'encadrement de la formation vers les régions.

58. SEMO et PIJE sont en outre destinés aux clientèles cibles traditionnelles du ministère que sont les personnes handicapées et les jeunes. Dans le cas de PIJE, près de 50 % des jeunes touchés sont des BAS. Dans celui de SEMO, cette proportion atteint 42 %.

59. Québec (province), ministère du Travail, de la Main-d'oeuvre et de la Séurité du revenu, *Rapport annuel*, 1981-1982, *op. cit.*

Le seul grand principe politique qui fut maintenu de façon symbolique à la suite de la réorientation du cadre politique de la main-d'oeuvre fut celui de réaliser le plein emploi. Jusqu'en 1981, cet objectif ne fut cependant poursuivi que de façon sporadique. Bien qu'aucune stratégie précise ne fut établie à ce sujet dans le contexte de 1981, ce thème refit surface peu de temps après l'élection[60]. Une équipe d'universitaires réputés pour leurs travaux dans les domaines de l'emploi[61] reçut le mandat explicite de réfléchir sur l'éventuel contenu d'une politique de plein emploi. Un projet demeuré confidentiel fut soumis aux hauts fonctionnaires du ministère qui, sauf quelques rares exceptions, lui réservèrent un accueil plutôt froid, voire incrédule.

La trajectoire du mandat de la DGM entre 1980 et 1982 fait donc état de l'érosion continue de la conception économique keynésienne qui dominait depuis 1968 et sa substitution par des principes économiques consacrés en priorité à la réduction du fardeau financier de l'État. Par rapport à la politique de la main-d'oeuvre, ce déplacement des centres d'intérêts a entraîné les programmes d'emplois et de formation dans une direction qui a remis en question la nature de leur articulation à la politique sociale. En 1968, les programmes d'emplois avaient pour objectif de soutenir de façon plutôt accessoire les programmes sociaux. En 1982, ils devinrent l'outil par lequel l'État se proposait de limiter la croissance de ces mêmes programmes. La mission des programmes d'emplois changea donc de façon radicale pour s'adapter aux nouvelles contraintes dictées par la politique de sécurité du revenu.

LA CONSTITUTION DU MINISTÈRE DE LA MAIN-D'OEUVRE ET DE LA SÉCURITÉ DU REVENU OU LE TRIOMPHE DE LA SÉCURITÉ DU REVENU, 1982-1986.

Sous l'angle administratif, la décision du 16 décembre 1982 de scinder le ministère du Travail et de la Main-d'oeuvre et de la Sécurité du revenu peut être interprétée comme l'aboutissement logique de la démarche entreprise en 1980. Non seulement l'association main-d'oeuvre et sécurité du revenu représentait-elle une composante très importante du MTMSR, qui reléguait au

---

60. Voir HEC, *Le Québec économique dans un deuxième mandat*, Colloque 1981, Montréal, HEC, 1981. L'économiste Pierre Harvey critiquera le caractère utopique du plein emploi dans le cadre du colloque de l'École des relations industrielles de l'Université de Montréal, *Le plein emploi à l'aube de la nouvelle révolution industrielle*, tenu en 1981.

61. Lise Simon-Poulin, Diane Bellemare, Jack Weldon et Ginette Dusseault. Pour un survol de la problématique du groupe, voir L. SIMON-POULIN, *Les assurances sociales, pour une sécurité du revenu des salaires*, Montréal, IRAT, 1981.

second plan le secteur des relations du travail, mais l'orientation des activités de la DGM dessinée par la réforme de 1981 avait objectivement contribué à creuser l'écart entre les services de la main-d'oeuvre et ceux du travail. En supplantant la relation main-d'oeuvre-travail, la sécurité du revenu imprimait une direction aux activités de la DGM qui n'avait plus que très peu de chose en commun avec les autres services du Ministère. Conséquemment, l'attitude des hauts fonctionnaires du ministère du Travail, qui ne firent pas obstruction à la scission — eux qui avaient pourtant résisté avec énergie six ans plus tôt devant l'offensive du ministère de l'Immigration — n'étonna pas.

Une lecture plus politique de la décision du premier ministre de scinder l'ancien MTMSR permet cependant de mettre en relief certaines rivalités internes du cabinet. Jusqu'à son départ, le ministre Pierre Marois resta une des figures politiques québécoises les plus sensibilisées aux problèmes sociaux et donc, un des opposants les plus acharnés à la réduction des dépenses et à l'atrophie de la présence physique de l'État dans le champ social. Son cabinet caressait en outre le projet de mettre sur pied une structure de concertation permanente faisant appel à la participation des principaux partenaires sociaux. La réalisation d'un tel projet, dans le cadre du MTMSR, aurait très certainement contribué à accroître son influence au sein du gouvernement et celle de son ministère dans l'État québécois. Pour des raisons qui n'ont certainement pas été étrangères à cette menace, René Lévesque ne confia pas la concertation au successeur de Pierre Marois, soit Pauline Marois, mais à son ancien adjoint parlementaire Robert Dean. Nommé ministre délégué à la concertation avec pour mission d'élaborer une politique de plein emploi, celui-ci reçut le soutien logistique du Secrétariat des conférences socio-économiques qui devint le Secrétariat à la concertation. Robert Dean s'associa certains membres de l'équipe de recherche sur la concertation formée en 1981 au MTMSR et mit en place une structure d'échange permanent entre les partenaires sociaux, baptisée la Table nationale sur l'emploi (TNE). Cette dernière adopta une structure tripartite (État-patronat-syndicat), mais privée, conçue de façon à laisser entière liberté d'action à ses participants sur la place publique. Les travaux de la TNE qui en étaient encore à un stade préliminaire au moment de l'élection de 1985 furent abandonnés par la suite par le cabinet Bourassa[62].

Le ministère de la Main-d'oeuvre et de la Sécurité du revenu hérita pour sa part de l'ensemble des tâches administratives rattachées à la gestion des programmes sociaux liés au revenu et aux programmes d'emploi. Diverses réorganisations administratives successives amenèrent le Ministère à se doter de cinq directions générales (planification, programmes, systèmes réseau Travail-Québec, formation professionnelle et administration) engageant des

62. À propos de la TNE, voir P. FOURNIER, *op.cit.*

effectifs totaux de 4 500 fonctionnaires et un budget global de près de 3 milliards de dollars[63].

Cependant, nous devons préciser qu'au MMSR, les programmes de sécurité du revenu mobilisèrent près de 90 % du budget. Seulement 315 millions de dollars furent affectés à la formation et au développement de l'emploi. Ce rapport très inégal entre la sécurité du revenu et l'emploi tend à confirmer l'hypothèse selon laquelle, en 1982, la main-d'oeuvre est devenue le parent pauvre du nouveau Ministère. Le MMSR reconnaissait lui-même devant la commission Beaudry, en 1985, avoir abandonné toute ambition de publier une politique de la main-d'oeuvre pour établir sa stratégie autour d'un nombre réduit d'objectifs particuliers, tels l'intégration des femmes au marché du travail et la rédaction d'une politique d'éducation des adultes[64].

Le MMSR cherchera notamment à récupérer l'initiative dans le dossier de la formation et tentera de se faire reconnaître comme le maître d'oeuvre de la politique de formation des adultes. À cet effet, le MMSR, le ministère de la Condition féminine et le MEQ ont signé en 1984 un document où sont mentionnés quelques grands principes et orientations générales. Le rôle du MMSR établi dans le document demeure ambigu à plusieurs égards et semble plutôt être principalement un rôle d'exécutant[65].

Par ailleurs, le MMSR a poursuivi la politique de création d'emplois temporaires entreprise au début de la récession de 1981[66]. La part réelle de la main-d'oeuvre dans l'ordre des préoccupations du MMSR apparaît donc maintenant modifiée en ce qu'elle reflète le caractère dominant des programmes de sécurité du revenu. Les sensibilités du sous-ministre en titre entre 1982 et 1985 ont d'ailleurs contribué à alimenter le déséquilibre. Rappelons en effet que Pierre Saraut avait fait ses classes au ministère des Finances. Or, les priorités de ce ministère établies dans le *Livre blanc sur la fiscalité* sont précisément exprimées par rapport à la réforme du régime de sécurité sociale formulée en 1980[67].

Un des derniers sursauts du dossier de la main-d'oeuvre est venu rappeler aux institutions québécoises la présence et les visées de l'État fédéral. Dans le contexte du «beau risque» de 1984-1985 (à la suite de l'élection des

---

63. En 1984-1985.

64. Commission consultative sur le travail, *Recueil des Aide-mémoires*, mars 1985 (ronéotypé).

65. Voir Québec (province), gouvernement du Québec, *Un projet d'éducation permanente, énoncé d'orientation et plan d'action en éducation des adultes*, 1984.

66. Cependant, le ministère a délaissé progressivement les dossiers rattachés au travail comme semblent le confirmer son attitude distante par rapport au CCTM et l'abandon, en 1985, d'un nouveau projet de loi sur les licenciements collectifs.

67. Québec (province), ministère des Finances, *Livre blanc sur la fiscalité des particuliers*, Québec, Gouvernement du Québec, 1984.

conservateurs au parlement fédéral et de la révision de l'option fondamentale du Parti québécois), la ministre fédérale de l'Emploi et de l'Immigration, Flora McDonald, a proposé à ses homologues provinciaux un projet de planification concertée de l'emploi en vue d'éliminer la concurrence entre les programmes fédéraux et provinciaux. Le MMSR a accepté d'ouvrir le dialogue pour constater que le changement de style du gouvernement fédéral n'avait en rien modifié ses ambitions d'établir son hégémonie dans ce dossier stratégique. L'objectif du MEIC n'était pas de déléguer ses compétences mais, à l'opposé, de profiter du momentum établi par l'élection de 1984 et de la confusion à l'intérieur des rangs de l'administration québécoise et du parti au pouvoir pour imposer sa propre politique de gestion de la main-d'oeuvre. Après quelques rencontres seulement, les représentants provinciaux et fédéraux se sont confrontés à nouveau à l'absurdité du partage constitutionnel canadien et à l'impossibilité, dans un tel cadre, d'élaborer une politique de la main-d'oeuvre susceptible de concilier les intérêts du Québec et ceux du reste du Canada. Ces échanges ont néanmoins débouché sur la signature d'un accord impliquant le regroupement de certains programmes fédéraux et quelques modestes ententes de collaboration dans l'application de six nouveaux programmes fédéraux sur le territoire québécois[68].

Au moment de la prise du pouvoir, le gouvernement Bourassa ne nous a fourni que très peu d'indications sur l'avenir que ce dernier entendait réserver au dossier de la main-d'oeuvre. Les libéraux n'ont manifestement pas l'intention de renoncer aux démarches entreprises sous le gouvernement Lévesque en matière de sécurité du revenu, comme en témoigne la récurrence de leurs interventions sur la réforme de l'aide sociale. La ligne de conduite établie dans le rapport Gobeil à l'été 1986[69] partage en cette matière les mêmes objectifs que le *Livre blanc sur la fiscalité des particuliers* de 1984.

Mais bien que la politique de sécurité du revenu libérale s'inscrive dans le prolongement de celle du Parti québécois, des éléments de rupture se manifestent par contre du côté de la participation des partenaires sociaux. Visiblement, les libéraux ne croient pas aux vertus de la concertation. Les activités de la TNE sont gelées depuis la prise du pouvoir. Le rapport Gobeil propose l'abolition du Conseil consultatif du travail et de la main-d'oeuvre (CCTM), de l'Institut national de productivité (INP) et de Corvée-habitation. La page de la concertation est tournée et, avec elle, sombre le rêve d'une politique consensuelle orientée vers le plein emploi[70].

---

68. Voir Emploi et Immigration Canada, *La planification de l'emploi*, Ottawa, MEIC, juin 1985.

69. Groupe de travail sur la révision des fonctions et des organisations gouvernementales, *Rapports*, Québec, gouvernement du Québec, 1986.

70. Voir Commission consultative sur le travail, *Recueil des propositions*, et *Le travail, une responsabilité collective*, Québec, Editions du Québec, 1985.

Les prises de position du PLQ qui permettent d'entrevoir des modifications au dossier de la main-d'oeuvre concernent plutôt la formation. Les travaux de la sous-commission du Parti libéral[71] sur le travail et la main-d'oeuvre ont en effet porté presque exclusivement sur cette question et font état d'une approche sensiblement identique à celle que le MMSR a déjà adoptée dans le cadre des accords de 1982-1985.

Les perspectives régionales

Nous devons toutefois souligner que le MMSR a amorcé en 1983[72] une réforme majeure de ses structures en formation qui a impliqué une restructuration des CFP. Les CFP se sont vu confier de nouvelles responsabilités en matière d'évaluation des besoins et de planification des ressources en main-d'oeuvre. De plus, les CFP ont hérité de la tâche d'établir une structure de participation des partenaires sociaux. Cette mission, en plus de mieux adapter la formation professionnelle aux besoins du marché, leur permet d'aspirer au rôle de maître d'oeuvre régional des services de main-d'oeuvre[73].

La réforme administrative en direction des régions a franchi une nouvelle étape à l'occasion de la signature de ces accords. Nous avons mentionné précédemment que le Québec entrevoyait en 1982 certains avantages à déléguer une part accrue des responsabilités vers ses instances régionales. Or, les modalités de l'entente de 1985 ont renforcé le rôle des Commissions de formation professionnelle, en leur confiant la responsabilité de l'application des programmes en région. Cette décision est elle-même venue consolider les orientations mentionnées précédemment[74]. Dans l'ensemble, ce processus converge donc vers la mise en place d'une structure administrative

---

71. PLQ, *Rapport de la sous-commission du Parti libéral sur le travail et la main-d'oeuvre*, Montréal, PLQ, 1984.

72. À la suite de la publication d'une lettre du ministre aux CFP le 1er juin 1983. Dans cette lettre, le ministre déclare, entre autres, confier aux CFP la gestion des responsabilités du MMSR des programmes de formation professionnelle.

73. Québec (province), ministère de la Main-d'oeuvre et de la Sécurité du revenu, DGFP, *Restructuration des commissions de formation professionnelle*, mai 1985 (ronéotypé).

74. Québec (province), ministère de l'Éducation, *Un projet d'éducation permanente, énoncé d'orientation et plan d'action en éducation des adultes*, Québec, MEQ, 1984.

décentralisée où les CFP feraient office de guichet régional dans le champ de la main-d'oeuvre[75].

L'avenir semble donc plus prometteur du côté de la réforme des institutions. La tendance actuelle en direction d'une revitalisation du rôle des CFP en région annonce peut-être le début d'une nouvelle ère pour les programmes de main-d'oeuvre. Premièrement, d'après les ententes signées avec le ministère de l'Éducation, il n'y aura plus de double structure de formation. En effet, les établissements scolaires assumeront la responsabilité logistique des programmes placés sous la gouverne des CFP avec pour mandat d'en étendre l'accès à la formation aux adultes. Deuxièmement, on peut imaginer qu'à la suite des accords de 1986, les CFP deviendront éventuellement le point de chute, et donc le point de coordination, d'un plus grand nombre de programmes d'emploi. Si, comme on le propose actuellement, cette coordination s'appuie sur la planification des besoins dans un cadre régi par les entrepreneurs et les représentants des associations de salariés, les CFP occuperont alors une place stratégique dans la politique de soutien économique des deux paliers gouvernementaux et seront peut-être en mesure de rendre cette intervention plus efficace.

La rédaction d'une politique intégrée de la main-d'oeuvre redevient concevable. Il sera peut-être possible de dégager à l'échelle régionale des lignes directrices susceptibles de rallier l'appui des partenaires sociaux. Il serait également peut-être imaginable dans un tel cadre de contourner les problèmes liés au partage des compétences entre le gouvernement provincial et le gouvernement fédéral. Encore faudrait-il toutefois que les régions se voient reconnaître le pouvoir nécessaire à la mise en place de politiques régionales différenciées. Pour l'instant, le jeu politique régions-État provincial-État fédéral n'a pas permis de définir cette marge d'autonomie. Par ailleurs, on s'interroge encore sur la contribution exacte qui sera celle des CFP dans le processus de formulation du cadre politique. Il est acquis toutefois que cette contribution ne sera effective que dans la mesure où elle ne risquera pas de mettre en cause la cohérence de l'intervention gouvernementale sur l'ensemble du territoire québécois.

---

75. Québec (province), ministère de la Main-d'oeuvre et de la Sécurité du revenu, *Restructuration des commissions de formation professionnelle*, Québec, MMSR, 1985 (ronéotypé).

CONCLUSION

Pour Allan Moscovitch, l'État-providence n'aurait pas été capable de s'adapter à la nouvelle réalité de l'emploi des années 1960 et 1970 à la suite du gonflement accéléré de la population active et de l'apparition de formes nouvelles d'emploi[76]. Les structures politiques et administratives de l'État keynésien n'auraient pas été en mesure de faire face au changement et de réaliser le plein emploi. Dans cette optique, l'absence d'objectifs collectifs en matière d'utilisation des ressources humaines serait la conséquence du dépassement des modèles mis en place après la Seconde Guerre mondiale. On peut donc affirmer que le keynésianisme a débouché sur un échec. Nous pensons cependant qu'une grande partie de cet échec est imputable à des facteurs qui n'ont que peu de chose à voir avec la modification de la composition de la population active. À un premier niveau, nous devons intégrer à notre analyse une série de contraintes reliées à la conjoncture économique mondiale et continentale. La grande perméabilité de l'économie canadienne et sa dépendance accrue à l'endroit du marché américain dressent des limites vite atteintes à sa politique économique. Le Canada ne jouit en cela que d'une marge de manoeuvre limitée dont l'efficacité réside plus dans sa capacité de mettre en valeur ses avantages comparatifs (ou d'en créer) que de soutenir son marché intérieur où chaque intervention pose inévitablement le problème de l'équilibre régional et crée souvent plus d'obstacles qu'elle n'en élimine. Le keynésianisme tel qu'il a été appliqué de 1945 à 1975 a été conçu comme un modèle fermé de soutien à la consommation qui a contribué à creuser le fossé entre les régions.

Les contraintes inhérentes à la structure politique canadienne ont créé un deuxième niveau de difficulté à la réalisation du plein emploi. Les conditions du partage des compétences entre l'État provincial et l'État fédéral sont telles qu'il était impossible avant 1980 de mettre en place une politique de la main-d'oeuvre intégrée à l'échelle du pays non plus d'ailleurs qu'à celle de chaque province ou région. C'est en partie pour cette raison que les gouvernements ont orienté leur stratégie de planification économique en direction des programmes sociaux, sans mécanisme de contrôle sur l'emploi. L'offensive centralisatrice du gouvernement fédéral au début des années 1980 a contribué en cela à modifier les conditions du rapport de force et a établi un cadre au passage du *welfare state* au *workfare state*. En effet, le gouvernement fédéral domine présentement la scène dans le domaine de la formation comme dans celui de l'emploi et fait de plus en plus office de «définisseur de politique».

---

76. A. MOSCOVITCH, «L'État-providence au Canada depuis 1975», dans D. BELLEMARE, et C. ST-PIERRE, *Les stratégies de reprise*, Montréal, Éditions Saint-Martin, 1984.

Enfin, nous pensons avoir démontré dans le présent texte que les rivalités administratives qui ont découlé des choix politiques gouvernementaux ont constitué un troisième niveau d'obstacle à la politique de la main-d'oeuvre. Entre 1960 et 1982, le dossier de la main-d'oeuvre a en effet été secoué par des luttes de pouvoir qui ont mis en présence des organisations aux objectifs et aux intérêts très divergents. Ces conflits ont eu pour conséquences de morceler le contrôle du secteur et de rendre difficilement praticable tout effort de regroupement des programmes et mesures destinés au marché du travail. Nous avons également démontré que l'impuissance du gouvernement québécois peut s'expliquer par la décision prise en 1968 de rattacher l'administration de la main-d'oeuvre au ministère du Travail. Une fois la phase de mise en place des structures franchie, cette union a donné lieu à une relation de pouvoir inégale où la Direction générale de la main-d'oeuvre s'est vu attribuer un rôle de second plan. Par conséquent, ses efforts périodiques en vue de définir et de délimiter clairement son champ d'intervention n'ont mené nulle part. Dans ce sens, la décision en 1982 de rattacher la main-d'oeuvre à la sécurité du revenu peut être interprétée comme la conséquence des échecs répétés, en vue de jeter les bases d'une politique québécoise de la main-d'oeuvre. Cet objectif chimérique a, à partir de cette date, cédé la place à des impératifs économiques beaucoup plus pragmatiques orientés notamment vers le retour au travail des bénéficiaires de l'aide sociale.

Le processus que nous venons de décrire offre cependant des perspectives organisationnelles qui permettent d'entrevoir un nouveau partage des pouvoirs entre les organismes centraux québécois ou canadiens et les instances administratives régionales. Dans la mesure où nous pouvons considérer le chômage et l'adaptation de la main-d'oeuvre comme des problèmes dont les caractéristiques relèvent de la diversité des réalités économiques régionales, tout déplacement du centre de gravité du pouvoir décisionnel et organisationnel vers les régions ne peut être accueilli que favorablement. L'État pourra peut-être dénouer sur ce plan l'écheveau administratif duquel le dossier de la main-d'oeuvre est prisonnier depuis maintenant près de trente ans. Peut-être également pourra-t-il y trouver de nouvelles façons d'imaginer son intervention et peut-être y rencontrera-t-il des interlocuteurs plus réceptifs en ce qui concerne des organismes intermédiaires. Il est encore trop tôt pour présumer des résultats de cette démarche mais nous devons reconnaître qu'elle est pleine de promesses.

L'ADMINISTRATION DE LA CULTURE AU GOUVERNEMENT DU QUÉBEC

Carolle Simard

Dans les nations modernes, les actions des gouvernements en matière culturelle sont multiformes. Ces dernières actions prennent corps dans une organisation, des structures, des budgets et des programmes, des objectifs et des moyens. Certes, la culture ne saurait se réduire à de l'équipement, des budgets et du personnel. Elle n'est pas non plus la résultante d'interventions administratives successives, voire la conséquence de politiques sectorielles.

Pourtant, reconnaître les actions des gouvernements en matière culturelle s'impose afin de donner un sens aux interventions de l'État en cette matière. Tel est le but du présent article composé de trois parties. La première concerne la genèse et le développement de l'appareil administratif culturel à travers l'étude des trois grands projets d'organisation du champ culturel qui se sont succédé au Québec depuis 1960. La deuxième montre que le secteur administratif culturel est semblable aux autres secteurs administratifs, en ce sens qu'il est intégré à l'ensemble. La troisième partie rend compte des contradictions inhérentes au processus d'administration de la vie culturelle.

L'INTERVENTION GOUVERNEMENTALE EN MATIÈRE CULTURELLE AU QUÉBEC

État de la situation en 1960

Quelle est donc la situation culturelle du Québec à la fin des années 1950 et à la veille de la création du ministère des Affaires culturelles? Quels sont les organismes qui agissent et quelles sont leurs activités? Le fait que le Québec fasse partie de la fédération canadienne exerce-t-il, à cette époque, des contraintes particulières sur ses entreprises de culture? Autant de questions auxquelles nous tenterons de répondre.

Le Québec est une province du Canada et ses pouvoirs sont limités par la Constitution. En vertu de l'esprit de l'Acte de 1867, tout ce qui n'est pas expressément énuméré comme relevant des pouvoirs exclusifs des provinces est du ressort du fédéral. Tel est le cas de la culture. Et même si les provinces récusent ces limites constitutionnelles, elles ne disposent ni des mêmes ressources, ni des mêmes moyens.

En 1960, déjà, la concurrence entre le gouvernement du Québec et celui d'Ottawa en matière de culture existe. En réalité, et faute de moyens, l'action provinciale est plutôt complémentaire de celle de l'État central qui doit, pour sa part, se mesurer à la puissance culturelle des États-Unis. En 1951, année du *Rapport Massey*[1], les interventions «culturelles» d'Ottawa ne sont pas aussi importantes qu'aujourd'hui. Pourtant, les instances fédérales subventionnent certaines sociétés savantes ou culturelles. Vers la fin des années 1950 et par le Conseil des arts interposé (il fut créé en 1958 à l'issue des travaux de la commission Massey), on évalue à près de 31 millions de dollars les dépenses culturelles du gouvernement fédéral. Mais la politique culturelle du Canada ne s'arrête pas là puisque l'État central exerce des activités réglementaires dans le vaste secteur des communications, en particulier dans les domaines suivants: les ondes, la radio et la télévision, le film, le cinéma, les publications, les télécommunications, etc. En définitive, c'est au cours de ces années que l'action culturelle d'Ottawa s'organise, sur un fond de nationalisme canadien. Au fil des ans, les moyens augmenteront et, parallèlement, les secteurs d'intervention. Nous y reviendrons. Pour l'instant, retenons que la culture québécoise est provincialisée, au sens où elle est subordonnée à la philosophie et aux moyens financiers de l'État central. À cette époque, le Québec représente une province comme les autres pour Ottawa. Ce qui n'empêche guère le gouvernement de la province de Québec d'être présent dans le champ culturel. La Société philharmonique de Montréal existe depuis 1877, tandis que la métropole abrite d'importants musées, entre autres, le Musée des beaux-arts, le McCord Museum et le Redpath Museum. Dans le domaine des beaux-arts et des arts animés, on trouve une présence originale du Canada français en littérature, en peinture, en musique et en théâtre. Pensons aux romans de Gabrielle Roy, aux manifestations picturales de l'école des automatistes radicaux menée par Paul-Émile Borduas, ou encore aux tournées de la Comédie canadienne. Sur le plan gouvernemental, diverses mesures législatives concernent les musées (1922), ou encore la conservation du patrimoine architectural (1922), ou encore Radio-Québec (1945). Pour sa part, le ministère de la Jeunesse subventionne les nombreuses activités de loisir au

1. *Rapport de la Commission royale d'enquête sur l'avancement des arts, des lettres et des sciences*, Ottawa, Imprimeur de la Reine, 1951.

Québec conformément à son mandat de 1946, année de sa création par l'Union nationale[2].

Quant aux Églises, leur action en matière culturelle demeure non négligeable, à l'instar de l'éducation et de la santé. Culture et loisir sont intimement liés à cette époque tant dans l'esprit des politiciens que des praticiens. Les comptes publics de la province ne font pas non plus la distinction, tandis que l'organisation administrative semble échapper à toute logique, si ce n'est celle du Prince, qui tantôt fait relever le théâtre du ministère de l'Industrie et du Commerce, tantôt de celui de l'Agriculture.

Telle est la situation lorsque les libéraux prennent le pouvoir en 1960. S'ils constatent un foisonnement d'activités et une multitude d'interventions regroupées, notamment, autour de la paroisse, ils font face cependant à l'inexistence d'un projet culturel d'ensemble. La culture est partout et nulle part et c'est la teinte locale qui lui donne un sens, tandis que les Églises et le ministère de la Jeunesse sont les pourvoyeurs des diverses activités tenues par les multiples organismes. À ce propos, un spécialiste de la question constate que c'est le régime du «loisir-oeuvre» ou la reproduction de la culture traditionnelle dans sa version cléricale»[3]. Un tel modèle ne fait pourtant que refléter la société canadienne-française d'alors. Si cette forme culturelle, pour survivre, n'a guère besoin de l'État, il n'en va pas de même pour les nouvelles élites culturelles, préoccupées par l'affirmation d'une culture savante et le développement de formes culturelles multiformes. Ces dernières ne peuvent émerger toutefois qu'avec l'aide de l'État, c'est-à-dire en s'appuyant sur une institution publique différenciée.

Les changements politiques et sociaux que le Québec connaît au début des années 1960 résultent de facteurs multiples. Les spécialistes de la Révolution tranquille parlent d'une véritable «révolution culturelle»[4] ayant entraîné de profonds bouleversements, planifiés et réalisés par une nouvelle classe politique soucieuse de revoir les finalités de la société québécoise.

Tous ces changements créent une dynamique nouvelle portée par une élite culturelle montante. Cette dernière juge sévèrement ce qui se fait alors dans le domaine culturel. L'incohérence de l'ancien gouvernement en matière d'administration des deniers publics est, aussi, maintes fois soulignée. Dans ses mémoires, Georges-Émile Lapalme écrit qu'à l'époque où les libéraux

---

2. D'après J.I. GOW, *Histoire de l'administration québécoise - chronologie des programmes de l'Etat du Québec*, Note de recherche, Département de science politique, Université de Montréal, 1980: le montant des subventions versées est de 52 000 $ en 1946; en 1960, il atteint 825 000 $.

3. R. LEVASSEUR, *Loisir et culture au Québec*, Montréal, Boréal Express, 1982, p. 33.

4. Sur cette question, voir notamment F. DUMONT, *La vigile du Québec — octobre 1970: l'impasse?*, Montréal, Hurtubise-HMH, 1971; et G. ROCHER, *Le Québec en mutation*, Montréal, Hurtubise-HMH, 1971.

arrivent au pouvoir, la culture dont on parle, c'est celle de la terre, «culture issue exclusivement du terroir, collée à la glèbe, morcelée à l'infini, parce que limitée à la superficie de la paroisse»[5]. À propos des comptes publics de la province, il ajoute que «l'argent s'en allait alimenter à coup de cinquante ou cent dollars, des groupuscules qui, par de telles insignifiances monétaires, prétendaient sauver la culture locale»[6].

C'est dans un tel contexte social et politique qu'au printemps de 1961, la nouvelle équipe libérale crée le ministère des Affaires culturelles.

Le projet, 1961-1964

En créant un ministère des Affaires culturelles[7], les Libéraux optent pour le modèle français plutôt que pour le modèle américain. C'est-à-dire qu'ils établissent une structure dont le mandat est d'animer la vie culturelle. Ce qui signifie que les grands programmes nationaux, les lois et les objectifs qui les sous-tendent et la nomination des personnes chargées de la mise en oeuvre seront décidés par les responsables politiques. Tel est le cas de la France, où existe depuis 1959 un ministère des Affaires culturelles mis en place par le général de Gaulle et dont André Malraux fut le premier responsable. C'est tout le contraire qui se passe aux États-Unis, où il n'y a ni ministère de la Culture ni même de conseiller culturel à la Maison Blanche. Par contre, depuis 1965, il existe un Fonds national pour les arts dont l'idée revient à John F. Kennedy. C'est cependant l'administration Johnson qui en réalisa la mise en oeuvre. Cet organisme n'a pas de politique culturelle comparable à celle que l'on retrouve dans les administrations française et québécoise. Son activité se limite à attribuer des crédits fédéraux aux secteurs artistiques et audio-visuels. Une telle attribution est cependant subordonnée au fait d'obtenir, préalablement, une somme au moins égale, soit des administrations locales, soit du secteur privé[8].

L'intervention du gouvernement du Québec dans le secteur culturel traduit sa volonté de promouvoir un projet, voire de s'engager dans une politique et de la mettre en oeuvre. Cette volonté d'agir par la culture permet de renforcer l'identité nationale, de l'alimenter. Car la situation de la culture d'essence française et canadienne, au sein du continent nord-américain, est particulière. En tout cas, c'est ce que laisse supposer le père de la Révolution

---

5. G.-É. LAPALME, *Le paradis du pouvoir*, Ottawa, Éditions Leméac inc., 1973, p. 90.
6. *Ibid.*
7. *S.Q.* 9-10 Eliz. 11/1961-1961, c. 23.
8. Sur la situation américaine, voir J.-L. CHALUMEAU, *L'art au présent*, Paris, Union générale d'éditions, Coll. 10/18, 1985.

tranquille lorsqu'il trouve «impossible de dissocier la langue de la culture»[9]. Selon Jean Lesage, «le ministère projeté des Affaires culturelles, sera en quelque sorte un ministère de la Civilisation canadienne-française», lequel sera «le premier, le plus grand et le plus efficace serviteur du *fait français* en Amérique, c'est-à-dire l'âme de notre peuple»[10]. À cette époque, l'adhésion à l'État-nation québécois passe par la culture en général et par la langue en particulier. Le projet national qui en découle vise à contrer la désagrégation de l'identité culturelle des Canadiens français. Une telle désagrégation est notamment perceptible à travers ce double constat: d'un côté, les nouvelles autorités politiques observent que l'utilisation du français est en baisse au Québec; de l'autre, elles s'inquiètent de la dégradation généralisée du français écrit et parlé. Vecteur premier du projet culturel, la langue occupe, dans le discours, une importance cardinale. Forme concrète de la structure culturelle d'alors, elle demeurera au centre de tous les projets qui se succéderont.

Entrée en vigueur le 1er avril 1961, la *Loi du ministère des Affaires culturelles* modifie la *Loi des concours littéraires et scientifiques*, la *Loi de l'art musical*, la *Loi des monuments et sites historiques ou artistiques*, la *Loi des bibliothèques publiques* et la *Loi concernant la bibliothèque de St-Sulpice*. Enfin, quatre organismes non autonomes sont placés sous la responsabilité du nouveau ministère: l'Office de la langue française, le Département du Canada français d'outre-frontières, le Conseil provincial des arts et la Commission des monuments historiques. Un peu moins de trois millions de dollars sont alloués au nouvel organisme (0,46 % du budget de la province).

L'affirmation des positions culturelles du Québec: les trois étapes

Le gouvernement du Québec tente désormais d'assumer les grandes décisions en matière de culture. Dès 1961, on assiste à l'établissement des relations franco-québécoises. C'est aussi le moment de développer des liens avec la francophonie nord-américaine. Mais les moyens du nouveau ministère sont trop limités pour établir, en matière de culture, une autre politique, c'est-à-dire une politique différente de celle de l'État central. Pourtant, ils sont nombreux à refuser de rentrer dans le rang canadien lorsque la culture dont ils se réclament est prise en compte. N'est-ce pas à cause de la langue que le Québec ne peut être une province comme les autres? En tout cas, c'est autour de cette différence que les trois grands projets culturels seront tour à tour élaborés.

---

9. J.-P. L'ALLIER, *Pour l'évolution de la politique culturelle*, Document de travail, Québec, mai 1976, p. 12.

10. *Ibid.*

Chacun d'eux donne un sens à la culture nationale, un sens orienté vers la croissance originale de notre culture.

Le Livre blanc de 1965: sortir la culture du cadre étroit des beaux-arts

En 1964, au moment où Pierre Laporte succède à Georges-Émile Lapalme à la tête du ministère des Affaires culturelles[11], l'organisation de la mission culturelle est loin d'être achevée, bien qu'entre 1960 et 1964 on ait cherché à étendre l'action du ministère au-delà du domaine des arts, soit dans les sciences de la nature, les sciences de l'homme et la recherche scientifique. On a posé les jalons devant conduire à l'instauration d'une politique d'inspiration nationale. Une telle politique s'oppose aux préoccupations du gouvernement central d'Ottawa lequel, par le Conseil des arts interposé[12], développe une politique culturelle traditionnelle et élitiste, même si, à cette époque, les interventions fédérales dans l'action culturelle demeurent modestes[13]. Néanmoins, au début de la rédaction du *Livre blanc* en 1965, on constate l'urgence, pour le Québec, d'adopter une politique culturelle. Selon Guy Frégault, on voit mal comment les «Canadiens français pourront retrouver un nouvel équilibre, c'est-à-dire une identité nationale spécifique, sans une action vigoureuse de l'État dans le domaine culturel»[14].

Le *Livre blanc* est d'abord et avant tout un texte politique et par lequel est affirmé le caractère national du Québec. Le *Livre blanc* est aussi un plaidoyer en faveur du rôle accru de l'État. Ses objectifs sont de contrer l'action du gouvernement fédéral, ce dernier devant demeurer marginal, et de travailler à l'épanouissement de nos valeurs culturelles spécifiques. Il contient une série de recommandations censées élargir le champ d'action du Ministère, tant du côté de la recherche scientifique que de la radiophonie et du cinéma, ou encore des métiers d'art et des richesses archéologiques, ou encore du livre et de l'immigration. Ces questions débordent largement le cercle des beaux-arts. Elles confèrent à la politique de la culture une dimension plus large et plus approfondie.

---

11. Rappelons que G.-É. Lapalme se démet de ses fonctions le 4 septembre 1964.

12. Le mandat du Conseil des arts du Canada vise deux objectifs: intervenir dans le développement de l'enseignement supérieur au moyen de subventions aux universités; lancer une politique culturelle en soutenant des personnes et des organismes actifs dans le domaine des arts.

13. Guy Frégault les évalue à 31 millions de dollars pour l'année 1964-1965.

14. G. FRÉGAULT, *Chronique des années perdues*, Ottawa, Leméac, 1976, p. 171.

Mais le *Livre blanc* est mis aux oubliettes par l'Union nationale qui remporte les élections déclenchées au printemps 1966. Le nouveau gouvernement, dirigé par Daniel Johnson, recherche l'égalité entre les deux peuples fondateurs. À la conférence fédérale-provinciale de 1968, le premier ministre soutient cette idée: c'est au Québec qu'il revient de sauvegarder et de promouvoir la langue et la culture canadiennes-françaises. Développer la coopération internationale, particulièrement avec la francophonie devient alors une priorité. Mais l'année 1969 sera marquée par de violentes manifestations en faveur des droits linguistiques de la majorité. Jean-Jacques Bertrand, alors premier ministre, est demeuré célèbre avec son projet de loi 63.

Le Livre vert de 1976: une idée ambiguë de la souveraineté culturelle

Le gouvernement libéral de Robert Bourassa est l'instigateur d'un autre projet culturel. Des actions sont proposées et des objectifs sont fixés par le *Livre vert Pour l'évolution de la politique culturelle* de Jean-Paul L'Allier, alors ministre des Affaires culturelles.

Les intentions gouvernementales, en matière de souveraineté culturelle, concernent tant l'administration que la politique. Sur le plan administratif, on envisage la réduction de la structure ministérielle par le transfert de diverses responsabilités à des organismes parapublics. Il est proposé de créer les organismes suivants: le Conseil de la culture, la Régie du patrimoine, la Société de gestion du patrimoine immobilier, les Commissions régionales, la Commission de la bibliothèque et des archives nationales et la Commission des musées. On souhaite aussi accroître l'influence et le leadership des groupements artistiques en modifiant le rôle du Ministère, qui assumera désormais de nouvelles fonctions d'animateur et de diffuseur de la culture.

Sur le plan politique, l'action prévue est moins claire. Certes, le *Livre vert Pour l'évolution de la politique culturelle* s'inquiète de la hausse des dépenses culturelles en provenance d'Ottawa, puisqu'au moment de sa parution les dépenses culturelles de l'État fédéral sont estimées à plus d'un milliard de dollars. Selon J.-P. L'Allier, alors ministre, il importe de réagir à la présence et aux actions du gouvernement d'Ottawa. Pourtant, et même si le document de mai 1976 constate les torts faits au Québec par une «politique fédérale rigoureuse et en voie de réalisation», et même si l'histoire et la situation du Québec justifient la mise en place d'une politique culturelle «nationaliste» et «québécoise», l'action prévue par le *Livre vert* suggère un partage de l'autorité politique en matière de culture. En tout cas, c'est ce que laissent supposer de telles intentions: «travailler à coordonner les fonds fédéraux et provinciaux en regard de la culture» ou encore «[que] les ressources d'Ottawa respectent d'abord nos priorités»[15]. D'où les interrogations du nouveau gouvernement, élu en novembre 1976, à propos du processus de provincialisation de la culture que semble proposer le *Livre vert*. Un tel processus ne mène-t-il pas à des interventions marginales, étant donné les montants considérables investis annuellement par le gouvernement central? Ou encore, comment fera-t-on concorder les points de vue canadien et québécois en matière culturelle?

La politique québécoise du développement culturel de 1978: assurer à chaque Québécois «le pain et le livre»

«Élaborer et promouvoir une politique culturelle québécoise»[16] , tel est le projet du gouvernement dirigé par René Lévesque. Par ailleurs, un nouveau discours émerge, devant donner lieu à une nouvelle réalité, dès lors qu'est suggérée l'idée que le développement social ne saurait être dissocié désormais, du développement culturel.

Dans *La politique québécoise du développement culturel*, on diagnostique un processus de déculturation, d'où «l'obligation de rendre le citoyen conscient de son identité culturelle»[17]. La reconnaissance d'un tel processus ne laisse guère de choix au gouvernement d'alors qui se donne les moyens de diffuser sa politique culturelle dans l'ensemble québécois. L'instauration de cette politique, combinée à l'implantation de structures-supports, semble être déterminée, du moins partiellement, par la promotion, la diffusion et la mise en marché d'une culture à contenu essentiellement québécois[18].

On mise sur une politique du développement culturel, cette dernière politique devant constituer un des axes principaux de l'essor de la société québécoise, d'où la nécessité de se réapproprier les moyens susceptibles de contrer la provincialisation de la culture et celle de saisir ce qui fonde cette culture, en même temps que ses facteurs de diversité. Tels sont les objectifs de la politique du développement culturel de C. Laurin, ministre, laquelle recouvre trois dimensions complémentaires, soit les genres de vie, la création et l'éducation[19].

---

15. J.-P. L'ALLIER, *Pour l'évolution de la politique culturelle*, Document de travail, Québec, mai 1976, pp. 99-100.

16. Ministre d'État au développement culturel, *La politique québécoise du développement culturel*, Québec, Éditeur officiel du Québec, vol. 1, 1978, p. 38.

17. *Ibid.*, vol. 2, p. 168.

18. Sur cette question voir R. LEVASSEUR, «Le loisir et l'État au Québec 1960-1980», *Loisir et société*, vol. 6, n° 1, p. 39-40.

19. Le volume 2 de *La politique québécoise du développement culturel, op. cit.*, est intitulé: *Les trois dimensions d'une politique - genres de vie, création, éducation.*

Nous voilà bien loin de la «crise d'identité» des Canadiens français des années 1960 et de la perte d'influence du français. Sous le nouveau gouvernement, la culture change de sens. Elle ne se limite plus aux «affaires culturelles», non plus qu'à une politique de la culture. Désormais intégrée à la structure des ministères d'État, la culture est un secteur d'intervention institutionnelle qui inspire, voire domine, le processus politique, la loi 101 en est un exemple. Mais en même temps, et parce que l'enjeu culturel a glissé de la réalité linguistique au développement social, l'espace culturel québécois se modifie profondément au point d'englober les dimensions essentielles de notre évolution, tant politique et économique, que culturelle. Les travaux de la Commission de la culture de l'Assemblée nationale en témoignent ainsi que les propos et commentaires récents sur cette question[20].

Une telle extension du sens donné à l'outil culturel a favorisé son développement et son émancipation. Pourtant, la culture n'en continue pas moins d'être pensée en termes d'équipements, de personnels, de statistiques et de structures. Il s'en dégage une conception administrativiste et quantitativiste, conception qu'il importe maintenant d'analyser.

L'ADMINISTRATION DE LA CULTURE: UNE ADMINISTRATION SEMBLABLE AUX AUTRES

Vouloir saisir la culture à travers l'activité administrative nous renvoie à l'analyse du champ culturel tel qu'il est donné par les institutions publiques le concernant. Ces dernières se différencient par leur mode d'apparition historique tout autant que par les formes multiples et variées qu'elles épousent. La légitimité ainsi conférée ne relève donc plus uniquement du politique puisque la culture devient objet administratif. Ce faisant, elle acquiert une spécificité et une autonomie relatives.

Mais dire cela, n'est-ce pas contredire l'explication voulant qu'au Québec notamment, l'action par la culture ait d'abord été une affaire d'État? N'est-ce pas, de surcroît, réduire la culture à ce que permet de saisir l'évolution des instances mises en place par les autorités gouvernementales? Ces objections sont d'autant plus pertinentes que dans un premier temps, l'étude des projets politiques successifs présente une relative cohérence. Mais à la cohérence politique il importe d'opposer l'ordre administratif, dans la mesure où ce dernier sert à rendre compte d'une logique différente, plus ou moins en rupture avec la logique politique.

---

20. Voir notamment: R. LÉVESQUE, «La politique culturelle, un rôle qui reste à définir, dix ans après le *Livre vert*», *Le Devoir*, 13 novembre 1985, p. 10.

Trois périodes administratives sont tour à tour étudiées. La première, celle de la mise en place de l'appareil administratif, commence en 1961 et se termine en 1970. La seconde concerne les années 1970-1976; c'est le moment de la rationalisation et de la consolidation. La troisième période s'étale de 1976 à 1985; elle se caractérise par l'établissement de structures de coordination, tant au niveau central que dans les régions.

La mise en place de l'appareil administratif culturel, 1961-1970

Les objectifs du ministère des Affaires culturelles sont d'accroître la participation individuelle et collective à la culture, puis de favoriser l'épanouissement des valeurs propres et des traits caractéristiques des Québécois. L'organisme créé au printemps 1961 regroupe des établissements et des services, tantôt hérités du ministère de la Jeunesse (créé, on le rappelle, en 1946), ou encore du Secrétariat de la province, tels que le Musée du Québec où logent les Archives et l'Inventaire des oeuvres d'art, la bibliothèque Saint-Sulpice, le Conservatoire de musique et d'art dramatique. Il existe trois services au Ministère lors de sa création: l'administration générale, le service des bibliothèques, le service d'astronomie. Moins d'un an plus tard, le service de la musique, le service de l'information et celui d'archéologie complètent la structure.

Mais la constitution d'un espace culturel séparé au sein de l'appareil politico-administratif s'avère relativement difficile au début, d'autant plus que le premier titulaire du Ministère, G.-É. Lapalme, est aussi ministre de la Justice. Pourtant, le processus d'autonomisation qui prend corps s'effectue à travers des actions censées introduire la culture au rang des préoccupations publiques. Ainsi pour se conformer à la loi constitutive de 1961, G.-É. Lapalme met en place le Conseil provincial des arts (22 novembre 1961), l'Office de la langue française (1er avril 1962), la Maison du Québec à Paris (octobre 1961), le Département du Canada français d'outre-frontières (1er septembre 1963). D'autres réorganisations administratives s'effectuent au cours de la seconde moitié des années 1960. En 1965 notamment, on établit trois directions générales: les arts et les lettres, l'enseignement artistique et la diffusion de la culture. Puis, au cours de l'année financière 1966-1967, on crée un bureau permanent du ministère à Montréal.

Le Ministère se développe alors en soutirant des prérogatives à d'autres secteurs. D'une part, plusieurs des politiques qu'il essaie d'élaborer se heurtent au désaccord du ministère de l'Éducation. Ainsi en est-il de la politique du livre, ou encore des tentatives visant à développer le français écrit et parlé. D'autre part, n'oublions pas que la frontière séparant culture et loisir reste ténue. Depuis que l'État québécois a décidé de s'affranchir de la tutelle des

Églises dans les secteurs de la culture, du loisir et des sports, les deux secteurs sont intégrés à la mission culturelle de l'appareil administratif[21].

La délimitation du secteur culturel et la mise en forme de son organisation administrative ne sont toutefois pas encore au point, du moins on le suppose, puisqu'au sein de l'espace administratif nouvellement créé, des secteurs se forment en concurrence les uns avec les autres (livres, expositions, musique, peinture, théâtre, films, concours littéraires et scientifiques, etc.).

Tableau I
Budget du ministère des Affaires culturelles[22]

Année	Montant (,000$)	% des dépenses totales
1960-1961	2 724,0	0,46
1961-1962	3 133,9	0,48
1962-1963	3 373,8	0,44
1963-1964	5 070,0	0,60
1964-1965	5 324,9	0,55
1965-1966	6 557,6	0,45
1966-1967	8 329,4	0,49
1967-1968	12 193,3	0,60
1968-1969	13 065,8	0,54

Les sommes imputées à la mission culturelle, année après année, demeurent généralement inférieures à 0,50 % du budget total du gouvernement du Québec. Si la culture dans l'État québécois demeure pauvre et délaissée, c'est sans doute qu'à cette époque, l'appareil administratif se restructure, notamment autour de l'enseignement et de la santé. D'importants efforts financiers sont consacrés aux missions éducatives et sociales tout au long des années 1960.

Ces chiffres montrent toutefois que les années 1963-1964 et 1967-1968 sont excellentes pour les affaires culturelles qui obtiennent 0,60 % du budget global de l'État. Mais selon G. Frégault sous-ministre, «il n'est guère facile d'innover, d'autant que les brusques et capricieuses injections de crédits se transforment presque automatiquement en charges fixes, ce qui rétrécit encore la marge déjà étroite, laissée en apparence à l'imagination»[23]. On n'a guère le

---

21. Sur la question des loisirs, voir notamment R. LEVASSEUR, *Loisir et culture au Québec*, Montréal, Boréal Express, 1982; et le vol. 6, n° 1, printemps 1983 de *Loisir et société*.
22. Ces chiffres proviennent de J.-P. L'ALLIER, *op. cit.*, p. 87.
23. G. FRÉGAULT, *op. cit.*, p. 237.

choix sinon de se limiter à la gestion de ce qui existe: la musique, le théâtre et les arts plastiques, secteurs qui reçoivent une part appréciable des subventions (respectivement 26,6 %, 16 % et 10%).

Les difficultés du Ministère à recruter du personnel qualifié s'ajoutent à l'insuffisance des fonds. Les concours publics de recrutement, institués en 1960, exigent de longs délais avant que l'on procède aux nominations (entre quatre et treize mois selon les exemples fournis par Guy Frégault)[24]. Or, le Ministère a un urgent besoin de cadres pendant ses premières années d'existence. Pourtant, leur nombre passe de douze en 1961-1962 à dix en 1962-1963[25]. Il faut attendre l'année 1964 pour qu'un déblocage relatif s'effectue. Au cours de l'exercice financer 1964-1965, le Ministère voit gonfler ses effectifs globaux qui dépassent la centaine.

En 1969, la création du ministère de la Fonction publique donne lieu à une nouvelle répartition des tâches auprès des organismes responsables de la gestion du personnel. Pour le ministère des Affaires culturelles, comme pour les autres ministères, il en résulte une étude des systèmes de classification en vigueur ainsi que l'établissement d'un cahier de procédures et de directives.

La consolidation à l'ère de la rationalisation, 1970-1976

Au cours des années 1970, le secteur culturel acquiert une relative importance au sein de l'administration québécoise. L'organisation culturelle se diversifie en même temps qu'elle se spécialise et se rationalise.

Sur le plan de l'activité gouvernementale, le ministère administre les lois suivantes: *Loi du ministère des Affaires culturelles*, *Loi du conservatoire*, *Loi des musées de la province*, *Loi des monuments historiques*, *Loi des bibliothèques publiques*, *Loi de l'assurance-édition*, *Loi des concours littéraires et scientifiques*, *Loi de l'accréditation des librairies*, *Loi sur le cinéma*, *Loi de la Bibliothèque nationale du Québec*, *Loi concernant la Place royale à Québec* et *Loi des Archives nationales*, ce qui étoffe considérablement l'organisation administrative en matière culturelle. Par touches successives, des initiatives multiples et variées viennent parfaire l'appareil administratif responsable de la culture. Avant les élections de 1976, on dénombre plus d'une vingtaine d'organismes, consultatifs pour la plupart, qui relèvent du ministère des Affaires culturelles. Ce faisant, l'action se spécialise, notamment par rapport à l'Éducation, même si l'Office de la langue française passe sous la juridiction de ce dernier ministère en février 1972. Tandis que la jeunesse, les loisirs et les sports continuent de relever de l'Éducation, les Affaires culturelles, pour leur

---

24. *Ibid.*, p. 36.
25. Ministère des Affaires culturelles, *Rapport annuel*, 1962-1963, Québec, Imprimeur de la reine, 1963.

part, étendent leurs attributions au secteur de l'artisanat, du livre et des bibliothèques, des musées et des théâtres, des monuments historiques et du cinéma. Le regroupement de fonctions dans le secteur culturel s'accompagne de la montée des professionnels qu'encadre une organisation du travail de plus en plus bureaucratisée.

En réalité, la gestion de la mission culturelle n'échappe guère aux nouveaux paramètres administratifs en train d'être institués au sein de l'appareil d'État québécois. Notamment, à partir des années 1970, la rationalisation administrative devient garante d'une action culturelle systématique. Rappelons que depuis 1970, l'action culturelle se définit à travers quatre fonctions susceptibles d'être assumées par l'État, soit la conservation, la formation, l'aide à la création et la diffusion. Ces quatre fonctions se retrouvent dorénavant au sein de l'organisation administrative, avec quatre directions générales. En août 1972, pour préparer un plan d'organisation qui concorde avec le processus budgétaire, une réforme des structures du Ministère a établi cinq directions générales administratives et six programmes. Durant la même année, une direction du développement régional a été créée afin de favoriser l'implantation du Ministère dans les dix régions administratives du Québec. La politique culturelle régionale s'appuie désormais sur une douzaine de programmes censés favoriser l'émergence «de noyaux de culture autonomes et permanents qui assurent l'évolution et la diffusion des richesses culturelles du Québec»[26].

Au niveau central, l'unité de travail «Organisation et méthodes», instituée au cours de l'exercice financier de 1972-1973, a réorganisé la structure inférieure du Ministère, a procédé à l'étude des systèmes de classification en vigueur et a établi un cahier de procédures et de directives. Sur le plan comptable, le Ministère est devenu un des ministères pilotes du nouveau système de contrôle des dépenses (SYGBEC - Système de gestion budgétaire et comptable), en vue de l'implantation des budgets par programmes. C'est au cours de l'année 1973-1974 que cette nouvelle procédure a été adoptée. Le 20 mars 1974, le Conseil du trésor a approuvé le plan d'organisation du Ministère d'après ses programmes budgétaires. Ces programmes étaient au nombre de cinq. De plus, le Conseil du trésor a déterminé le nombre de postes de cadres et d'adjoints aux cadres supérieurs faisant partie de la structure supérieure et de la structure inférieure pour chacune des unités administratives du Ministère. Désormais, on compte six directions générales et deux directions spéciales.

Tous ces changements ne s'accompagnent pourtant pas d'une hausse des crédits annuels alloués au Ministère. De 1970 à 1976, le budget varie entre 0,39 % et 0,46 % des dépenses gouvernementales totales.

---

26. Ministère des Affaires culturelles, *Rapport annuel,* 1974-1975, Québec, l'Éditeur officiel du Québec, 1975, p. 59.

Quant aux effectifs, leur nombre global n'augmente pas au cours de ces années. Par contre, la présence des professionnels s'accroît considérablement au détriment des postes de fonctionnaires. Ce changement dans le personnel traduit sans doute une des facettes de l'action culturelle à cause de la place occupée par les professionnels et également à cause de la visibilité et de la légitimité que leur confère cette place. En effet, la spécialisation progressive des effectifs de la catégorie culturelle dans l'administration fait en sorte que la culture en tant que lieu d'intervention administrative, participe désormais d'une façon privilégiée à l'énonciation de la légitimité culturelle.

Tableau II
Budget du ministère des Affaires culturelles

Année	Montant (,000$)	% des dépenses totales
1970-1971	17 007.7	0,46
1971-1972	19 153.1	0,45
1972-1973	18 170.0	0,39
1973-1974	24 029.6	0,39
1974-1975	30 706.2	0,42
1975-1976	37 657.0	0,46

Tableau III
Effectifs du ministère des Affaires culturelles[27]

	1970	1976
Cadres	49	49
Professionnels	167	336
Professeurs	142	132
Fonctionnaires	361	196
Ouvriers	31	30
Total	750	743

27. Ministère des Affaires culturelles, *Rapport annuel*, 1970-1971, Québec, l'Éditeur officiel du Québec 1971 et *Rapport annuel*, 1975-1976, Québec l'Éditeur officiel du Québec, 1976.

De la coordination des diversités à leur mise en marché, 1976-1985

Lorsque le Parti québécois prend le pouvoir en 1976, la culture fait partie, depuis plusieurs années déjà, de l'organisation gouvernementale. En témoignent une structure administrative, des programmes budgétaires et une relative professionnalisation de son personnel. Mais la conception que les nouvelles autorités politiques ont de la culture, les conduit à réinterpréter et à reformuler la différence québécoise, qui repose désormais sur la formation d'une culture nationale. La notion de culture devient totalisante: elle englobe le loisir, les communications, la santé, le travail, les arts et les lettres et les industries culturelles. Ce qui suppose une révision des objectifs du Ministère ainsi qu'un réaménagement de ses structures administratives.

Trois objectifs de développement orientent l'action du Ministère au cours de ces années: 1) démocratiser la culture; 2) accroître le sentiment d'appartenance des Québécois; et 3) intégrer la culture à la vie économique. Sur le plan administratif, cela se traduit par l'évolution des structures de coordination et de régionalisation et par le développement des industries culturelles.

La coordination

Plusieurs changements administratifs ont lieu à partir de 1976. En décembre 1976, un comité ministériel permanent du développement culturel rattaché au Conseil des ministres, est institué. Son mandat est de voir à ce que les politiques gouvernementales en matière culturelle forment un tout cohérent, de manière à faciliter le processus de décision. Pour ce faire on regroupe, outre les Affaires culturelles, les Communications, le Haut-Commissariat à la jeunesse, aux loisirs et aux sports et l'Éducation. Le comité est présidé par le ministre d'État au développement culturel, responsable de l'analyse et de la coordination des politiques gouvernementales en matière culturelle[28]. Plus tard, après la publication du *Livre blanc* de Camille Laurin (1978), *La politique québécoise du développement culturel*, un «comité d'implantation» des politiques du *Livre blanc* est créé. Certains ministères cibles devant être intégrés à une politique culturelle globale, notamment l'Immigration, l'Industrie et le Commerce, le Tourisme, la Chasse et la Pêche sont progressivement mis à contribution.

En 1979, la coordination des activités de loisir se fait par l'entremise du nouveau ministère du Loisir, chargé d'unifier des programmes de loisir gérés

28. À partir de 1980, il s'agira du Comité ministériel permanent du développement culturel et scientifique. Nous rappelons que les ministères d'État sont supprimés en septembre 1982.

antérieurement par le Haut-commissariat et divers ministères, dont les Transports, les Affaires culturelles, le Tourisme, la Chasse et la Pêche et l'Agriculture.

Enfin, la formation de l'Institut québécois de recherche sur la culture en 1980 permet de coordonner les travaux sur le développement culturel. L'Institut a pour mission d'«étudier les sources et les transformations contemporaines de la culture québécoise et de contribuer ainsi, par des diagnostics sur la situation présente et par des travaux de prospective, au développement culturel de notre collectivité»[29].

La régionalisation

Développer la culture, c'est régionaliser l'action culturelle pour qu'elle corresponde à des besoins concrets et diversifiés, ce qui suppose des modifications sur le plan de l'organisation administrative. C'est dans cet esprit qu'en mars 1977, la Direction du développement culturel régional (1972) est remplacée par la Direction des bureaux régionaux. Son mandat consiste à coordonner les actions culturelles sur le plan régional et à stimuler les organismes locaux préoccupés par les objectifs du ministère des Affaires culturelles. En 1983, une nouvelle structure administrative destinée à faciliter la prise en charge du développement culturel par les régions est proposée. La Direction générale du réseau succède à la Direction des bureaux régionaux. Elle est chargée de la mise en oeuvre et du contrôle des dix directions régionales. Ces dernières surveillent la cohérence des interventions ministérielles relatives aux équipements culturels, aux bibliothèques publiques, aux arts et au patrimoine. En outre, afin de permettre aux régions d'exercer une emprise sur les décisions, la structure de programmes a été modifiée en 1984. Une structure budgétaire par fonction, au nombre de quatre, a également été mise en place[30]. Auparavant, les crédits étaient alloués selon les disciplines et l'on comptait six programmes[31].

---

29. Ministre d'État au développement culturel, *La politique québécoise du développement culturel*, Québec, Editeur officiel du Québec, t. 1, p. 141.

30. Il s'agit du Programme 01 - Organismes conseils et gestion interne; Programme 02 - Développement culturel; Programme 03 - Institutions nationales; Programme 04 - soutien et développement des arts, des lettres et des musées.

31. Ce sont les livres et autres imprimés, la sauvegarde et la mise en valeur des biens culturels, la gestion interne et le soutien, les arts de l'environnement visuel, les arts d'interprétation et le cinéma.

Les industries culturelles

À partir de 1976, le Ministère commence à s'intéresser de très près aux industries culturelles. Pour les soutenir, le gouvernement crée, en 1978, la Société québécoise de développement des industries culturelles[32]. Cet organisme parapublic a le mandat de développer les entreprises culturelles de manière à favoriser leur compétitivité et leur diffusion. En réalité, on vise la promotion et la mise en marché des biens culturels, tant sur le plan national que régional. Au fil des ans, la Société a développé une approche économique et «d'affaires» du phénomène culturel dans trois secteurs prioritaires, soit la culture, les communications et le patrimoine immobilier.

Mais si on compare le nombre et l'importance des nouvelles missions dévolues au Ministère au cours de ces années et les sommes imputées à la mission culturelle, on constate que le budget consenti demeure toujours inférieur à 0,50 % du budget total des dépenses gouvernementales et cela, même si en 1983-1984, on consacre près de 150 millions de dollars aux Affaires culturelles. Et pourtant, sous le poste budgétaire consacré à la mission culturelle se faufile plus que la culture entendue au sens strict.

* * *

Les données relatives à l'organisation, aux structures et aux ressources dont dispose le ministère des Affaires culturelles du Québec, ont été brièvement présentées. Elles montrent l'activité de l'organisation et suggèrent qu'en matière de culture, tout comme au sujet des autres secteurs, les règles administratives de la rationalisation et de la bureaucratisation sont présentes et que lorsque la culture est intégrée dans l'État, il lui est difficile d'échapper à la logique de l'intervention publique, celle-ci l'incitant à agir en fonction des critères de l'organisation que consolident et reproduisent ses nombreux agents.

Il est vrai que la mise en place et le développement de l'institution culturelle ont instauré un ordre: une organisation structurée remplit désormais une fonction officielle, celle de favoriser l'épanouissement et le rayonnement des arts et des lettres. Année après année, cette structure a défini et orienté l'action culturelle; ses normes, ses exigences et ses contraintes en témoignent autant que ses réalisations. Désormais objet de l'activité administrative, la culture semble être devenue l'oeuvre des fonctionnaires chargés de planifier son développement. Pourtant, l'identité conférée à la culture par le monde politique, tout autant que sa spécialisation progressive et son autonomisation au sein de l'administration, ne peuvent rendre compte de toutes les façons d'être et de faire dans le champ de la création.

---

32. Depuis 1982, il s'agit de la Société de développement des industries de la culture et des communications.

Il serait intéressant de faire un bilan, c'est-à-dire d'examiner ce qui a changé depuis 1961 sur le plan de la vie culturelle des Québécois. Mais ce serait un processus lent et complexe susceptible de nous amener fort loin, compte tenu des nombreux facteurs à prendre en compte et qui relèvent des contraintes posées par l'évaluation des politiques publiques. Il se trouve pourtant une question plus facile à aborder en matière de culture: celle des comportements à l'égard d'expressions culturelles diverses, étant donné les sommes consacrées et les acteurs impliqués. Tel est l'objet de la dernière partie.

DES DILEMMES DE L'ADMINISTRATION DE LA VIE CULTURELLE

L'objectif de la *Loi sur le ministère des Affaires culturelles* de 1961 était de favoriser l'épanouissement et le rayonnement des arts et des lettres au Québec et à l'extérieur, dans le monde de la francophonie. Depuis lors, des politiques sectorielles ont été élaborées, des industries culturelles ont été développées, le nombre d'équipements ou d'organismes culturels a été accru. Les données chiffrées qui suivent illustrent la situation culturelle du Québec dans des secteurs ayant fait l'objet d'interventions successives de la part du Ministère: le livre, le patrimoine et les équipements. Les dépenses gouvernementales totales en matière de culture sont aussi présentées; il s'agit de celles du ministère des Affaires culturelles auxquelles s'ajoutent les dépenses effectuées par les autres ministères ou organismes.

Ces quelques chiffres sur la culture n'ont cependant rien d'exhaustif. Tout au plus permettent-ils de montrer le domaine élargi de la culture puisqu'au Québec, cette dernière ne se limite plus aux arts institutionnels.

Les formes d'expression culturelle

Le livre[33]

Le livre et ses industries sont un important moyen d'expression de la culture collective. Au Québec, les autorités politiques n'ont jamais cessé d'intervenir dans ce secteur. En témoignent les librairies agréées, c'est-à-dire celles dont le statut les habilite à vendre les livres aux institutions subventionnées par l'État, et le fait que l'État québécois occupe une place prépondérante dans la production et la diffusion de livres, de revues et de brochures. En témoignent

33. Les données sur le livre proviennent du ministère des Affaires culturelles, *Les bibliothèques publiques du Québec, 1983 et 1984*, Québec, Gouvernement du Québec, 1985.

également le nombre des bibliothèques publiques ainsi que l'augmentation du nombre de livres disponibles et de prêts effectués dans les bibliothèques publiques[34].

En 1983, le réseau des bibliothèques publiques dessert plus de 80 % de la population totale. Ce réseau comprend 120 bibliothèques municipales autonomes, 19 bibliothèques publiques, 642 bibliothèques municipales affiliées aux bibliothèques centrales de prêt, qui sont au nombre de 11[35]. Ce sont surtout les municipalités qui assurent le financement des bibliothèques municipales, tandis que le gouvernement provincial y contribue pour environ 33 % des dépenses de fonctionnement. Par contre, le ministère des Affaires culturelles contribue au financement des bibliothèques centrales de prêt d'une façon plus significative; les subventions par tête d'habitant sont passées de 3,21 $ dans le cas des bibliothèques municipales autonomes à 5,09 $ dans le cas des bibliothèques centrales de prêt, au cours des années 1980.

Quant à la lecture, il y a eu une progression constante depuis 1960, tant par rapport au nombre de livres disponibles que par rapport au nombre de prêts effectués.

Le patrimoine

Au Québec, la protection des biens culturels est régie par la *Loi sur les biens culturels* de 1972. En vertu de cette loi et des modifications apportées en 1978 et en 1982, il existe deux grandes catégories de biens: 1) les biens meubles (oeuvres d'art, imprimés, etc.) et 2) les biens immeubles (monuments, sites, etc.).

Depuis 1972, 492 monuments, sites et arrondissements ont été classés et ces derniers lieux sont protégés juridiquement[36]. C'est évidemment dans les villes de Québec et de Montréal que l'on retrouve le plus grand nombre de monuments, de sites et d'arrondissements historiques (la Place royale à Québec, la Place Jacques-Cartier à Montréal étant les plus connues).

Le nombre des oeuvres d'art protégées juridiquement a augmenté également (700 en 1978, près de 1 000 maintenant). Année après année, le Ministère s'est occupé activement de réaliser l'inventaire de la production artistique du Québec, de la reconnaître et de la localiser.

---

34. Le Ministère administre les lois suivantes: la *Loi sur l'assurance-édition* (*L.R.Q.*, c. A-27); la *Loi sur les bibliothèques publiques* (*L.R.Q.*, c. B-3); la *Loi sur le développement des entreprises québécoises dans le domaine du livre* (*L.R.Q.*, c. D-8.1).

35. Ces données excluent les bibliothèques scolaires.

36. Bureau de la statistique du Québec, *Le Québec Statistique 1985-1986*, Québec, 1985.

Quant aux musées, ils sont régis par trois lois administrées par le ministère des Affaires culturelles: la *Loi sur le musée des Beaux-arts de Montréal* (*L.R.Q.*, c. M-42), la *Loi sur les musées* (*L.R.Q.*, c. N-43) et la *Loi sur les musées nationaux* (*L.Q.*, 1983, c. 52). On compte 124 musées au Québec, mais ceux-ci sont inégalement répartis sur l'ensemble du territoire. C'est dans les régions de Montréal et de Québec que la plupart des musées sont concentrés malgré la volonté du Ministère de créer hors de ces deux centres de nouveaux grands établissements. Voilà pourquoi une politique de développement des musées a dû être élaborée. En outre, on a créé, en 1982, la collection «Prêt d'oeuvres d'art», pour stimuler la création artistique. Cette nouvelle collection vise, aussi, à accroître les lieux d'exposition. Déjà, près de 300 oeuvres, d'une valeur totale de 450 000 $, ont été acquises et diffusées. Parmi les 167 artistes regroupés au sein de la collection, plusieurs habitent la région de Montréal[37].

Les équipements

Il existe au Québec un réseau important d'équipements et d'organismes culturels. En 1984, on compte 808 locaux destinés à ces activités: salles de spectacles, centres culturels et d'art, musées, théâtres d'été, salles d'exposition et salles d'archives. Près de 70 établissements sont ainsi répartis: jardins zoologiques, aquariums, stations piscicoles, jardins botaniques, etc. On dénombre 1 381 locaux consacrés à l'artisanat, à la danse et à l'expression dramatique. Enfin, plus de 2 000 établissements sont réservés aux mouvements sociaux, aux activités de loisir et aux activités sociales diverses.

Quant aux organismes culturels, leur nombre s'élève à 570 en 1984. Ce sont des sociétés théâtrales, des associations musicales, de danse et de variétés[38].

Les dépenses en matière de culture

Si administrer la culture, c'est gérer des établissements et du personnel, c'est aussi disposer d'un budget et effectuer des dépenses. Au Québec, le ministère des Affaires culturelles n'est pas le seul à investir dans la culture. Outre le gouvernement fédéral qui intervient directement par le programme Arts et Culture du Secrétariat d'État, par l'intermédiaire du Conseil des arts du Canada et grâce au programme des Musées nationaux et à celui de Parcs Canada, près de trente-quatre ministères et organismes provinciaux publics et parapublics agissent dans le domaine culturel en 1984, tel que l'indique le tableau IV.

---

37. *Ibid.*
38. *Ibid.*

Tableau IV
Ministères et organismes intervenant dans le domaine culturel, Québec, 1984

Assemblée nationale
Bureau de la statistique du Québec
Bureau de surveillance du cinéma
Commission des droits de la personne
Comité ministériel permanent du développement culturel
Conseil de la langue française
Conseil de la science et de la technologie
Conseil des affaires sociales et de la famille
Conseil du statut de la femme
Conseil exécutif
Conseil québécois de la recherche sociale
Fonds FCAR pour l'aide et le soutien à la recherche
Institut québécois de recherche sur la culture
Ministère de l'Agriculture, des Pêcheries et de l'Alimentation
Ministère de l'Éducation
Ministère de l'Enseignement supérieur, de la Science et de la Technologie
Ministère de l'Environnement
Ministère de l'Habitation et de la Protection du consommateur
Ministère de l'Industrie et du Commerce
Ministère de la Justice
Ministère des Affaires culturelles
Ministère des Affaires intergouvernementales
Ministère des Affaires municipales
Ministère des Affaires sociales
Ministère des Communautés culturelles et de l'Immigration
Ministère des Communications
Ministère des Transports
Ministère des Travaux publics et Approvisionnement
Ministère du Loisir, de la Chasse et de la Pêche
Ministère du Tourisme
Office de planification et de développement du Québec
Société de développement des industries de la culture et des communications
Société d'habitation du Québec
Société de radio-télévision du Québec

Source: Bureau de la statistique du Québec, Direction générale de la statistique et des services de soutien, *Dépenses de l'administration provinciale au titre de la culture*, décembre 1984.

Quant aux montants investis pour la mission culturelle, selon les ministères, ils apparaissent au tableau V.

Tableau V
Dépenses culturelles, par ministère, 1982-1983
('000 $)

Ministère et organisme	Dépenses totales	Transferts de l'Administration fédérale	Dépenses nettes
Affaires culturelles	120 795,1	8 993,6	111 801,5
Affaires intergouvernementales	877,0	---	877,0
Affaires municipales	6 425,0	4 818,0	1 607,0
Agriculture, Pêcheries et Alimentation	777,0	---	777,0
Assemblée nationale	69,0	---	69,0
Communautés culturelles	899,8	---	899,8
Communications	52 865,8	---	52 865,8
Conseil exécutif	3 409,2	---	3 409,2
Éducation	68 361,0	---	68 361,0
Industrie et Commerce	17,3	---	17,3
Loisir, Chasse et Pêche	4 295,8	---	4 295,8
Habitation et Protection du consommateur	43,0	---	43,0
Conseil de la langue française	43,0	---	43,0
Office de la langue française	466,0	---	466,0
Société de développement des industries de la culture et des communications (SODICC)	2 011,0	---	2 011,0
Institut québécois de recherche sur la culture (IQRC)	2 017,6	---	2 017,6
Bureau du cinéma	848,6	---	848,6
Office de planification et de développement du Québec (OPDQ)	692,9	---	692,9
Total	264 914,1	13 811,6	251 102,5

Source: Bureau de la statistique du Québec, Direction générale de la statistique et des services de soutien, *Dépenses de l'administration provinciale au titre de la culture*, décembre 1984.

Pour l'année 1982-1983, les dépenses culturelles du gouvernement du Québec totalisent 264,9 millions de dollars, si on inclut les 13,8 millions de dollars de transferts provenant de l'Administration fédérale. C'est le ministère des Affaires culturelles qui effectue près de 50 % des dépenses globales; les ministères de l'Education et des Communications viennent respectivement aux deuxième et troisième rang. Pour l'année 1982-1983, le Québec consacre à la culture 1,35 % de son budget, ce qui est légèrement supérieur à la moyenne canadienne de 1,20 %[39] .

En plus des dépenses de fonctionnement, les sommes investies sont consacrées tantôt à des subventions, contributions et transferts courants (particuliers, associations et organismes, administrations municipales), tantôt à des subventions, contributions et transferts à des fins d'investissement (particuliers, associations et organismes, administrations municipales). Comme l'indique le tableau VI, ce sont les dépenses, contributions et transferts courants qui sont responsables de près de 70 % des dépenses totales effectuées. Les dépenses de fonctionnement viennent ensuite.

L'allocation des ressources financières du ministère des Affaires culturelles pour l'année 1983-1984 est présentée au tableau VII. Le secteur des bibliothèques arrive au premier rang avec 21 % des dépenses totales. Viennent ensuite le patrimoine, les musées et centres d'exposition, la musique, la danse et le théâtre. Quant aux archives, aux lettres, aux arts visuels et à l'artisanat, ils demeurent les parents pauvres puisque la totalité des sommes qui leur sont allouées représentent 6 % seulement des dépenses totales du ministère.

* * *

Les statistiques et les tableaux montrent que la culture est partout et que les lieux de son expression ne se réduisent pas aux Affaires culturelles. La réalisation de la mission culturelle par l'État se fait tout autant par l'intermédiaire de l'éducation, du travail et de l'économie, que grâce à la création artistique et aux industries culturelles. Si, en ce domaine des actions à poser ont été décelées, des secteurs ont été nommés et quelques priorités ont été dégagées, il reste néanmoins une dernière question à aborder. Cette question concerne les choix culturels originaux et ce qu'il en reste, une fois qu'ils ont été traduits dans le langage administratif. Elle concerne aussi la signification de la culture lorsqu'elle suppose l'existence d'institutions qui gèrent des projets, des programmes et du personnel, lorsqu'elle encourage l'industrialisation des produits culturels[40]. En conclusion, confrontons l'idée de la culture en tant qu'expression mouvante de la dynamique d'une collectivité à celle de sa gestion administrative.

---

39. *Ibid.* Quant aux dépenses du fédéral pour la culture, elles représentent 2 % du budget total.

40. Ce que Jean-Paul L'Allier appelle la «culture par l'État». Voir J-P. L'ALLIER «L'une dans l'autre, politique et culture», *Le Devoir*, 21 septembre 1985, p. 8.

Tableau VI
Dépenses totales reliées à la culture, selon la catégorie de dépenses et le ministère, Québec, 1982-1983
(,000 $)

Ministère et organisme	Dépenses		Dépenses, contributions, transferts	
	Fonctionnement	Investissement	Courants	Investissements
Affaires culturelles	45 783,0	3 532,1	62 090,8	9 389,2
Affaires intergouvernementales	171,0	---	706,0	---
Affaires municipales	---	---	---	6 425,0
Agriculture, Pêcheries et Alimentation	777,0	---	---	---
Assemblée nationale	69,0	---	---	---
Communautés culturelles	98,9	---	630,9	170,0
Communications	30,0	---	52 835,8	---
Conseil des ministres	1 369,5	---	2 039,7	---
Éducation	---	---	67 451,0	910,0
Industrie et Commerce	---	---	---	17,3
Loisir, Chasse et Pêche	3 720,5	48,6	526,7	---
Habitation et Protection du consommateur	43,0	---	---	---
Conseil de la langue française	---	---	43,0	---
Office de la langue française	---	---	466,0	---
Société de développement des industries de la culture et des communications (SODICC)	2 011,0	---	---	---
Institut québécois de recherche sur la culture (IQRC)	1 997,6	20,0	---	---
Bureau du cinéma	846,6	2,0	---	---
Office de planification et de développement du Québec (OPDQ)	551,3	141,6	---	---
Total	57 468,4	3 744,3	186 789,0	16 911,5

Source: Bureau de la statistique du Québec, Direction générale de la statistique et des services de soutien, *Dépenses de l'administration provinciale au titre de la culture*, décembre 1984.

Tableau VII
Dépenses du ministère des Affaires culturelles selon le secteur
Québec, 1983-1984

Secteur	Fonctionnement et investissements en régie	Subventions ou transferts	Dépenses totales	
	,000 $	,000 $	,000 $	%
Bilbiothèques[1]	4 817,0	23 493,0	28 310,0	21
Musées et centres d'exposition[2]	5 993,0	7 577,0	13 570,0	10
Archives[3]	2 771,0	124,0	2 895,0	2
Patrimoine	7 566,0	10 087,0	17 653,0	13
Lettres, publications, etc.	489,0	2 125,0	2 614,0	2
Musique		4 946,8		
Danse	1 075,0	1 767,8	27 832,2	21
Théâtre		5 002,5		
Autres			4 072,7	
Sociétés d'État		10 967,4		
Conservatoires	10 764,0	---	10 764,0	8
Arts visuels	254,0	1 268,4	1 522,4	1
Film - cinéma	1 062,0	5 133,0	6 195,0	4
Artisanat	254,0	1 106,0	1 360,6	1
Autres[4]	9 467,0	12 985,8	22 452,8	17
Total	44 512,0	90 657,0	135 169,0	100

1. Incluant les bibliothèques publiques et la Bibliothèque nationale.
2. Incluant les musées d'État.
3. Incluant les Archives nationales.
4. Incluant une partie des dépenses du Programme d'aide aux équipements culturels.

Source: Ministère des Affaires culturelles du Québec, Service de la recherche et de la planification.

CONCLUSION

Depuis la création du ministère des Affaires culturelles en 1961, des interventions administratives successives ont eu certains effets sur le domaine culturel. Nous en avons cerné les principaux aspects. De plus, l'étude des trois grands projets culturels nous a fait constater que la culture avait changé de sens au fil des ans. Si la culture des années 1980 traduit nos aspirations de souveraineté culturelle et économique, elle est aussi le signe de notre «différence».

Mais la création d'un ministère a érigé la culture en affaire d'État et désormais, un nombre restreint de responsables (politiques et administratifs) définissent les grands programmes nationaux à partir des objectifs qu'ils se sont donnés, même si d'autres instances continuent d'effectuer des choix culturels. Certes, le passage de la culture dans l'administration a sans doute eu pour effet de lui donner une visibilité qu'elle n'avait pas et a étendu son champ d'action. En contrepartie et parce qu'il privilégie des domaines d'activités, un tel passage cloisonne la culture dans le champ politico-administratif que consolident et reproduisent ses nombreux agents. Ces derniers administrateurs, dont la formation administrative est loin de garantir une compétence artistique, sont souvent coupés de la réalité et du terrain véritable. En devenant une catégorie au sein de l'administration et un lieu d'intervention public, la culture a changé, peu à peu, de signification.

Au Québec , le ministère de la Culture s'appelle «Affaires» culturelles. Question de vocabulaire dira-t-on, mais qui renvoie néanmoins au fait que le ministère de la Culture est un ministère comme les autres. L'organisation bureaucratique caractérise son fonctionnement. D'une part, un personnel inamovible et se professionnalisant de plus en plus a conduit à une spécialisation progressive des tâches et au développement d'attitudes axées sur la conservation des avantages. D'autre part, et parce que les institutions culturelles dépendent des subventions gouvernementales au même titre que les appareils scolaires et municipaux notamment, elles sont tenues d'épouser les temps et les rythmes du processus administratif. La prise en compte de leur discours et de leurs demandes passe obligatoirement par leurs traductions dans le langage politico-administratif.

Certes, il s'agit là d'une garantie de continuité et d'objectivité. Il y a mise en forme, à travers des institutions et des pratiques, d'un droit à exercer, protégé par l'appareil de l'État. Mais ne limite-t-on pas ainsi la culture à un champ d'intervention circonscrit et ne devient-elle pas une politique sectorielle parmi bien d'autres?

Au Québec, cette politique sectorielle est l'oeuvre de l'État; elle s'est construite à travers une succession d'interventions administratives déterminées et en concurrence avec les autres partenaires gouvernementaux. D'abord axée sur l'éducation, la politique culturelle s'est progressivement autonomisée grâce à la mise en place d'institutions spécialisées. Gardiennes de notre identité nationale, ces institutions ont quadrillé l'espace culturel, lequel occupe tant le secteur du livre et des bibliothèques, des archives et du patrimoine, que celui des musées et des conservatoires de musique et d'art dramatique. Grâce aux dépenses de transfert[41], tant du côté des municipalités que des institutions para-publiques, auprès des organismes sans but lucratif, on tente d'organiser un décloisonnement des programmes au profit des régions. C'est en tout cas le mandat de la nouvelle direction générale du réseau chargé de redonner au milieu ses responsabilités en matière de patrimoine, d'arts, de lettres et d'équipements culturels. Désormais régionalisée, la politique culturelle n'échappe pas pour autant aux impératifs fixés par les organes centraux et le versement des subventions étatiques demeure dépendant de l'atteinte des objectifs nationaux. Gérée et administrée, la culture est de plus en plus régulée par les décisions prises au sein de l'organisation politico-administrative québécoise. En tant que lieu d'intervention, la culture participe donc, et d'une manière privilégiée, à l'énonciation de la légitimité culturelle.

41. Celles-ci représentent, en 1985-1986, près de 80 % des dépenses du ministère.

DÉCENTRALISATION MUNICIPALE ET POUVOIR TECHNOCRATIQUE

Pierre Delorme

INTRODUCTION

Comprendre le processus par lequel les grandes décisions sont élaborées et mises en oeuvre par l'État moderne suppose de nouvelles grilles d'analyse et de nouveaux modes d'interprétation. On ne peut plus comprendre la réalité actuelle du processus décisionnel avec les mêmes outils qui furent les nôtres pendant longtemps. Un nouveau partage de responsabilités s'est imposé entre le politique et l'administratif et les relations entre ces deux secteurs ne reposent plus, désormais, sur une séparation mécaniste et soi-disant neutre des pouvoirs. Longtemps, l'administration publique fut considérée comme l'exécutante des décisions des élus politiques. Il s'agit là d'une vision encore (trop) largement répandue: les élus, députés et ministres furent considérés comme les grands décideurs quant à l'avenir de la société et les administrateurs publics comme les gestionnaires de ces décisions. La réalité actuelle est tout autre.

Un premier «glissement» s'est effectué, au niveau des assemblées parlementaires, du législatif à l'exécutif. À cause de l'efficacité qui s'imposait, de la complexité de plus en plus évidente des problèmes qui étaient posés à l'État, les «simples» députés ont perdu progressivement de leur pouvoir législatif et les grandes décisions sont devenues la responsabilité du Conseil des ministres, du gouvernement, au sens pratique du terme; telle est une première réalité observable dans les démocraties parlementaires.

Par ailleurs, un second déplacement, nous en émettons l'hypothèse, est en voie de réalisation. L'amplification des problèmes soumis à l'État et une progression très nette de leur complexité obligent le recours à des experts qui, au sein de l'appareil administratif, deviennent des ressources indispensables. La présence de ces experts technocrates nécessite une modification de notre conception de l'élaboration et de la mise en oeuvre des politiques publiques. L'administration publique moderne n'a plus qu'une simple fonction d'exécution mais participe également, et d'une façon active, au processus d'élaboration des décisions. Par leur savoir spécialisé et leur grande connaissance des rouages de l'appareil de l'État, les technocrates parviennent à influencer, sinon à déterminer, l'orientation et le contenu des politiques gouvernementales.

Quelques remarques s'imposent sur la notion de technocratie, qui a fait l'objet de plusieurs études théoriques. Dans un ouvrage, qui date déjà de quelques années, J. Meynaud résume les fondements du concept de technocratie[1]:

> Dans le domaine politique, le passage de la fonction technique à la technocratie s'accomplit quand le technicien, en tant que tel, acquiert la capacité de décider ou détermine, de manière prépondérante, les choix du responsable officiel.

La technocratie correspond donc à l'accession de la compétence technique, dans une structure bureaucratique, à la décision. Dans les administrations publiques, la technocratie renvoie à l'influence que détiennent certains hauts fonctionnaires pour influencer la décision publique. En raison de la grande complexité des problèmes qui sont posés aux instances politiques, les personnes choisies par la population pour élaborer et mettre en oeuvre des choix publics, doivent s'entourer d'experts chargés de les renseigner, afin de prendre les meilleures décisions. Certains de ces experts, à cause de leur compétence reconnue dans des secteurs précis et à cause de leur maîtrise des rouages bureaucratiques de l'appareil d'État, parviendront à imposer leurs vues aux décideurs politiques. On parlera alors de politiques gouvernementales à caractère nettement technocratique, les politiciens ayant alors comme principale responsabilité de rendre publiques et de défendre, le cas échéant, de telles décisions.

Technocratie et bureaucratie paraissent dès lors intimement liées: les technocrates — hauts fonctionnaires, conseillers et experts — évoluent au sein d'un appareil bureaucratique et se servent de leurs connaissances de même que de l'appui des fonctionnaires qui dépendent d'eux, pour accéder aux étapes finales du processus décisionnel.

Dans le secteur qui nous intéresse, nous voulons mettre en lumière le caractère technocratique des principales réformes qui ont touché le monde municipal; nous cherchons à montrer que ces réformes résultent davantage de choix qui proviennent de l'administration publique que de choix strictement politiques.

C'est dans cette perspective que nous entreprenons l'étude des principales transformations qui ont redéfini l'utilisation de l'espace urbain du

---

1. J. MEYNAUD, *La Technocratie, mythe ou réalité?*, Paris, Payot, 1964, p. 27.

Québec et sa gestion depuis les années 1960. Nous cherchons à mettre en relief le rôle de la technobureaucratie dans l'élaboration de politiques urbaines et dans la gestion de ces politiques. Nous voulons également souligner les prolongements qu'a connus le processus de modernisation de l'appareil administratif québécois, sur le plan local. Nous serons ainsi en mesure d'évaluer les conséquences, sur la scène urbaine, de la bureaucratisation et surtout de la technocratisation de l'administration publique québécoise.

Nous avons vécu au Québec, depuis les années 1960, un processus rigoureux de rationalisation de l'espace urbain et de sa gestion, par l'échafaudage de politiques gouvernementales que nous devons dans un premier temps compiler et, dans un second, remettre en doute. À quelle logique correspond cette mise en place d'un ordre urbain et au profit de qui cette normalisation de la gestion urbaine s'est-elle effectuée[2]? Nous tenterons de présenter, dans ces quelques pages, une piste de réflexion afin d'interpréter les grandes transformations urbaines au Québec.

LE POLITIQUE ET L'ADMINISTRATION

L'une des observations les plus caractéristiques des administrations publiques modernes semble être la redéfinition du partage de responsabilités qui s'effectue entre les éléments proprement politiques de l'État et les acteurs administratifs. La croissance de l'interventionnisme étatique observée depuis la fin de la Seconde Guerre mondiale dans les pays capitalistes et principalement depuis la Révolution tranquille au Québec, a provoqué la mise en oeuvre de nouveaux modes de gestion des affaires publiques, fondés sur des critères scientifiques plus sûrs. La participation croissante de l'État à la société civile et la réussite de la mise en oeuvre des politiques publiques semblent étroitement liées à l'efficacité de l'action administrative[3]. L'administration publique apparaît dès lors comme le soutien indispensable aux acteurs politiques à qui la société demande de plus en plus. Toutefois, de soutien à la décision politique, l'administration parviendra progressivement à tenir un rôle dans l'élaboration des politiques. C'est ainsi que la distinction formelle entre les tâches d'exécution et de conception dans l'appareil d'État apparaîtra de moins en moins évidente à l'observateur. La neutralité acquise de l'administration publique perd progressivement de son acuité, si bien que l'on doit désormais envisager l'appareil de l'État comme un complexe politico-administratif où la

---

2. Pour une analyse plus détaillée des aspects théoriques, voir P. DELORME, *L'ordre urbain, administration publique de l'espace urbain au Québec*, Hull, Éditions Asticou, 1986, pp. 11-60.

3. Voir J. CHEVALLIER et D. LOSCHAK, *La science administrative*, Paris, PUF, Que sais-je?, 1980, p. 19.

frontière entre les actions politiques et les actions administratives est de plus en plus difficile à tracer. On parle davantage aujourd'hui d'un système intégré, unifié dans lequel des acteurs politiques doivent connaître et comprendre la portée administrative de leurs choix et dans lequel la sensibilité politique de la haute fonction publique paraît acquise.

Un nouveau type de relations de pouvoir semble désormais déterminer le fonctionnement de l'appareil politico-administratif de l'État. Par leur savoir hautement spécialisé, certains bureaucrates se sont hissés au rang de technocrates les rendant ainsi capables d'influencer de façon déterminante les décisions politiques. L'amplification que prend ce mouvement provoque un débat sur les réels détenteurs du pouvoir au sein de l'État moderne. Aux yeux de certains spécialistes, la complexité des problèmes qui sont soumis aux instances publiques est devenue telle que la grande majorité des politiciens doivent, pour les résoudre, s'en remettre entièrement au savoir de leurs fonctionnaires. Et ainsi, un groupe restreint d'entre eux réussiront grâce à leur participation à certaines instances — les comités interministériels, par exemple — à déterminer l'orientation des principales décisions publiques[4]. On assiste ainsi, dans les administrations publiques modernes, à une véritable technocratisation du processus décisionnel. Nous partageons, à ce titre, la conception du rapport politique-administration de Chevallier et Loschak, pour qui, *«l'administration est située au coeur du système politique et il est impossible de démontrer sa subordination à partir de son caractère prétendument non politique; elle est organiquement soudée à l'exécutif politique, et il est exclu de trouver entre eux une ligne stable de démarcation»*[5]. Cette perspective représente, selon nous, une conception moderne et lucide de l'administration publique.

C'est ainsi qu'il faut parler aujourd'hui du pouvoir administratif. Dans la société actuelle, il s'est établi une continuité et un lien de complémentarité entre savoir et pouvoir. Celui qui détient un certain savoir, une connaissance spécialisée, de la gestion publique par exemple, possède également du pouvoir. Et le haut fonctionnaire, par son savoir et sa connaissance des réseaux de communication propres à l'administration publique, pourra influencer de façon déterminante les choix collectifs[6].

---

4. Voir à ce sujet C. CAMPBELL, *Governments Under Stress, Political Executives and Key Bureaucrats in Washington, London and Ottawa*, Toronto, University of Toronto Press, 1983; C. CAMPBELL et G.J. SZABLOWSKI, *The Super-bureaucrats, Structure and Behaviour in Central Agencies*, Toronto, Macmillan, 1979.

5. J. CHEVALLIER et D. LOSHAK, *op. cit.*, p. 70.

6. Sur la communication dans la haute fonction publique, voir J. BOURGAULT, «Les hauts fonctionnaires québécois: paramètres synergiques de puissance et de servitude», *Revue canadienne de science politique*, vol. XVI, n° 2, juin 1983, pp. 227-256.

Ces propositions générales s'appliquent-elles à l'administration publique québécoise? Avons-nous atteint au Québec un tel développement de notre appareil bureaucratique? Une observation de l'évolution de l'administration publique, principalement depuis les années 1960, de même qu'une analyse des politiques urbaines au Québec nous conduisent à la conclusion que le modèle qui existe dans les régimes démocratiques occidentaux, s'applique au système politique québécois. Notre administration publique s'est développée rapidement et les modes de gestion qui s'y retrouvent paraissent tout à fait en conformité avec ceux des bureaucraties modernes.

LA MODERNISATION DU PROCESSUS DÉCISIONNEL AU QUÉBEC

Nul besoin d'insister longuement sur les grandes transformations qui ont marqué l'administration publique québécoise depuis les années 1960. De nombreuses études ont montré les principaux changements qui ont constitué autant d'étapes dans la modernisation de l'appareil de l'État québécois[7]. Notre propos se situe plutôt sur un autre plan: nous cherchons à saisir et à mettre en lumière le processus de technocratisation qui, à travers la modernisation de l'administration publique, a déterminé une nouvelle orientation du pouvoir politique. En d'autres termes, l'appareil administratif s'est certes transformé depuis les années 1960, mais ce processus a induit un nouveau partage politico-administratif, à la faveur des technocrates québécois qui ont pu mener à bien leurs grandes réformes administratives et ainsi consolider leur pouvoir dans la détermination des politiques publiques.

En fait, nous soutenons qu'une nouvelle classe moyenne francophone était en expansion au Québec au cours des années 1950 et que, voyant l'accès très limité que lui réservait le secteur privé dominé par le capital anglo-saxon, elle s'est orientée vers l'appareil d'État où tous les espoirs étaient permis. Le Québec avait, depuis la fin de la Seconde Guerre mondiale, amorcé un processus irréversible de transformation économique qui devait s'accélérer au tournant des années 1960. L'appareil d'État, toutefois, ne paraissait pas ajusté à la nouvelle conjoncture économique et sociale: l'administration publique des années 50 était sclérosée, paternaliste, décentralisée et le patronage y semblait institutionnalisé.

---

7. Sur la modernisation de l'administration publique québécoise, voir notamment: A. AMBROISE et J. JACQUES, «L'appareil administratif», G. BERGERON et R. PELLETIER (dir.), *L'État du Québec en devenir*, Montréal, Boréal Express, 1980, pp. 109-145; J. I. Gow, «Modernisation et administration publique», E. ORBAN (dir.), *La modernisation politique du Québec*, Québec, Boréal Express, 1976, pp. 157-185; J. I. GOW, *Histoire de l'administration publique québécoise, 1867, 1970*, Montréal, PUM et Institut d'administration publique du Canada, 1986.

D. Posgate et K. Mc Roberts présentent bien l'état de l'administration publique sous le régime Duplessis[8]:

> Comme on peut s'y attendre, étant donné la portée limitée des activités gouvernementales, les structures administratives étaient peu développées. Jusqu'en 1960, les structures étaient très décentralisées, plutôt faibles et ne fonctionnaient pas d'après un système bien défini. De plus, on comptait très peu de spécialistes qui auraient pu prendre des décisions relativement autonomes. Avant 1960, la fonction publique comptait un nombre important d'avocats et d'ingénieurs, mais moins de 12 économistes, quelques statisticiens et pratiquement aucun sociologue. En règle générale, les hauts fonctionnaires étaient nommés sur la base de critères politiques et on ne connaissait aucun système réel d'évaluation du personnel. [...] C'était le système de «patronage» généralisé.

Avec l'arrivée de l'équipe de Lesage au pouvoir en 1960, le changement politique et administratif s'annonçait clairement. La situation semblait tout à fait propice à la nouvelle classe moyenne québécoise pour «envahir» l'appareil administratif, le moderniser et surtout le modeler selon ses propres critères inspirés par un souci de transformer la société québécoise et son administration publique et, également, par un souci de se tailler une place confortable et permanente dans la gestion des affaires de la collectivité. À défaut de pouvoir accéder au rang de classe dominante sur le plan économique, ces Québécois ont constitué une classe dirigeante en s'accaparant l'appareil politico-administratif de l'État et en l'ajustant à leurs propres convictions. C'est ainsi que nous avons vu, au cours des années 1960 et 1970, s'élaborer et se mettre en oeuvre un ensemble de politiques et de programmes touchant divers secteurs de la vie des Québécois: santé, affaires sociales, développement économique, urbanisme, etc. Toutes ces réalisations ont eu comme effet direct de renforcer le poids de la bureaucratie québécoise et de la rendre indispensable dans la gestion des principaux champs d'activités de l'État.

À cette réalité, issue des caractéristiques mêmes de la société québécoise, il faut également ajouter les influences de plus en plus grandes de l'appareil d'État fédéral qui, par l'élaboration de nouvelles politiques gouvernementales ayant des incidences provinciales, de même que par l'introduction de nouveaux modes de gestion publique, ont certainement contribué au développement et à la modernisation de l'administration publique québécoise.

Comme nous le constaterons plus loin en étudiant d'une façon particulière les politiques urbaines, plusieurs actions de l'État ont un contenu nettement technocratique et leur application repose sur une gestion continue — permanente — de l'appareil technobureaucratique québécois. La boucle

---

8. D. POSGATE et K. MC ROBERTS, *Développement et modernisation du Québec*, Montréal, Boréal Express, 1983, p. 83.

semble ainsi se refermer: l'administration québécoise, et principalement la haute fonction publique, contribue à l'élaboration des politiques publiques et au terme du processus décisionnel, elle veille à leur application et aux correctifs qui s'imposent.

Un nouveau partage de pouvoir paraît donc s'être redéfini progressivement au cours des années 1960 et 1970 entre le politique et l'administration au sein de l'appareil d'État québécois. La complexité des problèmes soumis à l'État et la nécessité évidente de grandes réformes économiques et sociales au sein de la société québécoise ont généré le recours essentiel aux experts pour planifier, élaborer et gérer les politiques gouvernementales. Aux problèmes qui apparaîtront dans la société québécoise correspondront des solutions technocratiques. Dans la plupart des cas, les politiciens deviendront les «responsables» publics de décisions qui émaneront de l'appareil technobureaucratique de l'État.

Certains indices peuvent illustrer le développement d'un pouvoir technocratique au sein de l'État québécois: la croissance institutionnelle, l'encadrement financier rigoureux des activités de l'administration centrale tout comme des activités décentralisées, l'introduction de méthodes scientifiques modernes de gestion publique et, enfin, le développement et le renforcement des organismes centraux. Ces changements ont provoqué un nouveau partage politique-administration rendant le savoir technocratique indispensable à la gestion publique moderne.

La réforme amorcée au début des années 1960 montre d'abord un développement accéléré des institutions centrales de l'État québécois au sein desquelles une bureaucratie et une technocratie imposeront leurs modes de gestion et détermineront les principes qui guideront le développement de la société québécoise. Dans cette perspective, plusieurs institutions nouvelles seront créées au cours des années 1960 et la majorité des ministères et organismes existants seront restructurés[9].

Les deux tableaux que nous reproduisons indiquent clairement le développement institutionnel, particulièrement marqué au cours de la décennie 1960-1970, de même que la forte progression des effectifs de la Fonction publique et parapublique (croissance de 50 % entre 1960 et 1965). Ces données constituent des indices clairs de la consolidation de l'appareil d'État et une expansion des fonctions de l'État qui en se dotant d'un personnel plus nombreux, augmente ses possibilités d'intervention et spécialise ses rôles.

9. À partir des années 1960, tous les ministères, sauf celui du Revenu, ont connu des transformations. Voir. J.-J. SIMARD, *La longue marche des technocrates*, Montréal, Éditions coopératives Albert Saint-Martin, 1979, p. 35.

Tableau 1
Création d'institutions administratives supérieures au Québec depuis 1867

Types d'institutions	1867-1960	1960-1966	1966-1970
Ministères	11	6	5
Conseils consultatifs	5	9	3
Régies d'État	19	3	7
Entreprises publiques	3	8	5
Tribunaux administratifs	1	1	2
Total	39	27	22

Source: D. LATOUCHE, «La vraie nature de la Révolution tranquille», *Revue canadienne de science politique*, VII, n° 3, septembre 1974, p. 533.

Tableau 2
Les effectifs de l'administration québécoise 1933-1970

Année	Administrations et régies	Entreprises publiques	Total	Employés par ,000 habitants
1933	6 770	1 302	8 072	2,51
1944	12 852	3 346	16 198	4,57
1950	17141	?	?	?
1955	22 262	6 044	28 302	6,20
1960	29 298	7 460	36 766	7,13
1965	41 847	14 411	56 258	9,94
1968	52 140	20 056	72 196	12,18
1969	53 301	18 569	71 870	12,01
1970	53 700	16 366	70 066	11,65

Source: J. I. GOW, «L'évolution de l'administration publique du Québec, 1867-1970», E. CLOUTIER et D. LATOUCHE (dir.), *Le système politique québécois*, Montréal, HMH, 1969, p. 94.

Ces tableaux nous montrent également la croissance marquée d'institutions parapubliques, attribuant ainsi un pouvoir réel à des organismes situés à l'abri des aléas politiques quotidiens. Les experts technocratiques pourront donner libre cours à leur volonté de prendre en main, d'une façon quasi autonome, le développement de la société québécoise.

Les nouveaux professionnels de l'administration publique et parapublique, munis de leurs qualifications universitaires[10] et désormais bien en place dans les institutions étatiques, imposeront une rationalité au développement des principaux secteurs de la vie des Québécois, y compris, comme nous l'indiquerons plus loin, en ce qui a trait à l'organisation du milieu urbain.

De plus, ces nouveaux bureaucrates introduiront des nouvelles méthodes de gestion au sein de l'appareil étatique, imposant ainsi une logique managériale à l'organisation des divers secteurs de développement de la société. Sur le plan des méthodes introduites, il s'agit d'un mélange de:

> recettes de rationalisation instrumentale inscrites dans la logique même des appareils [qui] pour maximiser le rendement des systèmes [...] s'inspire [...] de psychologie behavioriste, d'ingénierie taylorienne, de sociologie fonctionnaliste, de théorie générale des systèmes, d'économie politique keynésienne et, bien sûr, d'informatique[11].

Ces nouveaux modes de gestion garantiront à ceux qui en maîtrisent les techniques, une assurance de leur permanence au sein de l'administration publique.

Par ailleurs, des méthodes raffinées de gestion des ressources financières de l'État seront élaborées par l'appareil administratif, permettant à ceux qui possèdent les clés de l'administration financière une mainmise quasi complète sur l'ensemble des activités publiques. L'introduction de méthodes complexes comme le «Planning-Programming-Budgeting System» (PPBS), aura comme conséquence de technocratiser la base de l'activité politico-administrative, à savoir l'utilisation et la gestion des recettes et des dépenses de l'État[12]. Sachant l'importance accordée à la gestion financière dans le secteur public, le haut fonctionnaire qui en maîtrise les méthodes aura certes une influence sur un ensemble de décisions et saura utiliser cette compétence à des fins qui pourront le servir.

Enfin, le renforcement des organismes centraux — comme le ministère du Conseil exécutif et le Conseil du Trésor — rapprochera de façon déterminante la haute fonction publique des premières instances décisionnelles. La jonction du politique et de l'administration se manifeste clairement par l'influence grandissante que les technocrates peuvent exercer au sein de ces organismes.

---

10. Par exemple, le nombre de diplômés en sciences sociales dans la Fonction publique a quadruplé entre 1959 et 1965. Voir J. I. GOW, «Modernisation et administration publique», *op. cit.*, p. 171.

11. J.-J. SIMARD, «Québec et frères Inc. La cybernétisation du pouvoir», *Recherches sociographiques*, vol. XX, n° 2, 1973, pp. 248-249.

12. Voir A. BERNARD, *Politique budgétaire et gestion financière de l'État*, Montréal, Département de science politique de l'UQAM, 1984.

Tous ces facteurs rassemblés contribuent à montrer le rôle de premier plan qu'occupe l'appareil technobureaucratique dans le processus décisionnel. Dans l'élaboration des décisions collectives, la dimension politique paraît progressivement s'effacer devant les aspects proprement administratifs. Cela nous semble être la caractéristique majeure du fonctionnement actuel de l'appareil politico-administratif de l'État. De même, cette technocratisation du processus par lequel les décisions publiques sont élaborées et mises en oeuvre nous semble également observable par l'analyse empirique des politiques urbaines de l'État québécois. En effet, en analysant les principales actions de l'État, dans une perspective évolutive, nous pouvons constater l'ampleur du pouvoir technocratique dans la réorganisation de l'espace urbain au Québec et dans l'introduction de méthodes de gestion publique sur le plan local, inspirées des mêmes critères administratifs qui ont guidé la réforme centrale. En outre, nous constatons que la décentralisation municipale au Québec a entraîné paradoxalement un renforcement des structures d'encadrement sur le plan central. Ces affirmations, qui constituent davantage des hypothèses de recherche et des pistes d'interprétation, seront testées par l'analyse des causes et conséquences des principales politiques urbaines élaborées et mises en oeuvre par l'État québécois. Toutefois, auparavant, il conviendrait de dresser un bilan sommaire de la situation du développement urbain alors qu'il n'était pas contrôlé par une structure d'encadrement. On pourra ainsi comprendre le prétexte dont se sont servis les technocrates pour imposer leurs méthodes rationnelles de gestion.

DÉVELOPPEMENT ET CRISE URBAINE

Le Québec a connu une croissance urbaine liée de très près aux différentes phases de son développement industriel. Non pas que l'industrialisation ait précédé l'urbanisation — certaines villes telles Montréal, Québec et Trois-Rivières existaient bien avant les grandes étapes du développement industriel — mais c'est plutôt la croissance industrielle qui a généré une redéfinition de la vocation des villes du Québec et a accéléré le mouvement vers l'urbanisation généralisée de la société québécoise. Il faut donc regarder le développement urbain et les caractéristiques de la crise urbaine — c'est-à-dire les problèmes de logement, de transport, de santé, de chômage, etc. — comme les effets d'un développement capitaliste industriel non contrôlé.

La généralisation de la forme de vie urbaine au Québec est un phénomène somme toute récent. Bien que dès 1920, la prédominance des urbains sur les ruraux était acquise, la bourgeoisie canadienne-française réussit à maintenir les valeurs qui ont dominé le Québec rural. On peut ainsi voir que certains analystes estimaient encore récemment que le Québec était demeuré une société rurale jusqu'à la Seconde Guerre mondiale[13] alors que les données statistiques indiquaient une toute autre réalité[14]. Il faut admettre toutefois, que les valeurs traditionnelles ont persisté longtemps après le passage du Québec rural à un Québec urbain.

En réalité, la contradiction apparente entre les données réelles et l'interprétation que certains ont soutenue, repose sur le fait que les réels changements dans l'organisation de l'espace et dans les formes de vie urbaine correspondent aux étapes du développement industriel du Québec. Dès les premières manifestations d'une réorientation économique et les premières phases d'industrialisation, les villes québécoises furent transformées et les populations rurales se sont déplacées vers les centres où leur avenir économique leur paraissait mieux assuré.

C'est ce contexte qui générera les graves problèmes urbains auxquels devra faire face, plus tard, l'appareil d'État québécois. Les villes se sont organisées principalement au Québec pour satisfaire aux besoins de la production économique en phase de développement. Sans planification aucune par un organisme central, les villes québécoises seront incapables de rencontrer les besoins fondamentaux de leurs résidents: logement, transport, santé, loisirs, etc. sont autant d'aspects qui indiquent la détérioration de la vie des Québécois dans leur passage du monde rural vers la société urbaine.

Par exemple, la réorientation observée dans la structure économique à partir des années 1950 — c'est-à-dire le développement du secteur tertiaire — aura des conséquences sur l'organisation de l'espace urbain. On assistera progressivement à la redéfinition des fonctions du centre-ville en regard des besoins de gestion de l'activité économique et à un étalement vers la périphérie des unités de production. Les besoins de logement et de transport seront en conséquence complètement redéfinis en fonction des nouvelles exigences de l'économie capitaliste.

On observe que c'est la ville qui s'ajuste au développement économique: après avoir déterminé un réseau urbain qui correspondait aux besoins d'expansion industrielle de l'économie capitaliste, les développements qui ont modifié la structure économique, à partir des années 1950, ont provoqué une réutilisation du réseau urbain en fonction des besoins nouveaux.

L'urbanisation de la société québécoise semble donc liée de très près au développement industriel. Même si la configuration générale du réseau urbain est déjà tracée avant l'expansion industrielle, l'industrialisation a renforcé le poids de Montréal dans l'ensemble des villes québécoises, elle a redéfini en fonction de ses besoins la mission des autres villes existantes ou encore elle a

---

13. C'est le cas de C. CASTONGUAY dans son rapport sur *L'urbanisation au Québec*, Québec, Éditeur officiel du Québec, 1976, p. 26.

14. La population urbaine représentait plus de 50 % de la population totale du Québec en 1921.

créé de toutes pièces des villes nouvelles en fonction des besoins économiques précis. Par ailleurs, la population semble laissée pour compte au profit de la seule logique fonctionnelle capitaliste. Elle subira les contrecoups de cette expansion industrielle et urbaine et l'État québécois, quand s'amorcera son processus de modernisation, devra veiller à remettre en ordre cette désorganisation spatiale et sociale.

LES POLITIQUES URBAINES: DÉCENTRALISATION ET CONTRÔLE

C'est principalement à compter du milieu des années 1960 qu'une volonté de planification centrale de l'espace urbain se manifestera au sein de l'appareil politico-administratif québécois. Les nouveaux technocrates québécois voudront prolonger dans l'administration urbaine la grande réforme qu'ils conduisent sur le plan central. La réorganisation de l'État semble également devoir passer par la réforme des niveaux urbain et municipal. Il y a entre les deux paliers, central et local, une complémentarité que les nouveaux dirigeants semblent comprendre.

Avant les années 1960, certaines actions étatiques avaient déjà amorcé un contrôle des activités administratives locales et un encadrement des collectivités vivant en milieu urbain. Les nouveaux administrateurs publics pourront ainsi s'appuyer sur ces politiques gouvernementales pour rationaliser davantage l'espace urbain et imposer des méthodes plus rigoureuses de gestion municipale. Certes, les interventions de l'État avant 1960 ne témoignent pas d'une volonté de diriger le développement urbain dans une perspective centrale de planification. Toutefois, elles indiquent une forme d'encadrement et de contrôle qui se renforcera à partir de la Révolution tranquille.

Ainsi, tout en laissant à l'entreprise privée l'entière liberté d'exploiter, selon ses besoins, les ressources spatiales et humaines du Québec, les autorités gouvernementales développeront une stratification des villes québécoises selon leurs caractéristiques, selon un ordre de grandeur particulier et selon leur degré d'urbanisation. Au début du XXe siècle, le territoire québécois se trouve partagé en trois grandes catégories de municipalités: celles qui relèvent du Code municipal (au moins 300 habitants), celles qui sont assujetties à la *Loi des cités et villes* (2 000 habitants pour les villes et 6 000 pour les cités) et, enfin, les municipalités régies par une charte spéciale, amendée chaque année par le gouvernement québécois (Montréal et Québec).

En 1915, le Québec comptait déjà 1 241 municipalités[15]. L'encadrement et le contrôle des activités municipales semblaient alors poser un problème aux instances politiques et administratives québécoises. Pour pallier

15. G. LORD et D. CHÉNARD, *Les structures politiques et administratives des municipalités du Québec*, Annexes du rapport sur l'urbanisation, Québec, Éditeur officiel du Québec, 1976, p. 17.

l'absence d'un contrôle minimal sur les municipalités, le gouvernement créa, en 1918, le ministère des Affaires municipales, auquel il adjoindra plus tard (en 1932) la Commission municipale. Au cours de cette période, les municipalités québécoises connaissaient de graves difficultés financières et le gouvernement provincial décida d'exercer un contrôle plus étroit sur la gestion des opérations financières et administratives locales. Par ces appareils, les organismes centraux pourront ajuster, de façon autoritaire si cela est nécessaire, les instances locales aux conditions d'évolution de l'industrialisation de la société québécoise.

Les premières manifestations de l'État indiquent la tendance qui s'imposera dans la gestion des affaires urbaines: les autorités politiques et administratives québécoises procéderont à un contrôle centralisé des pouvoirs municipaux au sein d'organismes qui s'affirmeront plus tard comme les principaux organisateurs de l'espace urbain. Cette forme d'action administrative sera privilégiée à une autre option qui aurait restructuré l'institution municipale pour qu'elle puisse mieux s'adapter à ses nouvelles fonctions. Les autorités gouvernementales ont plutôt choisi un renforcement de leur pouvoir dans la gestion des affaires municipales, considérant alors les institutions locales comme des exécutants de politiques conçues centralement.

C'est donc d'après ces données que les nouveaux technocrates québécois procéderont à la réforme du niveau local. Les actions déjà entreprises consistaient principalement en une surveillance administrative des municipalités plutôt qu'en une transformation de la structure municipale en fonction d'une vision planifiée du développement. L'appareil technobureaucratique québécois pourra, à partir des années 1960, imposer une normalisation et une centralisation administrative à travers des réformes de nature institutionnelle, par l'instauration d'une gestion contrôlée des finances municipales, de même que par diverses réformes administratives et politiques du régime municipal québécois.

Afin de saisir la dimension globale de la réforme urbaine au Québec, il convient de procéder à des regroupements selon différentes périodes. Ainsi, nous aurons une vision chronologique des changements qui ont déterminé une nouvelle conception de la gestion de l'espace urbain. Nous nous inspirons de la classification des projets, politiques et programmes que L. Quesnel-Ouellet a déjà présentée[16]; celle-ci offre une vision systématique de la réforme, nous permettant d'appuyer sur des bases claires nos suggestions d'analyse et d'interprétation.

Les politiques et programmes sont regroupés en trois périodes, correspondant à l'alternance de partis politiques différents au pouvoir à Québec, soit 1) 1960-1966: l'amorce de la réforme; 2) 1966-1970: une vision

---

16. L. QUESNEL-OUELLET, «Aménagement urbain et autonomie locale», dans G. BERGERON, R. PELLETIER (dir.), *op. cit.*, pp. 211-238.

sectorielle de l'aménagement; et 3) 1970-1976: une vision globale et rationnelle de l'aménagement. Enfin, nous ajouterons quelques remarques en fonction des réalisations récentes.

L'amorce de la réforme (1960-1966)

Dès les premières manifestations de l'intérêt que portent les décideurs publics à la réforme urbaine, on verra sortir le débat du champ exclusivement politique pour être confiné davantage dans le domaine plus spécialisé des experts chargés de préparer et de proposer des orientations précises de réforme. Cette première période est ainsi particulièrement marquée par la mise sur pied de groupes de travail, qui devront formuler des projets généraux ou particuliers de réforme urbaine. On peut dès lors comprendre qu'il s'agira de projets à caractère technocratique dont les politiciens n'auront, à toutes fins utiles, qu'à assumer la responsabilité publique. Et si ces projets ont souvent échoué dans leur tentative d'application, c'est précisément pour des justifications politiques et non à cause de leur manque de faisabilité administrative. Il s'agit certes de l'une des causes qui ralentira l'aboutissement de la réforme d'ensemble que l'on souhaite dès le milieu des années 1960.

Au cours de cette période seront créées quatre commissions d'enquête sur des problèmes particuliers ou plus généraux des municipalités québécoises.

On prêtera d'abord attention aux problèmes financiers des municipalités. Le gouvernement créera la commission Bélanger afin que des experts se penchent sur des solutions réelles aux difficultés financières des municipalités québécoises et, par conséquent, à une part non négligeable des problèmes de l'administration centrale qui doit combler les absences de ressources municipales. Le groupe de travail, dont le rapport sera remis en 1965, recommandera[17]: «l'intensification de la politique de regroupement municipal dans la mesure où celui-ci contribue à l'économie et à l'efficacité administrative ainsi qu'à l'équité fiscale».

Cette recommandation s'inscrit parfaitement dans l'esprit des suggestions mises de l'avant par le ministère des Affaires municipales dès 1964. En effet, les efforts de rationalisation du Ministère visaient d'abord la réduction du trop grand nombre de municipalités. Les encouragements variés à la fusion, bien que rencontrant les critères d'une meilleure gestion préconisée par l'appareil technocratique, ne furent pas écoutés par les politiciens locaux qui y voyaient un effritement de leurs pouvoirs.

Par ailleurs, l'appareil politico-administratif central se préoccupa des problèmes intermunicipaux de l'Île Jésus. Les difficultés financières se trouvent aussi à la source de la création de la commission Sylvestre en 1964. Encore une fois, la Commission opta pour le regroupement municipal en

---

17. *Ibid,* p. 218

recommandant la fusion des 14 municipalités de l'Île Jésus. Cette fois cependant, la recommandation, qui correspondait à une perspective technocratique de normalisation, fut réalisée par la création de la ville de Laval.

Également, au cours de cette période, le gouvernement créa un groupe d'étude sur les problèmes intermunicipaux de l'Île de Montréal. Contrairement aux recommandations de la commission Sylvestre, le rapport de la commission Blier, qui favorisait le regroupement des municipalités de l'Île, ne connut pas de suite immédiate[18]. Les enjeux politiques dans la région montréalaise commandant une certaine prudence, ce n'est qu'au début des années 1970 que Montréal connaîtra son importante réorganisation structurelle. On peut dès lors constater la persistance des projets technocratiques de réforme qui ont, dans presque tous les cas, réussi à s'imposer.

Enfin, c'est également au cours de cette période que fut instituée la commission La Haye (1963) dont le mandat était beaucoup plus large que celui des commissions précédentes, soit formuler une politique d'urbanisme pour le Québec. C'est encore à des experts que le gouvernement s'adressa pour formuler les grandes réformes souhaitées du monde municipal. La Commission, qui remit son rapport en 1968, envisagea le développement à partir d'une double perspective: l'urbain et le régional. Le rapport insista sur la nécessité de développer les régions périphériques à partir de leurs centres urbains tout en accordant une place privilégiée à la région montréalaise comme centre et moteur du développement économique. Toutefois, par prudence à l'égard des municipalités et surtout de leurs dirigeants politiques, le gouvernement ne donna pas suite immédiatement aux recommandations du rapport La Haye.

Même si la plupart de ces projets ne connurent pas de conséquences immédiates, ils constituent néanmoins autant d'étapes à franchir pour parvenir à la réforme globale du système municipal québécois et s'inscrivent parfaitement dans «la longue marche des technocrates»[19] pour moderniser l'appareil politico-administratif local.

Il ne faudrait toutefois pas oublier que l'administration québécoise, tout en amorçant le processus de réforme globale, conduit également des réformes sectorielles. En effet, parallèlement à ces grands projets de réforme, de nombreuses politiques gouvernementales imposent sectoriellement la logique technocratique québécoise par l'intermédiaire de lois, de règlements, de programmes institutionnels de contrôle et de réorganisation qui concernent les

---

18. Voir G. BOURASSA, *Les relations ethniques dans la vie politique montréalaise*, Documents de la Commission royale d'enquête sur le bilinguisme et le biculturalisme, Ottawa, Information Canada, 1971, p. 108.

19. Nous empruntons évidemment cette expression à J.-J. SIMARD, *La longue marche des technocrates, op. cit.*

fusions, les finances municipales, le transport en commun, le logement, etc. Toutes ces actions concourent à transformer lentement, mais de façon irréversible, la gestion municipale pour ainsi l'adapter au modèle adopté par l'appareil central.

Une vision sectorielle de l'aménagement (1966-1970)

La période unioniste marqua un temps d'arrêt sur le plan des grands projets de réforme. On centra plutôt les efforts sur des actions plus ponctuelles qui visent à modifier, à la pièce, l'administration municipale (par exemple, l'élargissement de la participation électorale municipale).

L'appareil politico-administratif québécois entreprit toutefois une réforme d'envergure des structures municipales en créant à la toute fin de la décennie 1960 les deux communautés urbaines de Montréal et de Québec et la communauté régionale de l'Outaouais. Cette réforme paraît s'inscrire parfaitement dans la volonté technocratique de rationaliser l'espace québécois. Elle s'attaque d'abord aux principales agglomérations urbaines du Québec et impose à celles-ci un cadre de gestion homogène, amorçant ainsi une normalisation qui connaîtra plus tard des prolongements en ce qui concerne l'ensemble des municipalités québécoises.

Toutes ces actions ponctuelles viennent amoindrir l'urgence de la réforme globale. Elles instaurent, à la pièce, un ordre urbain correspondant aux désirs des technocrates québécois. Toutefois, ces derniers n'abandonneront pas totalement leurs grands projets de réforme globale, mais modifieront plutôt la stratégie pour y parvenir.

Une vision globale et rationnelle de l'aménagement (1970-1976)

Une volonté de rationalisation plus clairement affirmée redeviendra une priorité au cours des années 1970. Sans oublier les modifications amorcées dans divers secteurs, la réforme globale apparaît à l'appareil technocratique de plus en plus nécessaire. Toutefois, une stratégie nouvelle pour parvenir à cette fin accompagnera le processus. En effet, les acteurs locaux seront intégrés au processus de modernisation de leurs structures (conférences Québec-municipalités). Il faut bien voir dans cette démarche non pas un processus de décentralisation mieux défini, mais plutôt une approche stratégique pour faire accepter aux acteurs locaux des projets technocratiques, toujours conçus au sein de l'appareil central. Malgré de multiples oppositions, de nature politique, rencontrées tout au long de ce processus, la stratégie produira les effets escomptés puisque la réforme sera enfin adoptée au terme des années 1970.

La première conférence Québec-municipalités fut convoquée en mai 1971 pour discuter du Livre blanc, présenté par le ministre des Affaires municipales, M. Tessier, sur la réforme des structures municipales. Ce projet cherche à redéfinir les conseils de comté et à les intégrer aux dix régions administratives. Le découpage du territoire en dix régions correspondait à une volonté de rationaliser la gestion de l'appareil administratif central québécois. On avait procédé ainsi pour uniformiser au sein des organismes administratifs québécois, les actions à incidence régionale. On peut comprendre que l'intégration des conseils de comtés aux régions administratives réponde à la même logique technobureaucratique de rationalisation des modes de gestion.

L'opposition des municipalités empêchera le Livre blanc de franchir les étapes du processus décisionnel, mais le projet ne fut pas oublié et il sera présenté à nouveau, dans une version modifiée, quelques années plus tard.

Dans la perspective de rationaliser la gestion de l'espace urbain, le gouvernement tenta d'encourager et de faciliter les fusions municipales en adoptant une nouvelle version de la *Loi favorisant le regroupement des municipalités*. Il s'agissait de relancer un débat qui datait déjà de six ans. Les résultats ne furent guère plus concluants que ceux qui avaient été enregistrés à la suite de la première version de la loi. En fait, seulement quelques municipalités décidèrent de se regrouper et les fusions — peu nombreuses au total — furent plutôt imposées par le gouvernement québécois que consenties volontairement[20].

À la suite du projet de réforme (le Livre blanc), l'administration du gouvernement libéral proposa un avant-projet de loi sur l'urbanisme et l'aménagement. Celui-ci suggérait une nouvelle division du territoire en trois niveaux: un niveau régional, un niveau qui correspondrait au regroupement de quelques municipalités et, enfin, le niveau municipal. Devant la résistance des forces locales, le projet fut mis en veilleuse et l'appareil central s'attaqua à un domaine qui suscitait beaucoup plus d'enthousiasme, la réforme de la fiscalité municipale.

Le projet de réforme globale ne fut toutefois pas oublié et on renoua avec la tradition des commissions d'enquête en confiant à Claude Castonguay (qui avait conduit la vaste enquête sur la santé et le bien-être et avait procédé à la réforme complète du secteur) la tâche de conduire une recherche générale sur l'urbanisation au Québec et sur les démarches que devrait suivre l'administration centrale dans ses rapports avec les niveaux local et régional.

En 1975, le gouvernement mit également sur pied, le Groupe de travail sur l'habitation qui déposa son rapport l'année suivante. Le rapport Legault favorisait clairement une centralisation des pouvoirs au sein des institutions québécoises et une augmentation des capacités de gestion des municipalités en

---

20. Sur les fusions, voir G. DIVAY et J. LÉVEILLÉE, *La réforme municipale et l'État québécois (1960-1979)*, Montréal, INRS-Urbanisation, 1981.

matière d'habitation. On peut donc constater que les objectifs technocratiques demeurent toujours constants dans la démarche et les résultats des enquêtes: on y favorise la rationalisation de la gestion du monde local et régional par le renforcement des structures centrales de coordination et de contrôle.

C'est aussi dans cette perspective que le ministre des Affaires municipales proposait, au printemps 1976, un projet de loi concernant l'aménagement et l'urbanisme dont le contenu ressemblait à la *Loi 125* que le gouvernement du Parti québécois fera adopter quelques années plus tard. Les réactions des municipalités au projet et la défaite électorale des libéraux en novembre 1976 allaient cependant reporter l'issue du débat provincial-municipal.

On peut constater la détermination avec laquelle se sont succédé les projets centraux de réforme municipale au cours de cette période. Il est facile de constater que les technocrates québécois n'abandonneront pas leur objectif et les acteurs politiques municipaux semblent conscients du fait qu'ils devront tôt ou tard se soumettre à une réforme globale du système municipal.

Au cours de la période 1970-1976, les grands projets de réforme ont principalement visé à un nouveau quadrillage de l'espace québécois, tant rural qu'urbain, par la création d'une structure régionale. Il s'agit d'une mesure nettement technocratique qui vise à une rationalisation de l'administration publique municipale en fonction des besoins de contrôle et des visées administratives des organismes centraux.

LES RÉALISATIONS RÉCENTES: 1976-1985

On peut aisément constater que les réformes qui seront réalisées sous le gouvernement du Parti québécois ne sont que l'aboutissement d'un long processus amorcé au cours des années 1960. Si différents gouvernements se sont succédé à Québec, l'administration publique s'est solidement installée dans des postes qui lui ont permis de poursuivre, au cours des années, des projets de réforme comme ceux qui ont été menés avec détermination dans le domaine urbain.

De 1976 à 1980, de grandes réformes furent ainsi réalisées. Dans un premier temps, c'est par la revalorisation du pouvoir municipal que le processus s'amorce. De nouvelles dispositions furent adoptées dans le but d'atteindre une plus grande démocratie sur la scène municipale. Les principales réformes touchent alors la formation de partis politiques municipaux, le financement des élections désormais soumis à des règles comparables à celles du niveau provincial, etc. Jusqu'à présent, ces réformes s'adressent aux municipalités de 20 000 habitants, mais les objectifs avoués visent à étendre ces mesures à un plus grand nombre de municipalités.

Le second volet de la réforme touche un aspect longtemps réclamé par les municipalités: la loi de 1979 répond globalement aux demandes des instances locales en leur transférant la quasi-totalité de l'impôt foncier qu'elles devaient jusqu'alors partager avec les commissions scolaires. Aux yeux des acteurs locaux, il s'agit d'une grande victoire et ceux-ci deviennent ainsi beaucoup mieux disposés à appuyer l'appareil central dans la grande réforme qui s'annonce.

C'est en effet par la *Loi 125*, sur l'aménagement et l'urbanisme, que l'appareil technobureaucratique québécois réussira à mettre en oeuvre son vaste projet de réforme et de rationalisation de l'espace urbain déjà souhaité depuis une dizaine d'années. L'objectif de réduire le nombre trop élevé de municipalités (au-delà de 1 600) longtemps préconisé dans les documents administratifs, perd de son acuité par la création d'une structure d'encadrement des municipalités: les Municipalités régionales de comtés (MRC). Au lieu de réduire à 200 ou 300 le nombre d'entités municipales au Québec, comme le préconisait l'administration publique au cours des années 1960 et 1970, on se retrouve désormais avec 94 MRC qui englobent l'ensemble des villes québécoises. L'objectif de contrôle de l'activité municipale se trouve ainsi renforcé par rapport aux projets antérieurs.

La principale tâche confiée aux MRC fut de préparer un schéma d'aménagement concernant les municipalités regroupées sous cette nouvelle structure. Les institutions centrales se gardent cependant le soin d'approuver le schéma adopté par la MRC, de suggérer des modifications ou même, le cas échéant, d'imposer un schéma conforme aux visées de la Commission municipale du Québec[21].

Les technocrates québécois qui possédaient grâce à cet organisme un important pouvoir de contrôle sur les activités municipales viennent ainsi d'élargir leur emprise en contrôlant dorénavant les principales responsabilités des MRC.

L'appareil technocratique québécois imposera également ses méthodes de gestion aux MRC, les rendant ainsi encore plus dépendantes de structures de coordination et de contrôle qui se situent au-dessus d'elles. De récentes recherches sur le fonctionnement des MRC — notamment dans la région du Saguenay—Lac-Saint-Jean — montrent clairement que le développement régional se fera par l'imposition de méthodes de gestion conçues par les

21. «En juin 1984 étaient sanctionnées des modifications (L.Q., 1984, ch. 27) à la *Loi sur l'aménagement et l'urbanisme* et ayant pour but d'abolir la commission nationale de l'aménagement et de confier ses tâches à la commission municipale du Québec», dans R.-J. GRAVEL, *Les institutions administratives locales au Québec, Structures et fonctions*, Québec, PUQ, 1987, p. 57.

technocrates de l'administration publique québécoise et non par celles provenant de la base régionale, désormais regroupée au sein des MRC[22].

Les récentes réalisations montrent la détermination des «rationalisateurs bureaucratiques»[23] dans leur objectif de réformer la gestion municipale et dans leur intention d'exercer un contrôle sur l'activité des municipalités. Ces réalisations viennent renforcer leur poids dans l'appareil politico-administratif québécois et rendent ainsi les concepteurs de la réforme indispensables dans la gestion d'un important secteur de la vie de la collectivité québécoise.

La démarche administrative visant à une plus grande rationalisation de l'appareil local et régional ne trouve pas son point d'achèvement dans la création des MRC. Certes, il s'agit d'une étape fondamentale dans un long processus de réforme politico-administrative, mais la «modernisation» ne s'arrêtera pas là. Elle sera suivie par d'autres décisions qui, pour nous, viennent renforcer le poids déterminant de l'appareil administratif central sur les institutions décentralisées.

Ainsi, en 1983, le ministre délégué à l'Aménagement et au Développement régional, François Gendron, publie un document de travail intitulé *Le choix des régions*. Celui-ci suggère, à partir d'un découpage du territoire basé sur les 94 MRC existantes et sur une modification des 10 régions administratives québécoises, d'instaurer deux niveaux administratifs, l'un se référant à la région d'appartenance (la MRC), l'autre à la région de concertation (la région administrative). Ce dernier niveau regroupera les principaux intervenants, provenant de l'administration publique québécoise dans les régions et des institutions proprement régionales (maires, préfets, etc.), autour d'une instance: le Conseil régional de concertation et d'intervention (CRCI).

Ce document annonce, par son titre, les intentions gouvernementales de procéder à un développement des régions par les divers milieux directement concernés et cherche la concertation entre tous les intervenants, régionaux et gouvernementaux, afin de bien ajuster les politiques gouvernementales aux réalités régionales. Comme on peut le lire dès le préambule du *Choix des régions*[24]:

> Le gouvernement du Québec est disposé à faire le choix des régions, c'est-à-dire affirmer sa préférence pour un développement

---

22. Voir à ce sujet les diverses recherches empiriques regroupées dans l'ouvrage que dirigent H. DIONNE, J.-L. KLEIN et J. LARRIVÉE, *Vers de nouveaux territoires intermédiaires?*, Rimouski/Chicoutimi, GRIDEQ/GRIR, 1986.

23. Nous empruntons l'expression à M. RENAUD, dans «Réforme ou illusion? Une analyse des interventions de l'État québécois dans le domaine de la santé», *Sociologie et sociétés*, vol. 9, n° 1, avril 1977, pp. 127-152.

24. F. GENDRON, *Le choix des régions*, Gouvernement du Québec, Document de consultation sur le développement des régions, Québec, 1983.

des régions par les régions, et à favoriser la mise en oeuvre des choix effectués par ces dernières.

Cette démarche pourrait indiquer un renversement par rapport aux positions antérieures. Toutefois, on a pu constater que lors d'un conflit entre les positions gouvernementales et celles des régions, l'administration centrale imposera sa logique de façon irréversible aux instances régionales, donnant aussi un sens bien particulier à la notion de «concertation» tant recherchée tout au long du document et dans les multiples discussions entre acteurs centraux et régionaux à travers le Québec. Ainsi, l'administration centrale a-t-elle imposé un nouveau découpage territorial — une nouvelle version des dix régions administratives — modifiant substantiellement le territoire de certaines régions. Dans l'Outaouais, par exemple, la proposition contenue dans *Le choix des régions* redéfinit le territoire en l'amputant de plus de 50 % de sa superficie. Malgré les protestations d'une grande majorité d'intervenants régionaux et malgré les recommandations de la Commission d'étude sur l'Outaouais, formée en 1984[25] par le gouvernement pour éclairer sa décision, l'administration centrale imposa sa rationalité et le découpage de l'Outaouais fut redéfini tel qu'il avait été présenté dans le document ministériel.

On peut ainsi voir la logique que recouvrent encore les notions de consultation et de concertation: tout comme au cours des années 1970, s'il y a conflit entre les positions des acteurs centraux et régionaux (ou locaux), les décideurs ultimes imposeront leurs orientations aux régions qui doivent subir des réformes qui souvent ne semblent aucunement adaptées à leurs besoins. On peut en saisir toute la portée dans cet exemple récent concernant la redéfinition du territoire de l'Outaouais: le nouveau quadrillage du territoire correspond essentiellement à une logique administrative et c'est cette logique qui s'imposera au-delà des conflits politiques entre acteurs centraux et régionaux. La réforme administrative, technocratique, semble donc loin d'avoir trouvé son point d'achèvement.

Il sera également possible d'observer l'orientation que prendra l'imposition des responsabilités administratives aux régions en analysant les nouveaux mandats qui seront attribués aux MRC au cours des prochaines années. En effet, les fonctions principales confiées aux MRC lors de leur création, c'est-à-dire celles qui sont liées à la composition d'un schéma d'aménagement, semblent terminées dans toutes les régions québécoises; celles-ci devront attendre, tel que l'a annoncé le ministre des Affaires municipales, les directives de l'administration centrale afin de poursuivre leurs activités à partir de nouvelles orientations.

Toutefois, les municipalités semblent, cette fois, vouloir mieux se préparer à faire face aux acteurs centraux. En effet, l'Union des municipalités

---

25. Québec (prov.), *Rapport de la Commission d'étude sur l'Outaouais*, Conseil exécutif, 1984.

du Québec (UMQ) a décidé d'adopter une méthode comparable à celle qui est souvent utilisée par l'appareil québécois, c'est-à-dire la création d'une commission d'étude. En octobre 1985, l'UMQ a confié à l'ancien ministre Jacques Parizeau le soin de préparer une recherche sur les municipalités et de lui formuler des recommandations[26], de telle sorte qu'elle pourra mieux défendre des positions communes lors de négociations avec le gouvernement sur l'avenir des municipalités et des MRC. Nous doutons toutefois que cette démarche entraîne de nouvelles politiques gouvernementales correspondant mieux aux intérêts locaux et régionaux, elle suscitera tout au plus, pensons-nous, de nouveaux débats politiques mieux articulés autour de positions communes à plusieurs municipalités et une stratégie plus nuancée des acteurs politico-administratifs centraux.

CONCLUSION

Nous avons constaté que les projets de décentralisation qui ont touché le monde local depuis les années 1960 offrent en réalité un curieux paradoxe. En effet, tout en présentant un discours axé sur l'augmentation du pouvoir local, les réalisations viennent plutôt renforcer le pouvoir de contrôle de l'appareil central. Cela correspond, selon nous, à des prétentions nettement technocratiques visant à étendre au monde municipal les modes de gestion qui ont déterminé la modernisation de l'administration publique québécoise.

Par la création des MRC, tout comme dix ans auparavant par l'instauration des communautés urbaines et régionales, l'appareil central n'effectue pas de réelle décentralisation; il confie à ces instances supramunicipales des compétences jusqu'alors exercées par les municipalités, plutôt que des responsabilités nouvelles provenant d'un transfert de l'appareil central. Il s'agit bien de l'instauration de nouveaux paliers auxquels on confie des responsabilités de gestion[27] et à qui les technocrates québécois imposent des modèles d'administration calqués sur leurs propres méthodes. Il faut donc comprendre ici la notion de décentralisation dans un sens particulier et même paradoxal: l'appareil de l'État central tout en créant des paliers politico-administratifs dits décentralisés, renforce ses moyens de contrôle et de normalisation sur l'ensemble du territoire et encadre les populations à l'intérieur d'instances administratives étroitement surveillées. On pourrait ainsi

26. UMQ, *Rapport de la Commission d'étude sur les municipalités*, 1986.

27. Voir sur ce sujet, L. JALBERT, «Décentralisation ou autonomie administrée», *La décentralisation pour quoi faire?*, Cahiers de recherche sociologique, vol. 3, n° 1, avril 1985, p. 85.

reprendre l'expression de Divay et avancer que nous connaissons au Québec une «décentralisation d'encadrement»[28].

Le bref recul historique que nous avons effectué nous a permis de constater la brisure existant entre la conception technocratique de la réforme urbaine et la réalité des luttes politiques — de pouvoir — entre les acteurs locaux et provinciaux. Malgré une constante opposition des politiciens locaux aux ingérences, non justifiées à leurs yeux, des instances supérieures dans la gestion municipale et malgré la lutte qu'ils ont souvent menée sur la scène politique, ils ont dû constater la fragilité de leur pouvoir et leur dépendance par rapport au gouvernement central québécois.

Loin des querelles strictement politiques, l'appareil administratif québécois a maintenu sa détermination de réformer la gestion du territoire et des personnes et nous avons constaté que les projets conçus par la technocratie centrale ont eu gain de cause sur les querelles politiques entre acteurs locaux et provinciaux.

Avancer que l'ensemble des grandes réformes contenues dans les diverses politiques gouvernementales est planifié, élaboré, imposé par la technobureaucratie québécoise, représenterait un pas de plus à franchir, et notre étude du monde municipal nous amène dans cette direction. Bien sûr, nous sommes conscients de soutenir une position que tous ne partagent pas. Plusieurs analystes perçoivent encore l'élaboration et la mise en oeuvre des politiques gouvernementales comme le résultat d'un processus principalement déterminé par les acteurs politiques[29]. Toutefois, une analyse de la complexité des choix politiques nous conduit plutôt à percevoir le processus décisionnel comme l'aboutissement d'une démarche induite le plus souvent dans l'appareil administratif et menée à terme par celui-ci.

---

28. G. DIVAY, *La décentralisation en pratique, quelques expériences montréalaises, 1970-1977*, Montréal, INRS-Urbanisation, 1979.
29. Voir notamment L. BERNARD, *Réflexions sur l'art de se gouverner, Essai d'un praticien*, Montréal, Québec/Amérique, 1987.

NOTES SUR LES AUTEURS

Julien Bauer — Doctorat en science politique, Fondation nationale des sciences politiques (Paris), 1974. Julien Bauer est professeur au département de science politique de l'Université du Québec à Montréal; il s'intéresse tout particulièrement à l'étude des différents aspects de la relation entre l'administration publique et l'ensemble des institutions sociales. Il a publié de nombreux articles sur le sujet. Son plus récent est intitulé «Résolution des conflits et crise de décision» (*Politique*, n° 13, printemps 1988).

Yves Bélanger — Ph. D. (science politique) UQAM, 1985. Professeur au département de science politique de l'Université du Québec à Montréal et spécialisé en analyse des politiques appliquées dans les champs de la main-d'oeuvre, du travail, de l'économie et de la défense, Yves Bélanger est également co-auteur de l'*Entreprise québécoise, développement historique et dynamique contemporaine* (Hurtubise/HMH, 1987) et co-éditeur du recueil *L'ère des libéraux* (Presses de l'Université du Québec, 1989). Il publiera sous peu avec Pierre Fournier un livre sur l'impact au Québec du développement de l'économie militaire canadienne dont le titre sera *Le Québec militaire.*

André Bernard — Ph. D. (science politique) Université de Montréal, 1969. André Bernard, professeur au département de science politique de l'Université du Québec à Montréal, est spécialisé dans l'étude de la poltique budgétaire et financière de l'État au Canada et au Québec. Il consacre en outre ses travaux de recherche à l'analyse électorale et à l'étude des comportements politiques. Auteur de plusieurs livres dont *La politique au Québec et au Canada* (Presses de l'Université du Québec), il met présentement la dernière main à une étude sur la politique budgétaire (Presses de l'Université du Québec, 1989).

Jacques Bourgault — Docteur d'État en science politique (1986, Institut d'Études politiques de Paris), Jacques Bourgault mène ses recherches dans les domaines suivants: la haute fonction publique, l'analyse et l'évaluation des politiques publiques et les relations entre administration et politique. Il prépare un ouvrage sur l'évolution de la haute fonction publique québécoise de 1867 à nos jours.

Pierre Delorme — Ph. D. (science politique) de l'Université de Montréal, 1984. Professeur d'administration publique et responsable du diplôme de 2e cycle en management des services publics régionaux à l'Université du Québec à Hull. Il s'intéresse aux rapports politico-administratifs dans les organisations publiques modernes et a publié *L'ordre urbain* (Éditions Asticou, 1986).

Laurent Lepage — Doctorat (sociologie) Institut d'Études politiques de Paris, 1984. Professeur au département de science politique de l'UQAM, il s'intéresse particulièrement à la sociologie des organisations, l'analyse des politiques publiques et à l'économie politique. Co-éditeur avec Lizette Jalbert d'un ouvrage intitulé *Néo-conservatisme et restructuration de l'État*, PUQ, 1986, Laurent Lepage fera paraître à l'automne 1989 aux Presses de l'Université de Montréal un recueil portant sur l'oeuvre de Gunnar Myrdal.

Jacques Léveillée — Professeur au département de science politique de l'UQAM à Montréal et co-directeur du Groupe de recherche d'analyse interdisciplinaire en gestion de l'environnement (GRAIGE). Il a dirigé des recherches sur l'évolution des structures municipales québécoises et sur le système politique montréalais. Il participe actuellement à une étude de la gestion des déchets domestiques à Montréal. Ses plus récentes publications sont *Le système politique de Montréal* (avec Guy Bourassa dans les Cahiers de l'ACFAS) et *Montreal After Drapeau* (avec Jean-François Léonard chez Black Rose Books).

Carolle Simard — Diplômée de l'Université de Montréal et de l'Institut d'Études politiques de Grenoble, Carolle Simard est professeur au département de science politique de l'Université du Québec à Montréal. Dans ses recherches, elle s'intéresse aux changements dans les administrations publiques. Elle a publié l'ouvrage intitulé *L'administration contre les femmes* (Boréal, 1983) de même que divers articles parus notamment dans la *Revue canadienne de science politique* et *Politique*.

Pierre P. Tremblay — Ph. D. (science politique) Université de Montréal. Au service des administrations publiques fédérale et québécoise durant quinze ans, il enseigne maintenant à l'UQAM et à l'ENAP. Ses recherches portent sur la gestion des politiques fiscales et budgétaires ainsi que sur les processus de prise de décision et d'évaluation.